Asti
D O C G

Le italiane sono belle fuori, buone dentro.

Come la panna da montare Virgilio. Buona, cremosa, naturale.
Scegli il gusto tutto italiano di Virgilio: 100% crema di latte,
100% italiana, genuina, senza additivi e fatta solo con latte italiano.
Ecco perché la nostra panna si chiama
PANNA ITALIANA, altrimenti che gusto c'è?

Panna da montare e da cucina Virgilio, italiane in tutto e per tutti.

320 TIPOLOGIE

TRADIZIONALI

L'ITALIA

DEI DOLCI

Guida alla scoperta e alla conoscenza

Slow Food Editore

Curatori
Valter Bordo, Angelo Surrusca

Collaboratori
Roberto Agosti, Enrico Amatori,
Anna Ancona, Loredana Aprato,
Piero Arnaudo, Stefano Asaro,
Corrado Assenza, Enrico Azzolin,
Andrea Barbieri, Annabella Bassani,
Hans Baumgartner, Paolo Bellini,
Andrea Bertucci, Angelo Bissolotti,
Pier Luigi Bottà, Gianni Breda,
Michele Bruno, Pasquale Buffa,
Francesco Cantarutti, Dhènis Cappellino,
Livio Caprile, Dionisio Castello,
Alessandro Castiglioni, Antonio Cherchi,
Gian Paolo Ciancabilla, Giulio Colomba,
Anna Bruna Cosenza, Gerardo Cosenza,
Pietro Cosignani, Costantino D'Angelo,
Nicoletta Destro, Maria Antonietta Epifani,
Bruna Eusebio, Alberto Adolfo Fabbri,
Roberto Ferranti, Patrizia Frisoli,
Paolo Gramigni, Peppino Incampo,
Adriano Irranca, Achille Lanata,
Carmelo Maiorca, Giuseppe Massimini,
Federico Molinari, Marco Mucci,
Anna Paola Murtas, Linda Nano,
Elisabetta Nardelli, Sergio Nesich,
Filomena Oliverio, Giuseppe Paladino,
Stefania Pampolini, Enzo Pedreschi,
Francesco Pensovecchio, Angelo Peretti,
Marco Placidi, Armando Povigna,
Pippo Privitera, Pierpaolo Rastelli,
Maria Romana Rigoni, Daniela Rubino,
Maria Scarcelli, Barbara Schiffini,
Diego Soracco, Pasquale Tornatore,
Alessandro Venturi, Gilberto Venturini,
Luisella Verderi, Chiara Zandarin,
Galdino Zara

Redazione
Antonio Attorre, Valerio Chiarini,
Elena Marino, Grazia Novellini,
Gigi Piumatti, Giovanni Ruffa,
Cinzia Scaffidi

Coordinamento editoriale
Maria Vittoria Negro

Art director
Dante Albieri

Impaginazione
Cristina Capussotti, Francesco Perona

Fotografie
Corbis/Contrasto, Tino Gerbaldo,
Maurizio Laggetto, Roberto Lazzarin,
Marcello Marengo, Alfredo Palazzetti

In copertina
foto Corbis/Contrasto

Fotolito
Imago, Marene (Cn)

Stampa
L'Artistica Savigliano - Savigliano (Cn)

Slow Food Editore srl
Via della Mendicità Istruita, 14-45
12042 Bra (Cn)
Tel. 0172 419611 Fax 0172 411218
E-mail: info@slowfood.it

Per inserzioni pubblicitarie
Slow Food Promozione srl
Via della Mendicità Istruita, 14-45
12042 Bra (Cn)
Enrico Bonura, Gabriele Cena,
Ivan Piasentin
Tel. 0172 419611 Fax 0172 413640
E-mail: promo@slowfood.it

Siti Internet: www.slowfood.it,
www.slowfood.com

ISBN 88-8498-058-0

Prefazione

Quando abbiamo provato a delimitare il campo dell'oggetto di questo libro ci siamo per un momento sentiti persi. Come si delimita il campo di un sapere che sconfina da ogni lato, e che va a ficcare il naso nei domini della gelateria, della confetteria, della cioccolateria, della panificazione, e persino in quello della cucina "salata"?

Così abbiamo scelto i dolci tradizionali, da forno o fritti o bolliti, ma che stessero chiaramente fuori dall'area confetteria e cioccolateria. Abbiamo escluso anche i gelati. Ed eccoci qua, con una quantità comunque ancora sterminata di dolci, dolcetti, biscotti…

Che abbiamo cercato, assaggiato, fotografato. A proposito dei quali abbiamo intervistato i produttori, per capire quali ingredienti avevano usato, quale ricerca delle materie prime c'era dietro.

Sono il punto dolente, le materie prime. In questa giungla di prodotti tradizionali, in questa bellissima giungla, in cui ogni frazione di ogni paesino ha la sua versione del dolce regionale, oltre ad avere i suoi dolci specifici che pochi chilometri più in là nessuno si sognerebbe di fare, in questa meravigliosa confusione e in questo gioco delle sovrapposizioni, si sta correndo un rischio serio: quello di perdere l'anima. Perché sono ormai tanti, troppi, i pasticcieri, panettieri, fornai e affini che producono senza più mettersi in gioco. Che si sono adagiati sulle "comodità" degli aromi di sintesi, degli acceleratori di lievitazione, dei coloranti… che insomma producono dolci che hanno i nomi e le forme di quelli della nostra memoria, ma che poi non reggono la prova del palato.

Così questo libro si propone con una doppia valenza: da un lato quella di fare da catalogo di un sapere e di una tradizione che sicuramente sono ancora vivi e forti nel nostro Paese e che rimandano a una identità e a una caratterizzazione che trovano ancora oggi conferma in queste che sono a tutti gli effetti espressioni culturali; dall'altro quella di illustrare un "dover essere" che purtroppo sempre più raramente coincide con l'"essere" con il quale tutti i giorni ci ritroviamo a confronto. Sfogliando queste pagine troverete dolci italiani, i dolci della nostra storia e della nostra identità. Vi racconteremo anche come si fanno. Qualcuno, onore al merito, ancora li fa in questo modo. Ma questa non è una guida ai produttori, è un inventario delle produzioni. Allora da qui in avanti la palla passa ai lettori-consumatori. Quando andate a cercare questi prodotti drizzate le antenne, leggete le etichette, se possibile interrogate i pasticcieri: pretendete prodotti "veri", e vedrete che anche i produttori torneranno alla verità.

Perché oggi fare il pasticciere è diventato un mestiere complicato, che richiede un coraggio speciale. Bisogna destreggiarsi tra mille regole e mille prodotti "per le pasticcerie professionali", quelli che "non danno problemi" in occasione di eventuali controlli, quelli che "assicurano" la perfetta riuscita delle preparazioni. L'abilità finisce per essere dimenticata, la competenza nello scegliere materie prime di eccellenza (ammesso che si riesca a trovarle) non viene premiata, e allora i pasticcieri spesso subiscono la fascinazione dell'"andare sul sicuro", usando i prodotti che le ditte forniscono loro e che non presentano nessun genere di "rischio".

Insomma, i pasticcieri hanno bisogno dell'aiuto di noi consumatori per recuperare in pieno quella linea di follia che da sempre li contraddistingue, persino nell'ambito di una categoria, quella dei cuochi e affini, che con la "normalità" non ha mai avuto troppi punti di contatto. Solo così potranno tornare a fare ricerca per trovare la farina migliore, il latte vero, le cotture giuste, le lievitazioni naturali, gli aromi derivati dalla frutta e dalle spezie e non dagli idrocarburi. Per liberare i dolci tradizionali da quell'eccesso di zuccheri che ormai caratterizza tutta l'alimentazione del mondo sviluppato.

È su di noi che contano per poter recuperare questa allegria del far bene: sul nostro palato, sulla nostra capacità di essere esigenti e sul nostro portafoglio. Ma soprattutto sulla nostra cultura, e questo è un eccellente libro di testo.

Cinzia Scaffidi

Sommario

Gli ingredienti

Le farine

Si chiamano farine i prodotti principali della macinazione di alimenti secchi. In gastronomia hanno particolare rilievo gli sfarinati ottenuti dalla molitura dei cereali, insieme di piante erbacee comprendente 500 generi e migliaia di specie, coltivate in tutto il mondo e appartenenti principalmente alla famiglia delle graminacee. Il cereale più importante è il **frumento**, che può essere tenero o duro.

La farina di grano tenero è sicuramente tra le più usate in pasticceria. Di consistenza polverosa, può essere bianca o più scura e più o meno raffinata ("00", "0", "1", "2") secondo il contenuto di ceneri, cellulosa e glutine. È classificata in base alla capacità di fornire un amalgama di buon volume, alla resistenza durante la lavorazione, all'attitudine a sopportare le sollecitazioni chimico-fisiche dovute alla fermentazione (tenacità) e alla stabilità dell'impasto durante l'intero ciclo lavorativo. Con particolare attenzione va valutata la percentuale di acqua contenuta: farine eccessivamente umide perdono in lucentezza, si ammassano in grumi, si riscaldano e fermentano, possono arrecare odori sgradevoli di muffa, di marcio e di acido acetico, nonché sapori inizialmente dolciastri che poi diventano acri e amarognoli.

L'**indice di panificabilità (w)** è un altro parametro di enorme importanza che, mediante i valori forniti da un particolare strumento denominato *alveografo di Chopin*, indica la "forza" del macinato. È una misura strettamente legata alla qualità e quantità delle proteine in esso contenute, soprattutto gliadine e glutenine, responsabili della successiva formazione di glutine cui si devono le peculiarità elastiche e di unione dell'impasto. Nella lavorazione biscottiera, che in genere non prevede processi lievitativi, questo parametro si attesta su valori che al massimo arrivano a 150-160. Per altre preparazioni di pasticceria, come il panettone, tale livello deve raggiungere (e anche superare) la barriera dei 400.

I sali minerali, presenti in dosi variabili tra l'1,5 e il 2 per cento, sono rappresentati da calcio, magnesio, sodio, potassio, fosfati e solfati: la loro quantità è misurata in ceneri e svolgono un ruolo centrale fungendo da sostanza nutriente per i lieviti. Oltre ad alcune vitamine, lo sfarinato contiene, in quantità che può aumentare dopo la macinazione, anche amido e zuccheri riducenti, responsabili del colore che il prodotto assume durante la cottura. Va da sé che, per sostenere un'attitudine fermentativa, nelle farine debbano essere presenti degli enzimi; essi attaccano la molecola dell'amido e la trasformano in maltosio, glucosio e destrine. Al fine di facilitare le varie fasi (dalla lievitazione al comportamento durante la cottura) di farine per così dire "minori", intervengono *sodio solfito*, *bisolfito*, *metabisolfito*, *acido ascorbico* e *cisteina*, sostanze che, miscelate allo sfarinato – in alcuni casi direttamente nei molini di produzione –, fungono da miglioratori.

Oltre a quella di grano, trovano impiego in pasticceria altre farine. La **farina di riso** (creme, torte, budini, biscotti...) si distingue per un minor contenuto in glutine, non lievita e rappresenta un valido sostituto della **fecola di patate**, setosa polvere bianca composta per lo più (98-99%) da amido. La **farina di mais**, ottenuta dalla macinazione del granturco, può essere di colore giallo o bianco secondo la varietà di pannocchia; rende più friabili e croccanti i biscotti, ha sapore lievemente dolce, fornisce freschezza al preparato e, qualora sia a grana fine, anche delicatezza e coesione. L'**orzo** rientra nella confezione di alcuni dolci per lo più in alternativa al riso, come amido miscelato ad altri sfarinati e nella preparazione di particolari budini. Praticamente inutilizzata, se si escludono alcuni preparati dietetici, è l'**avena**, ricca di sostanze antiossidanti. Classico addensante naturale è la farina di manioca, ricavata dal tubero omonimo, che assume la denominazione **tapioca** quando è particolarmente pregiata; in Sud America è chiamata anche yucca. La rediviva **farina di farro**, il cui sapore ricorda le noci, si usa in

genere per preparare biscotti come, in misura minore, avviene con il **miglio**. La **farina di castagne** (assurge a sfarinato di pregio quand'è ottenuta da frutti selezionati essiccati lentamente in correnti d'aria riscaldata al fuoco di castagno su graticci di legno di castagno verdi, e poi molita a pietra) è da sempre ingrediente base per dolci tradizionali tra i quali, ovviamente, il castagnaccio.

Le farine di frumento in cucina

Fermo restando che le caratteristiche della farina dipendono dalle peculiarità del grano di provenienza, si può a grandi linee consigliare l'uso della farina "00" per impasti destinati a biscotti e paste frolle (non lievitati), ai biscotti al burro, alle torte secche (pan di Spagna, torte margherite); la farina tipo "0" invece sarà destinata alle paste lievitate (brioche, croissant) e a quelle che debbono risultare particolarmente friabili (le cialde dei cannoli, per esempio). Le farine di tipo "1" e "2" sono difficilmente reperibili sul mercato e comunque il loro uso in pasticceria è del tutto marginale.

Le uova

"Montare l'albume a neve ben ferma" oppure "amalgamare i tuorli con lo zucchero fino a ottenere…" sono operazioni indicate in moltissime ricette di pasticceria, dove l'**uovo** è una presenza costante. Budini, meringhe, pan di Spagna, una miriade di biscotti, torte, mousse, babà sarebbero impensabili senza il prezioso contributo di quest'ingrediente.

Di tutte le tipologie presenti in natura, è l'uovo di gallina a essere maggiormente (per non dire unicamente) usato, in virtù di un basso contenuto in materia grassa e un alto contenuto di lecitine, che lo rendono il migliore emulsionante naturale in assoluto. L'albume rappresenta quasi i due terzi del peso totale dell'uovo ed è composto da acqua (90%) e proteine (10%), che nel "rosso" sono rispettivamente il 50 e il 20%.

Classificate in quattro categorie (A extra, A, B, C) in base al calibro e alla freschezza, le uova, a parte il loro sapore, hanno tre proprietà: legano i liquidi trasformandoli in solidi (coagulazione), danno una consistenza soffice e leggera ai cibi (frullatura) e, infine, emulsionano le salse a base di olio (maionese) o di latte (crema inglese). In pasticceria, le uova fungono da agente "legante" e danno uniformità e consistenza alla struttura del-

l'impasto, migliorando le peculiarità del glutine; apportano maggiore friabilità e conferiscono colore, profumo e sapore alle preparazioni. Inoltre, grazie ai fosfolipidi naturalmente contenuti, favoriscono un uniforme spargimento degli altri ingredienti nell'amalgama. Il loro quantitativo va valutato attentamente rispetto agli altri componenti perché, qualora fossero in numero insufficiente, si andrebbe incontro a cedimenti della pasta e, di contro, se fossero troppo abbondanti il preparato non lieviterebbe in maniera adeguata.

Nell'industria dolciaria non è raro l'impiego di uova liofilizzate oppure pastorizzate e omogeneizzate, di albume essiccato in scaglie, di tuorlo ugualmente pastorizzato e poi omogeneizzato e zuccherato o semplicemente surgelato. Ovviamente, tutte queste tipologie non riescono a eguagliare in qualità le caratteristiche proprie dell'uovo fresco, ma sono più facilmente gestibili nell'economia aziendale.

L'acqua

È con l'impiego dell'**acqua** che la frazione proteica della farina di grano, cioè il glutine, si trasforma dando vita alle reazioni che consentono la coesione dell'impasto. Questo composto elastico diventa indispensabile nel formare uno speciale reticolo in cui rimarranno imprigionati i gas che si formeranno durante il processo fermentativo proprio di tutti i dolci lievitati (lievitazione) e che poi, durante la cottura, daranno vita all'alveolatura caratteristica e diversa per ciascun prodotto lievitato.

Ingrediente spesso sottovalutato, in pasticceria l'acqua svolge un ruolo importante e deve rispondere a precise caratteristiche. Quelle troppo dolci rendono l'amalgama molle ed eccessivamente colloso, mentre dalle troppo "dure" nascono impasti poco malleabili. Nelle fasi iniziali, poi, l'acqua si assume il compito di sciogliere le diverse sostanze che compongono le varie miscele, disperdendole in maniera omogenea. È chiaro come un simile ingrediente possa influenzare le qualità organolettiche del prodotto finale: sono inadatte le acque contenenti troppi sali terrosi o eccessivamente clorate, mentre una percentuale troppo alta di gesso ostacola il rigonfiamento della pasta. Anche l'acidità relativa (pH) influisce in maniera importante. Quindi c'è acqua e acqua: bene quella di sorgente, la minerale

naturale o quella del rubinetto, purché non eccessivamente
trattata con sterilizzanti.

Il sale

Utilizzato in modeste quantità nelle ricette dolciarie – pani
dolci e torte –, il **sale** è utile perché si contrappone alle fermen-
tazioni troppo tumultuose che possono avvenire in alcune cir-
costanze, ostacola la nascita dei batteri nemici del glutine e
contribuisce a rallentare il deterioramento dei prodotti. È
anche un buon esaltatore di sapori.

Diciamo subito che delle due tipologie più conosciute, marino
e salgemma, è la prima quella di maggior pregio.

La produzione di sale marino, da secoli attiva nel Trapanese,
avviene nelle saline, colorati puzzle formati da un insieme di
vasche e bacini tra loro comunicanti grazie a un ingegnoso
sistema di canalizzazione e pompe a vite d'Archimede. Nei vari
passaggi, procedendo dalle vasche più vicine al mare a quelle
più interne, l'acqua aumenta la propria concentrazione salina
diventando prima rossastra, poi azzurra e, infine, biancastra là
dove il sole e le brezze estive contribuiscono a formare spessi
strati di cristalli che, una volta frantumati, saranno raccolti in
surreali colline poi protette da tegole d'argilla. Il ciclo di produzione inizia, in linea di massima, a marzo e, se le condizioni
climatiche lo permettono, quando si chiude a settembre può
aver fruttato anche tre raccolti.

Il sale artigianale (per il quale esiste anche un Presidio Slow
Food) si differenzia molto dal concorrente industriale in quanto
non subisce raccolte meccanizzate, raffinazioni o mescolamenti
con altri sali minerali. Raccolto a mano, asciugato e pulito dai
corpi estranei, è ricco di iodio, fluoro, magnesio e potassio.

Le sostanze grasse

I lipidi, comunemente detti grassi, sono sostanze organiche, di origine sia vegetale sia animale, insolubili in acqua. Sono costituiti da esteri di acidi grassi superiori e sono composti da carbonio, idrogeno e ossigeno; in alcuni casi anche da azoto e fosforo, che portano alla formazione di fosfolipidi (elementi, quando associati con amminoalcoli, alla base delle lecitine, spesso impiegate come emulsionanti), colesterolo, vitamine liposolubili.

I grassi si dividono in saponificabili, riducibili cioè in sapone, e insaponificabili. Nei primi, di maggior interesse alimentare, il gruppo più rappresentativo è quello dei gliceridi, originati dalla fusione di una molecola di glicerina (o glicerolo) con una (*monogliceridi*), due (*digliceridi*) o tre (*trigliceridi* o grassi neutri) molecole di acidi grassi (o monocarbossilici). Questi acidi, la cui struttura chimico-fisica determina le caratteristiche organolettiche, fisiche e nutrizionali dell'alimento, sono identificati come acidi a catena lineare e presentano atomi di carbonio in numero pari che possono unirsi tra loro attraverso legami semplici o doppi. Nel primo caso si avranno gli acidi grassi *saturi* (latte, latticini e strutto), di origine animale e di struttura solida dovuta all'alto punto di fusione; nel secondo, invece, si origineranno gli acidi grassi *insaturi* (oli), di aspetto liquido e propri degli organismi vegetali.

In pasticceria i grassi possono dividersi in:

Grassi di origine animale
- latte e grassi derivati dal latte (panna, burro, yogurt, ricotta, mascarpone)
- strutto

Grassi di origine vegetale
- olio extravergine di oliva
- oli di semi
- oli vegetali diversi (palma, karité…)
- margarina (anche se questa può presentare una composizione di origini miste, vegetali e animali).

Il latte

Composto per il 90% da acqua e per il resto da globuli di grasso, proteine, sali, zuccheri (lattosio) e vitamine, il **latte** per convenzione internazionale è «il prodotto integrale ottenuto dalla mungitura regolare, ininterrotta e completa di una femmina lattiera non affaticata, in buono stato di salute e d'alimentazione». La semplice dizione "latte" indica soltanto il latte di vacca (R.D. 994/1929, art. 15), tant'è che, per essere posto in commercio, quello di pecore, capre, bufale, cavalle, cammelle e renne deve recare la scritta identificante la specie da cui è stato ottenuto.

Il latte è un liquido complesso le cui caratteristiche dipendono dalla razza animale, dall'alimentazione, dal periodo dell'anno e dal tipo di allevamento (pascolo o stabulazione fissa). Secreto dalla ghiandola mammaria, è di colore bianco opaco tendente al giallo, olfattivamente può ricordare l'animale da cui deriva, è lievemente acido (pH pari a 6,5/6,7), di sapore prevalentemente dolce che, crudo e a temperatura ambiente, dopo alcune ore tende ad acidificare. Anidride carbonica, acetilmetilcarbinolo e acido butirrico, prodotti durante la fermentazione lattica del lattosio, contribuiscono alla formazione di sostanze particolarmente odorifere come il diacetile, proprio dell'aroma del burro, o l'etanale, che sta alla base del gusto dello yogurt. Sentori metallici od oleosi sono propri di un latte esposto per troppo tempo alla luce.

Per preservare il latte da rischi di inquinamento e batterici, il prodotto crudo è sottoposto a trattamenti termici che si prefiggono di bonificarlo attraverso una netta riduzione (o un azzeramento totale) della carica batterica. Le pratiche sono la bollitura, la pastorizzazione, la sterilizzazione, l'omogeneizzazione, la condensazione, la centrifugazione e la riduzione in polvere.

La semplice *bollitura* consiste nel portare il latte per qualche minuto a una temperatura di 80 gradi: si uccidono microbi e fermenti e si modifica il sapore.

Con la *pastorizzazione* (High Temperature Short Time) si riduce una parte considerevole di carica batterica e di tutti i microrganismi patogeni eventualmente presenti. Il trattamento avviene, generalmente, a una temperatura compresa tra 75 e 83 gradi per un tempo variabile tra i 15 e i 25 secondi e poi si raffredda gradatamente.

La *sterilizzazione* (Ultra High Temperature Short Time o U.H.T.) provvede a eliminare totalmente fermenti, microbi e vitamine. Dopo alcuni passaggi di preriscaldo, per mezzo di vapore il latte è portato a circa 150 gradi per due-tre secondi; si procede quindi a un raffreddamento veloce al fine di evitare degradazioni dovute a reazioni chimiche innescate dal calore. La durata di questo prodotto è assai lunga (tre mesi) e il sapore è fortemente modificato.

L'*omogeneizzazione* consiste nel trattare il latte ad alta pressione: ciò spacca i globuli di grasso portando a una migliore digeribilità. Non permette la formazione di panna.

Con la *condensazione* il latte è riscaldato a 55 gradi fino a che l'acqua non si riduce di circa i due terzi. Si perdono buona parte delle vitamine e può essere commercializzato già zuccherato.

La *standardizzazione mediante centrifughe* elimina parte della materia grassa. Il latte che ne risulta è diviso nelle tipologie "scremato", "parzialmente scremato" e "intero".

Esiste poi il *latte in polvere*, ottenuto con un processo industriale di disidratazione e micropolverizzazione. Si usa per la produzione di cioccolato al latte (nel quale è indispensabile) e in molte preparazioni dolciarie industriali (gelati, snack, caramelle…).

Panna e burro

Golosità sopraffina, la **panna** si ottiene dal latte mediante separazione per affioramento o per scrematura centrifuga. Composta per la maggior parte da acqua, oltre a un 10% formato da zuccheri, proteine (soprattutto caseina, indispensabile per trattenere l'aria nella lavorazione di montatura), sali, vitamine e grassi, la panna è classificata come: da caffetteria, quando contiene almeno il 10% di materia grassa; da cucina (minimo 20%); da montare o per pasticceria (dal 30 al 38%). Per legge non possono essere usati additivi chimici, ma nella tecnica industriale di montatura è consentito l'impiego, come coadiuvanti, di gas non tossici tipo il protossido d'azoto. La panna va conservata a una temperatura non superiore ai 4 gradi e, in genere, è sottoposta a pastorizzazione (panna fresca con conservabilità di sei-sette giorni) o a sterilizzazione Uht (lunga conservazione, durata quattro mesi).

Parente stretto della panna, e considerato il migliore tra i grassi animali, è il **burro**. Si ottiene lavorando una panna di medio o elevato contenuto lipidico (40-70%) mediante un processo detto *zangolatura*, durante il quale la parte che solidifica si separa dal siero. Quest'operazione, denominata anche "procedimento a

schiuma", causa la frantumazione della membrana esterna delle particelle grasse e la loro successiva coesione separandosi dalla parte acquosa o latticello. Già descritto nella Bibbia, dove a Isaia si fa annunciare che il Messia mangerà burro e miele, è sicuro che furono i popoli africani e dell'Asia minore a far conoscere, prima in Grecia (dove era chiamato *butirro*) e poi in Italia, le metodologie per produrre quest'alimento. Come per il latte, anche per il burro è obbligatorio specificare, se diverso dalla vacca, l'animale d'origine.

Detto che può essere ottenuto anche attraverso un sistema denominato di *burrificazione continua*, il prodotto deve avere, per legge (L. 1526/1956), una percentuale di materia grassa non inferiore all'82%. Ingrediente fondamentale di moltissime preparazioni, compresi gli impasti base, quando si usa è bene non eccedere nelle operazioni di amalgama per evitare di "bruciarlo" e, se si deve utilizzare il mattarello o la sfogliatrice, per impasti tirati, è fondamentale raffreddare il composto per mantenere un'adeguata plasticità.

Oltre al *burro anidro*, prodotto privato dell'umidità e destinato all'uso industriale, si può trovare il *burro concentrato* che contiene almeno il 99,8% di grasso del latte.

Lo strutto

Lo **strutto**, ricco di acidi grassi saturi, è ottenuto dalla fusione del tessuto adiposo addominale interno del suino. Ha l'aspetto di una pasta bianca, lucida e compatta e, non possedendo antiossidanti naturali, irrancidisce con facilità assumendo colorazioni giallognole e odori per nulla accattivanti. Eccellente nella produzione di krapfen e frittelle (preparazioni che vanno "asciugate" e consumate con relativa velocità perché altrimenti, una volta fredde, formano sulla superficie una patina biancastra alquanto sgradevole), trova largo impiego nella lavorazione di biscotti e altri dolci da forno. Dello strutto (venduto in forma liscia, granulosa e a fiocchi) esistono varie tipologie a partire dal *puro* che, oltre a essere ottenuto solo attraverso la lavorazione degli strati adiposi di maggior pregio, non ha subìto alcuna manipolazione chimica. Trattamento indispensabile, invece, per gli strutti *raffinati* che, per nulla fini nelle sensazioni organolettiche, sono ricavati – con l'uso di solventi – dalle parti anatomiche più disparate: ossa, organi interni, pelle. In commercio si trova anche una versione di strutto *emulsionato* con acqua. Il contenuto energetico è in ogni caso alto, 900 calorie l'etto, e anche quello in colesterolo non scherza, 82 mg per 100 grammi di prodotto.

La margarina

Anello di congiunzione tra mondo animale e vegetale è la **margarina**, grasso idrogenato "inventato" nel 1869 come sostituto economico del burro usando grasso bovino e latte scremato. Piuttosto generose in additivi (sucrogliceridi, butilidrossianisolo e butilidrossitoluolo, tocoferoli e gallati, acido sorbico, aromatizzanti "autorizzati" e – ma solo in quelle per il consumo diretto – coloranti), le margarine sono oggi ricavate soprattutto dall'emulsione di oli vegetali che, previa aggiunta di lecitina e grazie a un apposito trattamento di aromatizzazione, assumono un aspetto molto simile al classico panetto di burro.

Le margarine destinate al consumo domestico derivano principalmente da olio di cocco, di palma, di mais, di girasole, di soia o di arachide. Per la fabbricazione di quelle utilizzate in pasticceria è previsto anche l'uso di grassi animali (per legge diversi dal burro e dai grassi suini) oltre a un 25% di sego.

Caratteristica saliente della margarina è la plasticità, che si mantiene anche ad alte temperature e le conferisce una facile lavorabilità.

In Italia il 60% della produzione di margarina è destinata ai dolci e ai prodotti da forno industriali: una "scorciatoia" usata da chi dà la precedenza alle ragioni del profitto rispetto a quelle della qualità.

I grassi vegetali

Il **burro di cacao** è il grasso estratto, mediante spremitura, dalle fave di cacao e ne rappresenta la parte più pregiata. In pasticceria è usato (o dovrebbe essere usato) nella lavorazione di ogni tipo di cioccolato, in alcuni tipi di paste lievitate e in creme. Fonde intorno ai 35 gradi.

L'**olio di oliva** è un grasso alimentare ottenuto attraverso semplici processi fisici e meccanici (molitura, gramolatura, spremitura, decantazione…) che, partendo dall'oliva, portano al raffinato condimento che tutti conosciamo. Le variabili che decidono il livello qualitativo di un olio sono molteplici: ambiente colturale (clima, terreno…), varietà delle olive, tempi e metodi di raccolta e trasporto, tecniche di trasformazione delle olive in olio.

Usato soprattutto (escludendo le fritture) nella pasticceria del Centro-Sud, l'olio di oliva è facile da amalgamare e, a volte, può anche sostituire il burro apportando, grazie al proprio contenuto in emulsionanti naturali, una buona consistenza e una soffice morbidezza ai dolci lievitati. Si divide, secondo la legislazione italiana, in:

- *olio di oliva extravergine*, posto al vertice della piramide qualitativa
- *olio di oliva vergine*
- *olio di oliva vergine corrente*
- *olio di oliva vergine lampante*. Quest'olio è ottenuto dalla lavorazione di drupe non sane che portano a un prodotto scadente, eccessivamente acido e difettoso. Generalmente è raffinato con procedimenti chimici prima di essere miscelato con una quantità imprecisata (può essere anche solo l'1%) di vergine "sano" per dargli un minimo di interesse organolettico e trasformarlo in *olio di oliva*, che quindi non deriva, come molti credono, dalla diretta spremitura dei frutti
- *olio di sansa di oliva*: si ottiene mediante estrazione, coadiuvata da solventi chimici, dai residui della lavorazione, incorporandovi una parte di olio vergine.

Inutile dire che i risultati migliori, dal punto di vista organolettico ma anche nutrizionale e salutistico, si otterranno solo con l'extravergine.

Gli **oli di semi** (vari, di soia, di girasole, di mais, di arachide), spesso utilizzati nelle fritture, non hanno una grande resistenza all'azione prolungata del calore e inoltre si ossidano facilmente.

Dalla mandorla fresca della noce di cocco si ottiene l'**olio di cocco** mentre la stessa, una volta essiccata, dà l'**olio di copra**. Dal frutto della palma africana è estratto l'**olio di palma** e da quello dell'albero di **argan** si ricava l'olio omonimo, dal tipico colore aranciato, al centro in Marocco di un Presidio Slow Food.

Lieviti e fermenti

Il ricco e profumato panettone o il morbido e leggero pando-ro, due dei più famosi prodotti dell'arte dolciaria italiana, non possono prescindere, qualora siano di qualità, dall'uso del **lievito naturale** (detto anche *madre* perché prodotto a partire da una piccola porzione di impasto lievitato naturalmente: dall'amalgama originario si possono formare nuovi impasti). Un tempo molto usato nella lavorazione di pani e dolci, è un prodotto "vivo", derivato da una coltura fungina, che richiede un certo impegno nella preparazione e nel mantenimento.

Tutto parte da un semplice impasto di farina integrale (contenente, oltre alla crusca, il germe) e acqua. Quest'amalgama fermenta e acidifica spontaneamente intorno ai 28-35 gradi per opera di alcuni eterobatteri e, in misura minore, di batteri lattici e, in circa 10 giorni, si trasforma in lievito madre. La microflora batterica, in crescita ininterrotta ed esponenziale, va costantemente alimentata con aggiunte giornaliere di farina e acqua utili, oltre che a mantenere in vita l'intero impasto, a frenare il progressivo aumento dell'acidificazione. Un'acidità troppo forte apporterebbe odori e gusti sgradevoli al preparato finale; inoltre, se non alimentati i lieviti inizierebbero a nutrirsi di se stessi, causando un rapido invecchiamento della "madre" fino a renderla inutilizzabile.

L'effetto lievitante, dovuto a naturali reazioni enzimatiche, è dato non soltanto dai saccaromiceti (peraltro i più numerosi), ma anche da *lactobacillus*, fermenti acetici e altri lieviti. Un lievito naturale ottenuto con tutti i crismi sarà di colore bianco tendente all'avorio, spugnoso nella struttura, con l'interno segnato da pori irregolari, e sprigionerà un piacevole sentore acido-alcolico. Può essere conservato anche per mesi, chiuso in sacchetti sottovuoto e surgelato a -20 gradi.

I dolci che nascono da questo miscuglio gonfio e molle sono elaborazioni derivate dalle preparazioni di panetteria, sono figli di lavorazioni molto lunghe che portano gli enzimi proteolitici a lavorare per far sì che il prodotto finito contenga un buon numero di amminoacidi liberi. Questi dolci lievitati, non così semplici da eseguire, sono apprezzati anche per la lunga conservabilità dovuta al grado di acidità (che contrasta anche la formazione di muffe) e per la facile digestione garantita dalla prolungata azione enzimatica che genera composti facilmente assimilabili dall'organismo umano.

Un altro prodotto derivante da coltura fungina è il **lievito compresso o di birra**. Estratto per la prima volta oltre un secolo fa partendo dai residui della fabbricazione della bevanda, oggi si ottiene coltivando particolari ceppi di organismi unicellulari (*Saccaromyces cerevisiae*). Sono cellule vive che si esauriscono abbastanza rapidamente e si attivano con acqua a 35-37 gradi;

temperature più alte le condurrebbero alla morte, mentre più basse non permetterebbero loro di svilupparsi. Il lievito di birra si presenta sotto forma di pani compressi composti per il 60-75% da acqua e per il resto da acido lattico, acetico e vitamine. È largamente impiegato perché un metabolismo piuttosto rapido gli permette di utilizzare i suoi nutrienti con grande velocità, formando rapidamente l'anidride carbonica che serve alla lievitazione. Di lavorazione più semplice, è difficilmente digeribile perché contiene composti eterociclici che possono essere metabolizzati solo mediante un particolare enzima, l'uricasi, presente – ad esempio – nei bovini ma assente nell'organismo umano.

La **poolish** è un miscuglio di consistenza semiliquida formato unicamente da acqua, lievito di birra (in dosi inversamente proporzionali alla durata della fermentazione che si vuole ottenere) e farina. Diffusa nei primi anni del secolo scorso in Francia da alcuni fornai viennesi, è chiamata anche *viennoiserie*. La **biga** parte dal medesimo impasto, ma usa una percentuale minore di lievito e dà amalgami più consistenti, che abbisognano di lievitazioni più lente. Con la poolish e con la biga si hanno prodotti discretamente profumati, gustosi e durevoli.

Pochissimo utilizzato per scarsa praticità d'uso è il **lievito compresso liofilizzato**: lo si riattiva sciogliendolo in acqua a circa 40 gradi ed è reperibile in due tipi, secco da reidratare e secco istantaneo. Il primo può essere prodotto sotto forma di granuli o piccole sfere; il secondo deriva da panelli ridotti in filamenti essiccati con un metodo (essiccamento su letto fluido) più rispettoso delle membrane cellulari e dell'attività enzimatica.

Oltre che con questi ingredienti naturali, il fenomeno fermentativo può essere innescato usando **lieviti in polvere o chimici**. Sono formati da uno starter lievitante, un elemento acidificante e una sostanza inerte tipo amido o farina. Questi composti formano anidride carbonica sotto l'effetto del calore e resistono a concentrazioni zuccherine piuttosto elevate che potrebbero inibire qualsiasi altro agente lievitante. Tra gli agenti fermentanti più diffusi troviamo il **bicarbonato di sodio** (E 500) che apporta un gusto non molto gradevole di sale e lisciva, il **carbonato di ammonio** (E 503) dal forte potere lievitante ma dall'altrettanto deciso sentore di ammoniaca, il **carbonato di potassio**, il **tartrato monopotassico** (E 336), il **glucone delta lattone** (E 575), l'**acido tartarico** (E 334) proprio dell'uva e del vino e l'**acido citrico** (E 330) che dà un sentore acido.

I dolcificanti

Il sapore dolce può derivare, oltre che dallo zucchero, anche da altre sostanze edulcoranti e la scelta di cosa impiegare nelle varie preparazioni può rivelarsi quanto mai caratterizzante. I diversi dolcificanti sono quindi scelti per il loro comportamento durante il processo lavorativo (temperatura di cristallizzazione, aromi conferiti, igroscopicità, attitudine alla fermentazione…) e, purtroppo, anche in relazione al prezzo, il che non sempre fa privilegiare la migliore materia prima.

Il dolcificante più conosciuto è il **saccarosio**, lo zucchero per eccellenza, detto nell'Europa medievale sale bianco, sale dolce o – quasi a sancirne l'origine, nonostante i cinesi ne rivendichino la scoperta – sale indiano. In India, infatti, già nel 500 a.C. si otteneva, per spremitura della canna, una melassa che poi portava a cristalli zuccherini. Può essere ottenuto sia dalla canna da zucchero (*Saccharum officinarum*), che ne contiene circa il 15%, sia dalla barbabietola (*Beta vulgaris*), nella quale se ne trova in quantità pari al 16-18% del prodotto lavorato. In concentrazioni variabili e in genere minori, si può ricavare anche da altri vegetali quali il sorgo, l'acero e alcune palme.

Il processo d'estrazione, per quanto riguarda la canna, inizia con lo spezzettamento e la sfilacciatura del vegetale prima di passare, con appositi macchinari a cilindri, alla spremitura che, nella fase finale, è aiutata da un'aggiunta d'acqua, indispensabile per garantire l'estrazione di ogni piccolo residuo di sostanza zuccherina.

Più laborioso il procedimento che porta all'estrazione di zucchero dalle barbabietole. Dopo il lavaggio, le foglie sono ridotte in fettucce e sistemate in diffusori per essere irrorate con acqua calda che, grazie a un'azione osmotica, si arricchisce dello zucchero ceduto dalle cellule vegetali. I succhi ottenuti sono raffinati con calce a 85 gradi – che favorisce la defecazione dello "sciroppo" – e carbonati prima di essere ulteriormente filtrati. Ciò che si ottiene si decolora con anidride solforosa, si concentra mediante cottura e, dopo la separazione dei cristalli dal melasso (liquido scuro che dopo vari procedimenti fornirà uno zucchero meno puro) per centrifugazione, si raffina. Quest'ultimo passaggio porterà lo zucchero a presentarsi sotto varie forme: semolato, cristallino, in granella, a cubetti, in pani o pezzi detti pilé ricavati per frantumazione della massa, a velo (venduto anche già aromatizzato con vaniglia) e in polvere. Se non adeguatamente conservato in locali asciutti e areati, col tempo lo zucchero ingiallisce e acquista sentori di muffa.

Estratto dalla frutta matura, dal mais o dalla patata, il **glucosio** (o destrosio in quanto, a differenza del levulosio, ruota il piano di polarizzazione della luce verso destra) è un monosaccaride dal potere dolcificante inferiore rispetto allo zucchero comune. È una polvere bianca, cristallina, inodore che, secondo il grado di raffinazione, assume colori variabili dal bianco al giallo paglierino scarico. Lo si usa, in confetteria, per la produzione di

caramelle, e nella lavorazione di dolci da forno caratterizzati da una crosta molto colorata, da un certo tenore di umidità e da un rilevante bagaglio aromatico.

Il levulosio, meglio conosciuto come **fruttosio**, è uno zucchero semplice che, unitamente a glucosio e xilosio, è tra i più diffusi in natura. Non ha un gusto proprio e ha un potere edulcorante superiore (una volta e mezzo) a quello del saccarosio. Può anche ottenersi dal saccarosio per via enzimatica, ma è naturalmente contenuto nel miele, nella frutta, in alcuni sfarinati e verdure. È molto solubile, presenta una notevole capacità di trattenere l'acqua (igroscopicità) e una certa resistenza alla cristallizzazione. Può, in soggetti con carenze enzimatiche, non essere tollerato e innescare un effetto iperuricemico o un aumento del lattato.

Zuccheri "minori" sono il **maltosio** (naturalmente presente nella farina) e il **lattosio**. Il primo è usato prevalentemente in panificazione, per l'effetto colorante sulla crosta. Il secondo è presente nel latte per effetto dell'unione di galattosio e glucosio: per digerirlo l'uomo necessita dell'intervento della lattasi, un enzima contenuto nel succo intestinale; in mancanza della lattasi si verifica un'intolleranza associata spesso a fastidiosi disturbi gastrointestinali.

Dall'idrolisi, acida o enzimatica, del saccarosio si ricava lo **zucchero invertito**, molto usato nella produzione industriale di marmellate, canditi e gelati, data l'alta capacità di assorbimento dell'acqua che contrasta la cristallizzazione e aumenta la scorrevolezza dei prodotti da colare. Si presenta sotto forma di pasta bianca, unta e dal forte potere addolcente.

Dagli amidi, in particolare da quello di mais, si ottiene lo **sciroppo di glucosio**, un anticristallizzante e ammorbidente di aspetto sciropposo. Altri dolcificanti naturali sono il **sorbitolo**, l'**isomalt** ottenuto dalla barbabietola da zucchero, la **glicirizzina** estratta dalle radici della liquirizia (è poco usata perché ne conserva il sapore) e la **taumatina**, potente edulcorante ricavato da una pianta, la *Thaumatococcus Daniellii*, presente in Africa occidentale.

Elaborato dall'ape mellifera ligustica, il **miele** è uno sciroppo con una concentrazione di zuccheri assai elevata. Deve molte delle proprie caratteristiche alla zona in cui vivono le api (fascia costiera, pianura o montagna), alla vegetazione sulla quale gli insetti si posano, alla stagione e alle tecniche di produzione e, naturalmente, alla composizione del nettare raccolto dalle "bottinatrici": per esempio, il miele di edera è ricco di glucosio, mentre quello di rododendro lo è di saccarosio.

Il miele è formato da zuccheri semplici (75%), acqua (20%) e altre sostanze quali saccarosio, poche proteine, vitamine, enzimi, acidi organici, sali minerali e oligominerali, pigmenti, qualche granello di polline e fattori antibiotici come l'inibina. Secondo l'origine, si distingue in *miele da nettare* e *miele di melata* (ottenuto dalle secrezioni provenienti da parti vive di piante o che si trovano nelle stesse); secondo il metodo d'estrazione, è catalogato come *miele di favo* (venduto in favi anche interi), *con pezzi di favo, scolato, centrifugato, torchiato*.

Il *vergine integrale*, cioè il miele che non ha subìto alcun trattamento né aggiunta di altre sostanze, ha aspetto dal fluido al solido e colore che varia dal bianco chiaro (agrumi) al bruno scuro (castagno). In ogni caso, se sottoposti a riscaldamento eccessivo o conservati per troppo tempo e in malo modo, tutti i mieli tendono ad assumere tonalità più cupe associando questo cambiamento a una diminuzione dell'intensità olfattiva che fa perdere molte fragranze tipiche. Anche se il miele non diventa mai tossico o dannoso, il tempo e la cattiva conservazione possono inoltre apportare odore e sapore di caramello, unitamente a un'accentuazione della nota amara. Una sensazione metallica che si può avvertire al gusto (come in alcuni mieli provenienti dalla Cina) riconduce a una conservazione in recipienti non idonei: essendo un ossidante, non gradisce il contatto con materiali ossidabili come il ferro.

La cristallizzazione è un processo naturale al quale vanno incontro tutti i mieli, escluso quello di melata e quelli particolarmente ricchi di fruttosio. A trasformarsi in cristalli è lo zucchero in eccesso, per soprassaturazione del liquido: il fenomeno – che talvolta, invece di interessare la massa nella sua interezza, determina una divisione a strati – può essere ricondotto a lavorati con poco glucosio o a mieli invasettati subito dopo la decantazione. Si possono, inoltre, incontrare prodotti che presentano una lieve schiuma chiara in superficie. Questa "alterazione" può essere imputabile a due cause: la prima, per così dire innocua, riporta alla semplice risalita di bolle d'aria inglobate durante l'inscatolamento o la lavorazione; la seconda, grave, a formazione di anidride carbonica dovuta a una fermentazione anomala del prodotto. Questo è il principale difetto riscontrabile nel

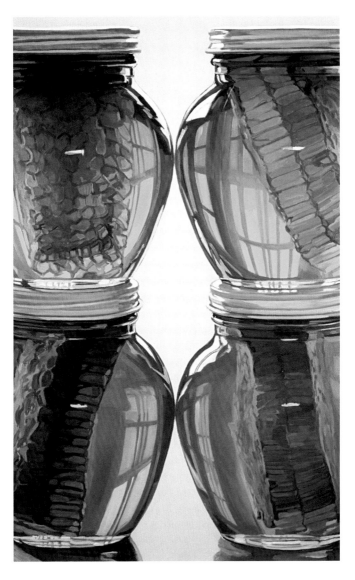

miele, avvertibile anche all'assaggio per via di un sapore leggermente acidulo che rende il prodotto inutilizzabile.

Frodando la legge, il miele può essere addizionato di zuccheri
(anche sotto forma di cibo per le api), aromi, oli essenziali,
estratti di frutta, addensanti, conservanti o gelificanti. Particolari sciroppi, identificati dalla sigla Hfcs (High fructose corn

syrup), presentano una struttura abbastanza simile a quella del miele permettendone la fraudolenta miscelazione. Purtroppo, tutti questi trucchi sono smascherabili solo attraverso attente, e a volte complesse, analisi chimiche. Usato in confetteria come aromatizzante, il miele apporta morbidezza ai prodotti di pasticceria e favorisce una colorazione più intensa durante la cottura.

Un altro zucchero naturale è il **mannitolo** (o **manna**), ottenuto dalla secrezione di un frassino (orniello od ossitillo) particolarmente diffuso nell'area siciliana delle Madonìe. Slow Food ha istituito un Presidio a tutela di questa produzione storica che rischiava di scomparire a causa della particolare laboriosità delle procedure di raccolta.

Va citata, a livello di semplice curiosità, anche la **stevia**: piccolo arbusto originario del Paraguay dal vago sentore di liquirizia, è un dolcificante e un naturale esaltatore di aromi, usato per secoli dagli indigeni anche per le sue proprietà curative; assolutamente privo di calorie, fornisce – sotto forma di polvere bianca estratta dalle foglie – un potere edulcorante pari a 2-300 volte quello dello zucchero. L'uso della stevia è vietato in Italia perché tra le sostanze in essa contenute pare esserci un glucoside allucinogeno.

La **neosperidina** (E 959) deriva dagli agrumi (pompelmo e arance amare) e ha un forte potere dolcificante, ma un deciso retrogusto, assimilabile a qualcosa che sta tra la liquirizia e il mentolo, ne sconsiglia l'uso.

Oltre ai dolcificanti naturali, esistono anche succedanei semisintetici come l'aspartame o sintetici tout court come la saccarina. L'**aspartame**, creato in laboratorio e scoperto per caso nel 1965, è costituito da tre elementi chimici: acido aspartico, fenilalanina e metanolo. La **saccarina** normalmente non è usata nei prodotti cotti, perché comunica loro un odore sgradevole e in purezza ha sapore alquanto disgustoso: spesso perciò la si addiziona con **ciclamato** (sale dell'acido ciclamico dal gusto simile a quello dello zucchero "normale"), vietato negli Stati Uniti e in Gran Bretagna perché ricerche tossicologiche hanno riscontrato effetti cancerogeni e altri disturbi su animali da esperimento.

L'**acesulfame K** (E 950) deriva dal biossido di diidrossitiazinone: simile, per particolarità fisico-chimiche, alla saccarina, è stato scoperto in Germania nel 1967. Ha un potere dolcificante pari a circa 200 volte quello del saccarosio, sapore deciso e retrogusto amaro.

Gli aromi

Circa 3000 additivi possono essere legalmente aggiunti ai prodotti alimentari in Italia: i più numerosi sono gli aromatizzanti, sostanze in grado di conferire determinati sentori a un alimento migliorandone l'aspetto gustativo. Inutile dire che sono usati soprattutto per la fabbricazione di prodotti industriali, figli di materie prime scadenti, economiche, conservabili a lungo e facilmente lavorabili attraverso processi il più delle volte depauperanti il già mediocre livello aromatico di partenza; prodotti spesso destinati ai bambini che, in qualche maniera, tendono ad assuefarsi all'illusorio bocconcino di turno.

Ma cosa sono gli aromatizzanti? Premesso che, merceologicamente, per aroma si intende l'insieme di costituenti naturalmente presenti in un alimento (o in una preparazione alimentare) in grado di produrre stimoli identificabili organoletticamente, vediamo innanzitutto come la legislazione italiana classifica queste sostanze.

Il D.Lgs. 107/1992, all'art. 2, introduce le seguenti definizioni:

- **aromi**: le sostanze aromatizzanti, le preparazioni aromatiche, gli aromatizzanti di trasformazione, gli aromatizzanti di affumicatura e loro miscele;

- **sostanza aromatizzante**: una determinata sostanza chimica dotata di proprietà aromatizzanti, che può essere:

  1. naturale, se ottenuta con procedimenti fisici, comprese la distillazione o l'estrazione con solventi (quelli consentiti sono propano, butano, acetato d'etile, etanolo, CO_2, acetone, protossido d'azoto; sono invece considerati diluenti il sorbitolo, il glicerolo, l'alcol etilico e l'acqua), oppure con processi enzi-

matici o microbiologici a partire da una materia di origine vegetale o animale allo stato naturale o previa trasformazione per il consumo umano con procedimenti tradizionali di preparazione di prodotti alimentari, comprese l'essiccazione, la torrefazione e la fermentazione;

2. identica, se ottenuta per sintesi chimica o isolata a mezzo di procedimenti chimici e chimicamente identica a una sostanza naturalmente presente in un prodotto di origine vegetale o animale;

3. artificiale, se ottenuta per sintesi chimica, ma non identica chimicamente a una sostanza naturalmente presente in una materia di origine vegetale o animale;

- **preparazione aromatica**: un prodotto diverso dalla sostanza aromatizzante naturale, concentrato o meno, avente proprietà aromatizzanti e ottenuto con opportuni procedimenti fisici, comprese la distillazione e l'estrazione con solventi, oppure con procedimenti enzimatici o microbiologici a partire da materie di origine vegetale o animale allo stato naturale o previa trasformazione per il consumo umano con procedimenti tradizionali per la preparazione di prodotti alimentari, compresa l'essiccazione, la torrefazione e la fermentazione;

- **aromatizzante di trasformazione**: un prodotto ottenuto, rispettando le prassi corrette di trasformazione, mediante riscaldamento per non più di 15 minuti a temperatura non superiore a 180 gradi di una miscela di ingredienti che non hanno necessariamente di per sé proprietà aromatizzanti e di cui almeno uno contiene azoto amminico [derivato dall'ammoniaca] e un altro è uno zucchero riduttore;

- **aromatizzante di affumicatura**: un estratto di fumi impiegato nei procedimenti tradizionali d'affumicatura degli alimenti.

Tale classificazione non distingue assolutamente tra i termini "aroma" e "aromatizzante", considerandoli la stessa cosa. Inoltre, definisce come "aromatizzanti di trasformazione" prodotti, costituiti da una miscellanea di elementi organici, utilizzati nella creazione di sostanze aromatizzanti senza che si sappia con accettabile precisione ciò che contengono. A rendere meno chiaro il tutto, interviene l'art. 6 dello stesso decreto, che al punto 4 consente l'impiego "alla pari" con gli aromi naturali di sostanze aromatizzanti "identiche".

Un esempio: il mentolo, elemento naturale dell'olio essenziale estratto dalle foglie di menta e fonte principale del profumo che tutti conosciamo, può essere ricavato, in laboratorio, anche da un batterio. E gli esempi possono continuare con i "naturali" alberi australiani i cui trucioli – mischiati con alcol, acqua e altri ingredienti, dopo una breve cottura – diventano poltiglia da trasformare in aroma di fragola; ed è "naturale" l'olio di ricino che, attraverso un processo denominato Basf, diventa fragranza alla pesca o lo sconosciuto fungo *Trichoderma viride* da cui si estrae il dolce effluvio di cocco. Gli aromi così ottenuti non hanno ovviamente nulla in comune con la menta, né con la fragola o la pesca o il cocco, eppure chi li impiega può tranquillamente avvalersi, in etichetta, della dicitura "aroma naturale", forte del fatto che quanto usato non è una molecola creata artificialmente ma deriva, in qualche modo, da elementi presenti in natura e, pur essendo un preparato sintetico, produce un effetto equivalente (non uguale!) a quello innescato dal prodotto naturale.

Un altro esempio significativo riguarda la vanillina (o vaniglina) creata dal dottor Wilhelm Haarmann nel 1874. La pianta della vaniglia è una robusta liana erbacea originaria dell'America Centrale e oggi coltivata anche in America Meridionale, in Oceania, in Africa e nelle isole dell'Oceano Indiano. Appartiene alla famiglia delle orchidacee e il frutto, una specie di capsula subcilindrica simile a un fagiolino, contiene numerosi semi piccolissimi e ha colore nero brillante. Questi baccelli, sottoposti a lunghi e attenti processi di fermentazione, generano la vanillina, sostanza dal superbo, dolce e aromatico bouquet. Ha larghissimo uso nell'arte dolciaria dove, ad esempio, esalta l'aroma del cacao, ma – purtroppo sempre più spesso – si tende a sostituirla con la vanillina riprodotta artificialmente per via chimica estraendola da altre piante o da derivati del carbone. Questa ha intensità aromatica superiore alla vaniglia, costa infinitamente meno (come tutti i suoi parenti surrogati) ma mai riesce anche solo ad avvicinare la finezza gusto-olfattiva della droga naturale. Ora, queste preparazioni chimiche sono numerosissime e finiscono per aromatizzare un'infinità di prodotti. Spesso ne bastano quantità infinitesimali per modificare (o formare) un sapore. 0,2 miliardesimi di grammo di *mententiolo* consentono a un litro d'acqua di trasformarsi in una bevanda al sapore di pompelmo fresco, e 5 milligrammi di *filibertono* (responsabile del gusto di nocciola nello yogurt) sono sufficienti per aromatizzare addirittura un milione di litri d'acqua.

La moderna industria spesso usa queste sostanze in emulsione, così che si possano disperdere nell'impasto in modo rapido e omogeneo, senza perdere le "proprietà organolettiche" alle alte temperature. La vasta gamma di preparati comprende, oltre ai già citati, altri aromi "classici" come burro, panna, ananas, limone, cacao, caffè senza dimenticare quelli che conferiscono, solo per citarne alcuni, aroma di croissant, di "rum fantasia", di colomba al cedro, di panettone all'arancio e di croccantino.

È bene precisare che la composizione di un'essenza naturale è molto complessa e non si può ridurre alla semplice somma dei suoi costituenti: la riproduzione artificiale di un olio essenziale di cui si conosce la composizione dà luogo a un composto solo superficialmente simile all'originale. Va anche detto che gli aromi artificiali possono determinare una sorta di dipendenza, portando chi li consuma ad aver bisogno di quantità sempre maggiori che amplifichino continuamente le varie sensazioni. Secondo uno studio effettuato alla fine degli anni Novanta,

sembra che i giovani europei abbisognino, per percepire un sapore, stimoli 20 volte più intensi rispetto a dieci anni prima.

A livello di semplice degustazione, la presenza del surrogato (sempre di difficile digestione) può essere rilevata, ancorché non sia semplice per chi non è avvezzo all'assaggio, proprio da una "potenza" non naturale dell'aroma in questione che, in genere, si percepisce un po' staccato dall'intero quadro organolettico. Teniamo conto anche del fatto che su questi preparati, spesso coperti da brevetto, l'informazione è inesistente ed è quasi impossibile conoscere ciò che contengono. Quindi, se proprio non vogliamo farne una questione di gusto, dirigiamo le nostre attenzioni sulla sicurezza e affidiamo i nostri sensi alle preparazioni dolciarie (ma non solo) prodotte da chi utilizza solo aromi ottenuti elaborando unicamente spezie, frutti ed erbe.

Certo, lavorando con materie prime naturali bisogna possedere delle conoscenze di base, seguire con attenzione e competenza l'intera filiera, raccogliere informazioni esaustive su:

- qualità microbiologica del prodotto fresco;
- metodi di pre-trattamento e di lavaggio a vapore;
- intervallo temporale tra quest'ultima fase e l'essiccazione;
- temperatura di essiccamento;
- umidità del manufatto finito;
- condizioni igieniche e norme d'imballaggio;
- metodologia di conservazione;
- trasformazione in aroma semplice o composto, costituito unicamente da estratti o da miscele di questi con oli essenziali od oleoresine.

È indubbiamente un percorso più lungo, laborioso e dispendioso, ma porta a risultati indiscutibilmente superiori. La qualità degli oli essenziali, per esempio, è strettamente legata al momento di raccolta, al tipo di terreno, al processo di estrazione e conservazione. Non solo: le piante destinate alla loro produzione (le cui essenze interne si modificano e si spostano secondo la stagione e l'ora del giorno) devono essere raccolte alle prime luci del mattino quando sono ancora bagnate di rugiada, anticipando i raggi solari che ne diminuirebbero il bagaglio aromatico. Insomma, sapere e fatica conducono a livelli gustativi di gran pregio che tutti noi dobbiamo, nel nostro piccolo, imparare a riconoscere e valorizzare per quanto meritano.

Gli additivi

Olio extravergine di oliva, latte fresco pastorizzato, yogurt al naturale, zucchero, miele e paste alimentari secche: questi sono gli unici alimenti cui la legislazione italiana non consente di aggiungere additivi. Tutto il resto è a rischio "lettera E" e quando su un'etichetta si legge, ad esempio, E. 621, significa che quel prodotto contiene un additivo autorizzato dall'Unione Europea, nel caso specifico un esaltatore di sapidità.

Gli additivi sono usati dall'industria alimentare per mantenere intatte le peculiarità dei cibi, per poterli conservare più a lungo, per esaltarne le caratteristiche organolettiche e per renderne più invitante l'aspetto. Sono privi di valore nutritivo e non vanno confusi con i coadiuvanti tecnologici (come i solventi impiegati nell'estrazione di alcuni oli) che, invece, non sono indicati in alcun modo sull'etichetta.

Il loro uso è disciplinato dal D.M. 209/1996, che così li definisce: «Per additivo alimentare si intende qualsiasi sostanza, normalmente non consumata come alimento in quanto tale e non utilizzata come ingrediente tipico degli alimenti, indipendentemente dal fatto di avere un valore nutritivo, aggiunta intenzionalmente ai prodotti alimentari per un fine tecnologico nelle fasi di produzione, di trasformazione, di preparazione, di trattamento, di imballaggio, di trasporto o immagazzinamento degli alimenti, che si possa ragionevolmente presumere diventi, essa stessa o i suoi derivati, un componente di tali alimenti direttamente o indirettamente». Lo stesso decreto ministeriale rimane sul vago riguardo alle quantità ammesse, limitandosi a raccomandare che gli additivi alimentari siano utilizzati «secondo le norme di buona fabbricazione, a una dose non superiore a quella necessaria per raggiungere lo scopo prefissato e a condizione che non traggano in inganno il consumatore».

Oltre agli **edulcoranti** e agli **agenti lievitanti** descritti in altri capitoli, la lunga lista dei filler comprende conservanti, emulsionanti, addensanti, umidificanti, coloranti...

I **conservanti**, pensati per allontanare la data di scadenza dei prodotti alimentari, annoverano tra le loro file gli **antiossidanti**, usati per prevenire e ostacolare irrancidimento, variazioni del colore eccetera. Possono essere diluiti con acqua, oli o altri grassi commestibili, alcol etilico, glicerina, sorbitolo.

Impiegati per stabilizzare e omogeneizzare sostanze altrimenti non amalgamabili tra loro come olio e acqua, gli **emulsionanti**, che includono le *lecitine*, sono molto utilizzati e ricoprono diverse funzioni. Modificano la struttura dei grassi, riducono la viscosità, aumentano l'aerazione nei prodotti da montare, interagiscono con il glutine nel conferire ossatura e volume. Alcuni, come i mono e i digliceridi, derivano da scarti animali o da oli di bassa qualità (cocco, palma).

In chiara rotta di collisione con quanto scritto nel decreto ministeriale sopra citato, sono gli **esaltatori di sapidità**, che servono a intensificare il gusto e la fragranza di preparati ottenuti utilizzando, con tutta probabilità, materie prime mediocri. Vera punta di diamante nella squadra degli esaltatori, il *glutammato monosodico* deriva da un amminoacido contenuto in molte sostanze, animali e vegetali, scoperto da un giapponese nel 1920. È ingrediente "fondamentale" di dadi da brodo, cracker, salatini e snack fatti con farina di mais, di riso o con fecola di patate. A esaltare il gusto dei prodotti dolciari provvedono vari acidi (ascorbico, citrico, tartarico, lattico, acetico).

Per conferire aspetto brillante, rivestire o velare i dolci ci si serve di *gomma arabica*, *gelatine animali*, *cera d'api* o *di carnauba* (estratta dalle foglie di una palma brasiliana, è usata anche per lucidi da scarpe e cere da pavimenti), *gomma lacca bianca* e *raffinata*. Tutto ciò rientra nei cosiddetti **agenti di rivestimento**. La lista potrebbe poi continuare con i **coloranti**, gli **umidificanti**, gli **stabilizzanti**, gli **antiagglomeranti**, i **sequestranti** impegnati nel "rapire" ioni metallici e formare, con gli stessi, complessi chimici. Ci sono poi **addensanti** e **gelificanti** tipo *farina di semi di guar* o *di carrube* (la prima solubile a freddo, la seconda a caldo) o come le *carragenine* e l'*agar-agar*, quest'ultimo

costituito dal pollone di alghe dette *gelidium* per la loro peculiarità di gelificare. Di alto potere gelatinizzante è pure la *pectina*. Propria della frutta, si ricava principalmente dai residui
delle mele usate nella preparazione del sidro, dalla polpa delle
barbabietole esauste dopo la produzione di zucchero e dalla
corteccia degli agrumi, che ne contiene la percentuale maggiore. Si presenta sotto forma di polvere bianca ed è usata in soluzione acquosa. Tutti gli addensanti in pasticceria servono a rendere più denso e consistente un alimento e, in genere, diventano "scheletro portante" per budini, gelatine di frutta e creme.

Le bagne alcoliche

Al gusto di rum o di maraschino piuttosto che di alchermes,
mandarino o curaçao: quante volte la torta che stavamo
gustando ha rivelato, tra gli ingredienti, anche la presenza di
un liquore?
In linea di massima, però, anziché utilizzarli in purezza, specialmente quelli ad alta gradazione come la grappa, si preferisce impiegare le bagne alcoliche, così chiamate appunto perché servono a "bagnare" i dolci. Oggiggiorno sono acquistabili
già confezionate ma i bravi pasticcieri, seguendo proprie
ricette, preferiscono produrle direttamente in laboratorio,
così da "marchiare" ulteriormente la preparazione finale.
Una bagna pronta per l'uso si ottiene partendo da un alcolato
o da un distillato naturale cui si miscela, dopo averlo fatto raffreddare, uno sciroppo ottenuto sciogliendo in due terzi di
acqua calda un terzo di zucchero (ma può anche essere
aggiunta una parte aromatica, spezie e/o scorze di agrumi). La
proporzione è in genere di un sesto di alcol a 75 gradi e cinque sesti di sciroppo. Con questo procedimento si ottengono
composti dal grado alcolico piuttosto basso (10-14 gradi), non
aggressivi per il palato, che conferiscono, se usati in quantità
adeguata e ben integrati con gli altri ingredienti, morbidezza,
fragranza, persistenza aromatica e complessità organolettica ai
dolci. Non arricchire, ad esempio una base di génoise con una
spruzzata di Marsala porterebbe a un prodotto sicuramente
meno allettante, poco friabile se non addirittura stopposo. E
una cassata siciliana non sarebbe la stessa senza la classica bagna a base di rum, fiori d'arancio, vaniglia, scorza di agrumi.

Le parole della pasticceria

Albicoccare
Coprire con confettura di albicocche ancora calda dei dolci appena tolti dal forno.

Alchermes
Liquore dolce a base di erbe aromatiche che, originariamente, doveva il proprio colore rosso a una sostanza estratta dalle cocciniglie.

Alcolato
Miscela liquida incolore costituita da alcol e altre sostanze volatili, essenze e oli, ottenuta mediante distillazione di una soluzione alcolica.

Candire
Impregnare lentamente, tramite immersione in sciroppi di zucchero invertito, di saccarosio e di glucosio, un frutto – ma si possono candire anche fiori, verdure, alcuni steli e radici – facendo sì che lo zucchero penetri in profondità dando al frutto un aspetto asciutto e trasparente. A canditura finita la concentrazione di zuccheri è pari al 70-80%.

Caramellare
Ricoprire con zucchero caramellato una preparazione, o immergere nello stesso ciò che si vuole caramellare (spicchi d'arancia, mandorle eccetera).

Cassonata
Altro nome dello zucchero grezzo.

Choux
È l'equivalente francese dei nostri bignè, dolcetti rigonfi farciti di creme, confetture, panna montata.

Confettare
Si riferisce alla tecnica adottata per ottenere i confetti.

Confettura
Tra le novità introdotte dal Parlamento Europeo, c'è l'adozione della nomenclatura anglosassone per i prodotti derivati dalla lavorazione della frutta con aggiunta di un qualsivoglia dolcificante. Si parla di **confettura** (*jam* in inglese) per i preparati contenenti tutti i frutti a eccezione di agrumi, marroni e frutta secca (per questi ultimi due si usa il termine **crema**, mentre la miscela di zuccheri e agrumi indica la **marmellata**).

Copapasta
Piccoli stampi usati per tagliare in diverse forme la sfoglia di pasta.

Cornetto
È il tronco di cono metallico (o di plastica) posto all'estremità inferiore della **tasca da pasticciere**, usata per decorare torte o altro. L'estremità più piccola può essere liscia o dentata.

Crema pasticciera
È una delle preparazioni più note in pasticceria. Si ottiene miscelando latte, zucchero, farina, uova e vaniglia. Si utilizza per farcire bignè, torte eccetera.

Crema chantilly
Si prepara battendo con una frusta della panna zuccherata. Il tutto è poi addizionato a crema pasticciera. Può essere aromatizzata con liquore.

Crêpière
Così è chiamata la particolare padella che viene usata per cuocere le crêpes.

Curaçao

Liquore all'arancia di origine olandese. Le scorze di una particolare arancia amara, dalla buccia spessa, sono essiccate al sole e macerate in alcol per 12-36 ore. Il liquido così ottenuto porta a un alcolato che può anche essere addolcito e colorato. Il colore (verde, rosa o blu) non incide sul gusto.

Enrobeuse

Speciale apparecchiatura usata a livello industriale per sciogliere la copertura di cioccolato, spruzzarla sui prodotti da ricoprire e, infine, raffreddare il tutto alla temperatura voluta.

Etamine

Particolare tessuto in lino o cotone che serve a filtrare salse o creme.

Fondant

Detto anche zucchero fondente, è una miscela composta da saccarosio, glucosio e acqua cotta a 118 gradi. Serve per alcune farce o per particolari dolci chiamati, appunto, *fondants*.

Ganache

Crema a base di cioccolato usata nella produzione di praline o per farcire pasticcini.

Gelare

Tecnica che utilizza le basse temperature per far indurire creme e sciroppi da impiegare nella preparazione dei gelati.

Glassare

Ricoprire, totalmente o in parte, alcuni dolci con un composto (ghiaccia o glassa) preparato miscelando zucchero a velo con acqua o con albume. I prodotti così trattati acquistano lucentezza.

Granellare

Operazione tramite la quale si cosparge un dolce con uno o più ingredienti sotto forma di piccoli grani. Comunemente sono usati zucchero, frutta secca tritata, cioccolato, amaretti, pan di Spagna.

Granire
Ridurre in grani. In genere indica la procedura che porta alla cristallizzazione dello zucchero.

Granite
Sono miscele di acqua, saccarosio e frutta. Si tratta forse della più antica preparazione di un alimento dolce ghiacciato.

Idrogenati, grassi
Di origine animale o vegetale, sono grassi il cui contenuto in sostanze acquose, espulse mediante idrogenazione, è piuttosto basso, di norma non superiore al 2%. In genere hanno aspetto solido e colore chiaro e resistono bene alle alte temperature e al passare del tempo. Possono essere utilizzati, con risultati inferiori, al posto di panna o burro.

Kugloff
Singolare stampo per dessert il cui nome deriva dal dolce austriaco *kougelhopt*.

Marmellata
Questo termine (*marmalade* in inglese) indica la miscela di una sostanza zuccherina – zucchero, zucchero di canna, miele, fruttosio o altri – con un agrume. I frutti usati per la produzione di marmellate sono: arancia dolce, arancia amara, limone, mandarino, clementina, pompelmo giallo, pompelmo rosa, cedro, bergamotto, chinotto.

Metodo diretto, impastamento per
Quando tutti gli ingredienti sono amalgamati in un'unica soluzione.

Metodo indiretto, impastamento per
Prevede la preparazione di un preimpasto formato solo da farina, acqua e lievito, fatto fermentare per un certo periodo. In un secondo momento si aggiungono gli altri ingredienti.

Montare
Consiste nel rendere più gonfio e denso un liquido (o un composto semidenso) mediante una battitura che implica l'incorporazione di aria.

Nappare
Coprire una preparazione con una salsa piuttosto consistente che aderisca bene senza tendere a scivolare via.

Pan di Spagna
Detto anche *génoise*, fu creato da Giovanni Battista Cabona, giovane pasticciere alle dipendenze del marchese Domenico Pallavicini durante il soggiorno di quest'ultimo presso la casa reale spagnola, dal 1747 al 1749, in qualità di ambasciatore. È una torta molto soffice ottenuta impastando farina, zucchero, burro, uova e scorza di limone grattugiata. Si cuoce a 200 gradi per 30 minuti.

Pasta brisée
Può essere dolce o salata. Nel primo caso gli ingredienti sono farina, burro, acqua, zucchero e sale. La lavorazione non differisce da quella della pasta sfoglia e, se si esclude la parte grassa – in questo caso minore –, anche il risultato è analogo. Serve da involucro a dolci da farcire dal contenuto zuccherino particolarmente alto.

Pasta frolla
Da sempre adoperata nella confezione di biscottini e torte alla frutta o alla crema, si ricava impastando farina povera di glutine, burro, zucchero, tuorli e vaniglia. Prima dell'impiego va fatta riposare in frigorifero per almeno 30 minuti.

Pasta sfoglia
È una pasta dalla lavorazione piuttosto lunga e laboriosa. Prevede molte "tirate" e altrettanti ripiegamenti su se stessa per far sì che, durante la cottura, si formi la caratteristica stratificazione. Trova largo impiego nella preparazione di cannoli, sfogliatine, vol-au-vent.

Pectina
Deriva dalla parola greca *pextos* ed è una polvere bianca, non cristallizzabile, che si scioglie in acqua ma non nell'alcol. Ha forte potere gelatinizzante. È naturalmente contenuta nella frutta e, oggi, si estrae per lo più dalle mele utilizzate per la produzione di sidro e dalla polpa delle barbabietole esauste dopo l'estrazione dello zucchero.

Pirottino
È il classico contenitore in carta dai bordi pieghettati comunemente utilizzato per i plum-cake.

Schiumare
Quando, durante l'ebollizione di un preparato (confettura, sciroppo…), con l'ausilio di una schiumarola si asporta la schiuma che si forma in superficie.

Sciroppare
La cottura di un frutto in uno sciroppo aromatizzato allo scopo di marcarne ulteriormente il gusto.

Sorbetto
I sorbetti derivano dalle granite e sono miscele di acqua, zuccheri, succo e/o polpa di frutta con aggiunta di stabilizzanti come l'albume, la farina di semi di carruba o di guar che rendono stabile la miscela una volta gelata, conferendole una certa cremosità. Oltre che con frutta, i sorbetti possono essere preparati anche con vini e superalcolici.

Spolverare
Distribuire sopra torte, biscotti o altri dolci una certa quantità di zucchero a velo o altra sostanza in polvere. In genere, per ottenere una distribuzione omogenea su tutta la superficie del dolce, si utilizza un semplice *passino*.

Staccheggiare
Mescolare con forza una massa cotta quale, per esempio, una crema.

Tasca da pasticciere
È un sacchetto (*sac à poche* in francese) in tela o plastica sottile di forma tronco-conica dentro il quale si inserisce un composto morbido con cui si formano biscotti, si riempiono dolci o si decora.

Tradizioni regionali

Una madre piuttosto prolifica la pasticceria italiana che, come un dispettoso folletto del bosco, spesso si è divertita a distribuire lo stesso dolce lungo tutto lo stivale.

Ecco, quindi, il motivo d'essere di questo breve capitoletto, un modesto sunto pensato per raccogliere, in un ipotetico archivio transregionale, quei preparati ormai così radicati su più territori da potersi considerare, per ciascun posto, tradizionali. L'ordine alfabetico, e null'altro, impone la partenza: gli **amaretti**. Del Sassello (raccolto centro agro-turistico in provincia di Savona) o di Voltaggio (piccolo fazzoletto piemontese già profumato di Liguria), di Mombaruzzo o di Saronno, di Gallarate, di Barzanò o di Venezia, emiliani e dedicati al patrono di Modena, San Geminiano – che in Toscana mutano appena il nome diventando di San Gimignano e sono un pelo più generosi nelle dimensioni –, laziali di Guardino e di Marino o i piemontesi *splinsiugni*. Grossi e morbidi come quelli di Carloforte per i quali si può presumere, viste le origini della popolazione locale, una matrice ligure, o i classici *amarettus* di Oristano. Piemonte, Liguria, Lombardia, Veneto, Emilia, Toscana, Lazio, Sardegna: la ricetta degli amaretti – preparazione, in ogni caso, attribuibile alla cucina rinascimentale – ha preso diverse strade diventando, in ogni meta finale, specialità. Poi, a creare maggiore incertezza, contribuisce il fatto che, non di rado, lo stesso nome è usato anche per indicare dei pasticcini fatti con le nocciole al posto delle mandorle.

Comunque sia, questa gustosa specialità d'ininterrotto consumo lungo tutto l'arco dell'anno, nella sua versione più radicale

si prepara tritando, prima in maniera più grossolana e poi più finemente le mandorle (quattro etti dolci e sei amare), con metà dose di zucchero e un poco d'albume. Raggiunta una certa coesione e omogeneità nell'impasto, vi si aggiunge il rimanente zucchero (in genere, per un chilo di frutto secco si utilizzano tre chili di edulcorante) e altro bianco d'uovo fino a ottenere una pasta di media consistenza. Se si vuole un prodotto leggermente alveolato, occorre mettere un po' di carbonato di ammonio. Modellati gli amaretti e sistemati su una placca ricoperta da carta da forno, si cuociono a 160-170 gradi.

Piemonte (**finocchini**), Liguria, Marche (**befanini al mistrà, biscotti di mosto all'anice, biscotti con gli anici**), Abruzzo (**anesini da viaggio**), Calabria e Sardegna: queste regioni sono tutte dolcemente "armate" per disputarsi la paternità dei profumati **anicini**. Dolce dall'inconfondibile aroma in cui entrano farina, zucchero, uova, semi di finocchietto, essenza o liquore d'anice e, tanto per citare due esempi, latte nella versione ligure e strutto in quella sarda (che prevede anche un po' di lievito). Si miscelano uova e zucchero e, dopo aver ottenuto un composto spumoso, vi si aggiungono, poco per volta, lo sfarinato, la componente grassa, i semini aromatici e il liquore o l'essenza. Quando l'impasto sarà diventato ben omogeneo, si sistema dentro una sacca da pasticciere senza beccuccio e si formano dei filoni – larghi sei, sette centimetri – da adagiare sopra una teglia leggermente unta. Si cuociono, a circa 180 gradi, fino alla doratura. A questo punto si sfornano i "pani" e, dopo averli fatti raffreddare, si tagliano in fette spesse circa due centimetri a *mostacciolo* (in diagonale) e si rimettono a cuocere (qualche minuto a 220-230 gradi) per far colorire le due facce.

Da nord a sud non c'è festa sfornita di dolce né dolce privo di festa, perché nei tempi passati era raro il caso in cui, senza motivo, alla fine di un pranzo arrivasse in tavola un dessert. Golosità semplici, spesso casalinghe, magari preparate un'infinità di volte, sempre attraverso gli stessi gesti, sorta di "rituali" infallibili che univano le tante massaie sparse lungo la penisola. Alzi la mano chi conosce un Carnevale orfano delle proverbiali frittelle che tanto deliziano torme di bambini (e non solo). Pare che in tutta Italia se ne contino almeno duecento tipi e, in ogni modo, tutte derivano – se si esclude una saporita minoranza in cui entrano uvetta, riso, farina di castagne, frutta fresca o secca, patate bollite, e qualcos'altro – da impasti semplici. Eterogenee nelle forme, finiscono immancabilmente per essere tuffate nell'olio bollente e, dopo essere riemerse in superficie, richiedono un'attenta asciugata e una generosa spolverata di zucchero a velo o un'immersione nel miele. Dolci elementari, se vogliamo, battezzati con nomi diversi, ma simili nella composizione. Ritagli di sfoglia fritti, ora chiamati **bugie** e *risòle* (Piemonte), ora *chisoi, ciaccier* e *manzòle* (Lombardia), di nuovo **bugie** in Liguria, *grostoi* o *grostoli* in Trentino che, valicando il confine veneto, prendono il nome di *crostoli* ma anche di *galani*, di *sassole*, di *carafoi*. Non sono cosa diversa le *puttanelle* (o *fichette* o *arancini*) marchigiane, le *frappe* umbre, i *parafrittus* (o *frati fritti*) apprezzati in Sardegna, i *fiocchetti* e le *genuidde* calabresi o i tipici *gigi* delle Isole Eolie. E non stupitevi se in qualche posto sentite parlare di *frottole*, di *chiacchiere*, di *lattughe*, di *gale*, di *donzellini*, di *nastrini* e di *zeppole*: il dolce in questione non si differenzia dai precedenti.

Ma il folletto pasticciere si diverte a fare confusione in tutti i modi possibili, non solo distribuendo lo stesso dolce in posti diversi con nomi diversi, ma anche chiamando con nomi simili dolci eterogenei.

Il termine *mostacciolo* s'incontra in Lombardia a indicare un dolce a base di farina, zucchero e spezie; in Emilia Romagna identifica delle ciambelle di farina, zucchero e frutta candita, e così avviene nel Lazio, in Basilicata e in Piemonte. Questi dolcetti, spesso fatti utilizzando mosto di vino cotto, in Abruzzo e Molise sono chiamati **mostaccioli di Santa Chiara** (ma diventano **scarponi** nell'Aquilano), in Puglia *mustazzueli*, in Campania tutti li conoscono come *mostacciuoli*, e si ripropongono in Sicilia dove i *mustazzola* si fanno con farina, vino cotto e miele addensati a fuoco basso: tagliati a losanghe, a volte sono arricchiti da una "pioggia" di mandorle tritate. Particolari i mostaccioli di Agnone (Is) di forma romboidale e arricchiti da una farcitura di marmellata di mele e amarene e da sottili strisce di arance e limoni canditi e mandorle tostate.

La forma originaria delle novembrine **ossa dei morti** o **da mordere** richiamava proprio un osso in cui un involucro di meringa racchiudeva un impasto fatto con mandorle tritate fini – o in pasta – e zucchero, alcune volte aromatizzato con un po' di scorza di limone grattugiata e vaniglia, a guisa di midollo. In tempi più moderni questi dolcetti hanno subìto trasformazioni che li hanno portati ad assumere forme meno macabre e più assimilabili a un biscottino. Lo zucchero viene lavorato con bianco d'uovo, succo di limone, carbonato di ammonio, mandorle (o nocciole) tritate e farina. Si dà alla pasta così ottenuta la forma voluta e s'infornano i biscottini a 150-160 gradi. Si trovano in Emilia (*stracadent*), in Friuli (**ues di muart**), in Liguria (*ossa da morto*), in Lombardia (**pezzi duri** o *stracadent*), in Piemonte (*ossi da mordere* o *straccadentî*), in Sardegna (*ossu de mortu*), in Sicilia (**ossa dei morti**), in Toscana (**ossi di morto**), in Umbria (*stichetti* o **ossa de' morti**), in Veneto (**ossi da morto**).

Altra cosa sono le **fave dei morti**: si preparano macinando le mandorle e impastandole con zucchero e albume sino a ottenere un composto piuttosto morbido ma, al tempo stesso, abbastanza compatto. Con il *sac à poche* munito di beccuccio liscio si formano le "fave", si cospargono di zucchero semolato e, dopo averle fatte asciugare in ambiente caldo per circa 12 ore, s'incidono nel senso della lunghezza e si mettono in forno a 170 gradi fino a farle completamente seccare. Possono essere colorate e aromatizzate in vari modi: in Friuli Venezia Giulia, a esempio, per ottenere "fave" bianche si aggiunge del cedro all'impasto, per averle marroni del cacao e, infine, qualora si vogliano rosa, non si può prescindere dall'olio di rose. Sono così chiamate perché sembra derivino dall'antica usanza d'epoca romana di offrire un piatto di fave bollite alle *piagnone*, donne assoldate per piangere e lamentarsi durante la veglia funebre. Col tempo, queste "fave" – probabilmente a iniziare dalle famiglie più ricche – furono sostituite con quelle dolci e, secondo la testimonianza di alcune monache triestine, quest'avvicendamento avvenne verso la prima metà del secolo XVIII.

Proseguendo in questa sezione "noir" della pasticceria italiana, passiamo dalle ossa dei morti ai dolci a base di sangue.

Innegabile sfoggio d'economia domestica, i **sanguinacci** (Abruzzo, Calabria, Campania e Sardegna) rappresentano l'incredibile metamorfosi di un elemento povero – e, per alcuni versi, raccapricciante, come il sangue – in piacevole dolce.

La lunga lista di dolci "ematici" può iniziare con i **migliacci** toscani la cui ricetta è piuttosto laboriosa: preparato un brodo col cosiddetto *zampuccio* di maiale, vi si mette a mollo una mistura tritata di pampepato (v.), berriquoccoli (v.) e comuni biscotti secchi (le cosiddette *marie*). Si lascia riposare per una notte in luogo fresco, quindi si rimescola sul fuoco fino a che si forma una sorta di pappa uniforme. Continuando a rimestare si aggiungono lentamente sangue di maiale, uova sbattute e, per meglio legare il tutto, un po' di farina. Si versa infine il composto in una padella rovente unta di strutto: il migliaccio cuoce come una normale frittata.

Di zona in zona, la ricetta è suscettibile di piccole varianti riguardanti una maggiore o minore rilevanza del sangue o della farina, nonché della presenza o meno nell'impasto di canditi, mandorle, spezie. Il nome deriva da miglio e, in effetti, è molto probabile che nel Medioevo, quand'ebbe origine il piatto in questione, la farina utilizzata fosse proprio di questa graminacea.

Nelle Marche lo stesso dolce si prepara con sangue di maiale cotto insieme a pinoli, uva secca, pane grattugiato, riso ammorbidito nel latte e spezie, il tutto avvolto in una sfoglia dolce e infornato. Il **sanguinaccio chietino** si fa mescolando sangue di porco, mosto cotto, strutto, cannella, pezzi di cioccolato, pinoli tritati, zucchero, cedro candito, scorza d'arancia e mandorle tostate, e facendo cuocere il tutto così a lungo da trasformarlo in crema. In Calabria e anche in Campania, si consuma una strana crostata detta **pizza di sanguinaccio** guarnita con una base di sangue suino, cacao amaro, cannella, chiodi di garofano e buccia d'arancia.

Abruzzo e Molise

Bocconotti

Se chiedete a un abruzzese quali sono i migliori bocconotti, non avrà dubbi: sono quelli fatti in casa da donne che si tramandano da generazioni, a volte solo oralmente, la stessa identica ricetta. Ma ottimi bocconotti si trovano in tutta la regione, presso forni e pasticcerie dove l'esecuzione artigianale non ha ceduto il posto ai mezzi meccanici dell'industria. Quello che cambia, magari, è il ripieno: crema pasticcera o cioccolato prendono il posto di mandorle e mosto cotto, in ossequio alle mode di un mercato che vorrebbe diversificare e invece omologa.

La farcia tradizionale è a base di mandorle tritate, lievemente tostate, zucchero, cacao, scorza grattugiata di limone e un pizzico di cannella, il tutto amalgamato col mosto cotto (mosto di vino ridotto a due terzi del suo volume per bollitura); l'impasto deve avere la stessa consistenza di una marmellata. La pasta che racchiude tanta bontà, è fatta con farina bianca, burro, zucchero e uova fresche e deve risultare morbida e compatta. Si foderano a metà gli stampini imburrati e leggermente infarinati con una parte della pasta tirata in sfoglia, si sistema il ripieno e si chiude con un altro disco di pasta. Trenta minuti di forno a 200 gradi, una spolverata di zucchero a velo ed è fatta.

I bocconotti di Montorio al Vomano (Te) si differenziano dagli altri perché il loro ripieno comprende marmellata d'uva, prugne e visciole, olio extravergine d'oliva, uova fresche, mandorle pugliesi e limoni di Sorrento.

Calgiunitti

Una caratteristica dei dolci abruzzesi, che come un filo rosso li lega un po' tutti, è quella del ripieno e quindi della sorpresa, tipica della cucina d'estrazione popolare che nasconde e svela nello stesso tempo: in apparenza semplici e banali, all'assaggio questi dolci scoprono un ripieno d'eccezionale bontà, regalando l'attesa meraviglia. Non sfuggono a questa regola i *calgiunitti* (o *caggiunitti*), che sono cuscinetti di pasta fritta ripieni di marmellata, mandorle, pinoli e noci tritate, oppure mosto cotto, ceci e canditi (province di Chieti e Pescara). Quest'ultima è la ricetta più tradizionale, di netta derivazione contadina e popolare, in cui il cece, legume povero per antonomasia, assurge al ruolo di protagonista, ingentilito dalla presenza di altri preziosi ingredienti.

Il mosto cotto riscaldato è mescolato a mandorle tritate, un pizzico di cannella, cioccolato grattugiato e tanto purè di ceci, precedentemente lessati: si ottiene una crema densa da insaporire con rum o anisetta e addolcire con lo zucchero. Al posto dei ceci, possono essere utilizzate le castagne. Il ripieno è poi raffreddato perché si rassodi bene. La sfoglia sottile che serve da involucro è a base di olio d'oliva, vino bianco e farina: se ne ritagliano tanti cerchi su cui sistemare mucchietti di ripieno. Ripiegati a forma di borsetta o di raviolo, friggono in olio d'oliva non troppo bollente; scolati per bene e cosparsi di zucchero e cannella in polvere, sono pronti per il consumo.

Ferratelle

Dette anche coperchiole o pizzelle, sono diffuse in tutta la regione. Gli ingredienti sono molto semplici: uova, zucchero, olio extravergine d'oliva, vino bianco, semi d'anice e farina. La pasta che se ne ricava, di media consistenza, liscia e omogenea, riposa al fresco per un'ora. La ferratella prende il nome da uno stampo di ferro a forma di forbice, che ha all'estremità due piastre con disegni in rilievo. La tradizione di forgiare i ferri con al centro impresso da un lato lo stemma del casato o solo le iniziali del proprietario e dall'altro lato la data di fabbricazione, nacque alla fine del Settecento. Dall'impasto si prende una cucchiaiata tale da coprire a filo i rilievi di una delle due piastre del ferro, già scaldato per una decina di minuti a brace viva. Si schiaccia lo stampo e si passa velocemente il ferro sul fuoco, tradizionalmente per il tempo necessario a recitare un'Ave Maria per un lato e un Padre Nostro per l'altro, finché la cialda assume una doratura uniforme. Le ferratelle, spolverizzate di zucchero a velo, possono anche essere servite a coppia, farcite tradizionalmente con marmellata d'uva montepulciano. A volte, appena tratte dal fuoco e ancora plastiche, sono arrotolate come un cannolo e farcite con ricotta, zucchero e zafferano, con crema gialla o al cioccolato o col ripieno dei bocconotti: assumono così il nome di **neole** (o nevole).

Un tempo tipici dolci matrimoniali, oggi le ferratelle sono preparate durante tutte le feste sia di carattere religioso sia civile.

Fiadone

L'intero Abruzzo, a sancire la sua vocazione e tradizione pastorale, produce fiadoni in due versioni: salata, farcita di formaggio pecorino, e dolce, con formaggio vaccino o ricotta. Sembra che il nome derivi dal fatto che, in cottura, il ripieno si gonfia (più si gonfia e migliore è il risultato) e tende a crepare la superficie sfiatando: per impedire che l'involucro si rompa, si incide a croce la sommità del fiadone. Tra i più tradizionali dolci primaverili, è tipico delle festività pasquali, quando c'è abbondanza di formaggio fresco e di uova.

Per il ripieno, il formaggio vaccino (o ricotta) è lavorato a lungo con uova e buccia di limone fino a ottenere una consistenza omogenea. La pasta che fa da involucro si prepara con farina, uovo, olio extravergine d'oliva o strutto, zucchero, e dovrà riposare al fresco, coperta da un tovagliolo, per almeno un'ora. Una volta stesa, è tagliata in dischi di 10 centimetri di diametro; adagiatovi il ripieno, si richiude a mezzaluna. Spennellati con uovo sbattuto, i fiadoni cuociono in forno già caldo a 180-200 gradi per circa tre quarti d'ora.

Il fiadone si presenta a forma di mezzaluna rigonfia; cotto assume un bel colore dorato lucido, a volte guarnito con strisce di pasta. Al taglio, il ripieno si presenta compatto e poroso, con un bel colore giallo e un profumo netto di formaggio o di ricotta.

Parrozzo

Il pane di farina di granturco, a forma semisferica, è diffuso tra i contadini abruzzesi e del Piceno da tempo immemorabile; era detto "pane rozzo" per contrapporlo a quello fatto con la farina di grano, e quindi bianco, privilegio dei signori. Il dolce "parrozzo", che del pane ha mutuato la forma, è di nascita relativamente recente. La rapida fama si deve alla genialità del pasticciere pescarese Luigi D'Amico che, dopo averlo inventato, ne registrò marchi e brevetti nel 1926, e a Gabriele D'Annunzio che lo battezzò e gli dedicò i celebri versi: "Dice Dante che là da Tagliacozzo, ove senz'arme vinse il vecchio Alardo, Curradino avrie vinto quel leccardo se abbuto avessi usbergo di parrozzo". Il Vate non fu l'unico a elogiare i dolci di Luigi D'Amico: ne apprezzarono l'abilità pasticciera il musicista Pietro Mascagni, il commediografo Luigi Antonelli, il ceramista Armando Cermignani (che realizzò i disegni e i colori della scatola), il maestro Di Jorio che, su testo di Cesare De Titta, dedicò al parrozzo una canzone.

L'impasto di questa golosità si ottiene mescolando farina di grano, latte, uova (che gli conferiscono un bel colore dorato), zucchero, mandorle tritate o in farina, buccia d'arancia. La superficie è quindi impreziosita da una glassa di cioccolato fondente. Nato come dolce natalizio, ora è presente tutto l'anno non solo nelle pasticcerie di Pescara, ma anche in altre località abruzzesi dove grossolane imitazioni ne scimmiottano la composizione.

Pepatelli

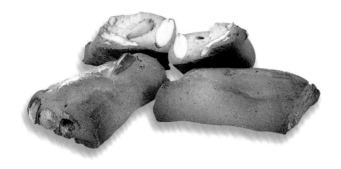

Chiamati anche pepatielli, sono dolci molto semplici che rientrano nella grande famiglia dei dolci speziati: in questo caso, è il pepe a fare da protagonista, togliendo la scena alla cannella o all'anice spesso presenti in altre preparazioni dolciarie abruzzesi. Gli ingredienti sono farina di tritello (conosciuta più comunemente come cruschello), mandorle intere, buccia grattugiata di arancia e limone, miele e abbondante pepe macinato al momento. Si impastano tutti gli elementi sulla spianatoia (il miele è messo a sciogliere precedentemente sul fuoco), lavorando bene e a lungo fino a ottenere una massa elastica ma consistente; da questa si ricavano grossi cannelli cilindrici che, prima di essere infornati, sono schiacciati grossolanamente con le mani fino a raggiungere lo spessore di circa un dito. La cottura avviene in forno alla temperatura di 200 gradi fino a doratura; i cannelli sono quindi tolti dal forno e tagliati ancora caldi, con un coltello ben affilato, in pezzetti della lunghezza di un paio di centimetri. Una variante "tecnica" è quella di tagliare la pasta in rettangolini larghi circa cinque centimetri prima della cottura.

Assimilabili ai cantucci (v.) e ai tozzetti (v.) per forma e tipologia, i pepatelli hanno maggior carattere proprio per la presenza del pepe che garantisce un misto di dolce, piccante e speziato particolarmente stuzzicante.

Pezzetti o cielle rechiene

Il nome cambia in base alla forma: quando sono dei semplici rombi, si chiamano *pezzetti*, se assumono fogge diverse, più elaborate, sono detti *cielle rechiene*. Questi ultimi, realizzati a forma di cuore, tarallo e serpente, sono preparati, tradizionalmente, in occasione di matrimoni.

Per il ripieno si procede in questo modo: le marmellate di amarene, pesche, uva, albicocche sono amalgamate sul fuoco con mosto cotto, sciroppo di amarena, semolino e caffè. Tolto il composto dal fuoco, si aggiungono biscotti sbriciolati e mandorle tritate, cannella e chiodi di garofano polverizzati, fino a ottenere un impasto consistente e profumato. La pasta è preparata lavorando insieme farina, uova, olio (o strutto) e zucchero: quando è liscia e compatta, si stende in fogli rettangolari su cui si versano mucchietti di ripieno distanziati con regolarità. I fogli sono quindi ripiegati, facendo combaciare i due lembi e, usando il taglio della mano, sono pressati di sbieco tra un ripieno e l'altro, serrando i confini tra un dolcetto e l'altro con una rotella zigrinata. Soltanto dopo la cottura, i pezzetti sono separati l'uno dall'altro.

Ripieni di marmellata, cioccolato e cannella, sono anche i **cellitti di pasta frolla** che si fanno a Isola Gran Sasso e i **cellucci** (o uccelletti) tipici della festa di sant'Antonio Abate nel Teramano.

Sise delle monache

Si tratta di dolcetti di pan di Spagna, dalla caratteristica forma a tre punte, farciti di crema pasticciera e ricoperti da una spolverata di zucchero a velo.

La loro storia è abbastanza antica e ricca di aneddoti: d'altronde, come potrebbe essere diversamente per questo dolce che, mescolando sacro e profano, comunica un pizzico di *pruderie* che ne rende più stuzzicante il consumo? Creatore di questo delicato dolce, divenuto simbolo della cittadina di Guardiagrele, fu, nel 1884, Giuseppe Palmerio che lo inventò al ritorno da Napoli dove era stato inviato dal padre ad imparare l'arte pasticciera. Il nome con cui nacque fu "Tre Monti" con riferimento alle tre cime della Maiella alla cui ombra sorge la città di Guardiagrele, ma si trasformò presto in "sise delle monache" quando un poeta del luogo, Modesto Della Porta, vedendone un vassoio straripante le paragonò, per la loro delicatezza e per il candore dello zucchero a velo che le ricopriva, al seno delle suorine. D'altronde, i riferimenti sessuali nelle forme e/o nei nomi di molti dolci sono sempre esistiti e rimandano ad antichi culti della fertilità, presenti in molte cerimonie delle culture contadine e pastorali dell'Appennino.

Le pasticcerie

Aveja
Via del Mulino, 10
Frazione Cavalletto d'Ocre
L'Aquila
Tel. 0862 67423
Ferratelle

Bar pasticceria 2000
Via Vittorio Emanuele, 199
Agnone (Is)
Tel. 0865 77579
Cellitti, cielle rechiene

Biscotteria artigianale
Via Silla, 47
Scanno (Aq)
Tel. 0864 747709
Mostaccioli, scarponi

Casa del bocconotto
Via Follani, 4
Lanciano (Ch)
Tel. 0872 42810
Bocconotti

Crema e cioccolato
Via Salita della Posta, 47
Lanciano (Ch)
Tel. 0872 712802
Bocconotti

Luigi D'Amico
Via Tinozzi, 44
Pescara
Tel. 085 61869 - 085 692939
Parrozzo

Dolci tentazioni di Marcello Maniglio
Via Cappelle, 10
Pretoro (Ch)
Tel. 0871 898163
Bocconotti, mostaccioli

La cascarella
Via Colli della Mula, 4
Rocca di Mezzo (Aq)
Tel. 0862 917494
Ferratelle

Emo Lullo
Via Roma, 105
Guardiagrele (Ch)
Tel. 0871 82242
Sise delle monache

Angelo Merlini
Via Campo di Giove, 21
Isola del Gran Sasso d'Italia (Te)
Tel. 0861 976137
Cellitti, mostaccioli

Monte Amaro di Anna Persichitti
Via Nazionale, 31
Fara San Martino (Ch)
Tel. 0872 980381
Cielle rechiene

Palmerio
Via Roma, 69
Guardiagrele (Ch)
Tel. 0871 82727
Sise delle monache

Sapori del borgo
Via Orto Pulcino
Santo Stefano di Sessanio (Aq)
Tel. 0862 89117 - 0862 315975
Fiadone, mostaccioli

Camillo Teseo
Via della Pace
Località San Nicolò a Tordino
Teramo
Tel. 0861 587233
Calgiunitti

Basilicata

Calzoncelli

Linguette

Crostol'

Pizzicannelli

Calzoncelli

L'origine di queste specialità melfitana è sicuramente antica, sebbene non si sappia di preciso né quando siano nati né da chi siano stati inventati. Di sicuro, però, i calzoncelli attuali hanno poco a che spartire con quelli di un tempo: considerati i biscottini dei poveri, non contenevano mandorle, frutti pregiati e di conseguenza economicamente non accessibili a tutti, ma erano confezionati con sola farina di ceci e/o castagne, frutto di cui invece abbonda da sempre questa zona (celebre il marroncino di Melfi). I calzoncelli non erano neanche cotti in forno ma fritti nello strutto; la farcia, in mancanza di zucchero e cioccolato, era costituita da mosto cotto. Oggi questi croccanti dolcetti sono delle cialde friabili al cui interno trova posto una farcia a base di mandorle tritate finemente, zucchero, cioccolato fondente, farina di castagne, buccia d'arancia grattugiata, vino bianco.

Con gli avanzi della sfoglia utilizzata per i calzoncelli si preparavano e si preparano ancora oggi le **scartellate**, strette parenti delle quasi omonime cartellate (v.) pugliesi: il semplice impasto a base di acqua, uova e farina, è ammorbidito con vino bianco. Una volta stesa la pasta, si taglia in strisce che, arrotolate a mo' di coroncine, vanno fritte. Le scartellate si consumano intinte nel mosto cotto o nel miele.

Crostol'

Di antica tradizione, è ancora oggi, in alcune zone della Basilicata, il tipico dolce augurale delle nozze. Qualche settimana prima del matrimonio, intorno alla mezzanotte, uno stuolo di donne, lavorando anche 400-500 uova, confeziona crostol' da distribuire l'indomani a tutto il paese.

Per la loro preparazione si impastano semola di grano duro e uova (uno ogni cento grammi) lavorando il tutto fino a che diventa ben lucido. Con il mattarello si tira quindi una sfoglia sottilissima (si deve intravedere l'asse di lavoro). Con una rotellina a smerli si tagliano delle strisce larghe circa quattro centimetri, unendole con le dita alla distanza di una decina di centimetri in modo da ottenere delle conchette. Arrotolandole lasciando ampi spazi, si friggono in abbondante olio bollente. Sgrondati dall'olio in eccesso, i crostol', prima di essere serviti, sono cosparsi di miele caldo utilizzando un rametto di origano a mo' di pennello e, infine, sono spolverizzati con lo zucchero semolato.

Linguette

Anche in Basilicata, come in buona parte del meridione d'Italia, hanno ancora una notevole diffusione i dolci di origine conventuale. L'origine del nome non è propriamente chiara, viste le dimensioni del dolce in questione; create, secondo la tradizione, da monache appartenenti all'ordine delle Carmelitane, le linguette sono grossi biscotti più o meno quadrati, confezionati soprattutto nel periodo natalizio, la cui fragranza si mantiene piuttosto a lungo. Ingrediente principale è il mosto cotto: preparato durante la vendemmia, conserva le sue proprietà organolettiche anche per un anno intero.

L'impasto è costituito da farina e zucchero in pari quantità, mosto cotto, una spruzzata di cacao e carbonato di ammonio (un tempo, per la lievitazione, si ricorreva al lievito madre). Dopo aver lavorato bene il tutto, si taglia e modella in grossi pezzi quadrati che, spolverizzati con zucchero e/o cacao (passaggio che solitamente viene saltato dai pasticcieri di Avigliano, in provincia di Potenza), sono fatti cuocere in forno per circa 20 minuti.

Pizzicannelli

La ricetta di questi grossi biscotti oblunghi è sicuramente di origine contadina, come testimoniano il loro aspetto rustico e la loro consistenza particolarmente compatta. È probabile però che, anticamente, data la difficile reperibilità di alcune materie prime e la diffusa povertà della zona, l'elenco degli ingredienti fosse meno imponente: l'impasto attuale, infatti, è composto da farina di grano di tipo 0, zucchero, olio, mandorle, cioccolato, caffè, cacao in polvere, limone, carbonato di ammonio e, naturalmente, cannella, ingrediente principe cui si deve il nome di questa specialità.

La laboriosa lavorazione dell'impasto è effettuata ancora manualmente e, in base a quelli che sono i più stretti canoni tradizionali, richiede l'impegno congiunto e "combinato" di due persone. Modellati secondo la loro forma caratteristica, i pizzicannelli sono quindi cotti in forno a 250 gradi per 20-25 minuti. Dopo averli lasciati raffreddare, sono ricoperti da uno strato di glassa al cioccolato.

Le pasticcerie

Maria Giovanna Lucia
Via Petruccelli, 16
Avigliano (Pz)
Tel. 0971 81366
Linguette, roccocò, stozze

Tigre
Via Tangorra, 37
Venosa (Pz)
Tel. 0972 31463
Calzoncelli, pizzicannelli, raffiuoli

Calabria

Bucconotto

Chinulille

Cuzzupa

Muccellato

Mustazzuoli o 'nzudde

Piparelli

Pitta 'mpigliata

Stomatico

Susumelle

Turdilli

Bucconotto

Amato in tutta la regione, questo particolare dolce è tradizionalmente gustato in un solo boccone: da qui, con tutta probabilità, la spiegazione etimologica del nome. La ricetta storica indica nella mostarda, nella confettura d'uva e nelle mandorle la farcia classica: oggi, però, il più delle volte, la confettura viene omessa compiendo, tanto per dirla con i calabresi, un vero e proprio sacrilegio.

Molto diffuso nella provincia di Cosenza, soprattutto nei comuni di Acri, Altomonte e Mormanno, ha in quest'ultimo la patria di eccellenza. Dolce di forma rotonda, ovale o a canestrello, si produce impastando per metodo diretto farina, lievito, uova fresche, strutto, zucchero, cannella e un pizzico di sale. Ottenuto un composto omogeneo e liscio, si tira una sfoglia non molto sottile e si foderano con la stessa degli appositi stampini precedentemente unti con lo strutto. A questo punto si riempie ogni contenitore con il ripieno, si ricopre con un altro strato di pasta e si mette in forno moderatamente caldo (molto spesso è utilizzato quello a legna) per circa 20 minuti.

La produzione, per altro abbastanza consistente, oggi soddisfa unicamente il mercato locale.

Chinulille

Frutto ipercalorico, la mandorla è ricca di grassi, proteine, vitamine e sali. Possono essere amare o dolci e, in pasticceria, si usano intere o tritate, pralinate o ridotte in polvere. La tradizione dolciaria calabrese le utilizza, tra l'altro, nella preparazione del ripieno con cui farcisce le *chinulille*, tipico dolce natalizio del Cosentino che, in alcune zone, chiamano *chinuliddri* o *panzerotte*.

Una volta sbollentate, le mandorle sono tostate, tritate e mescolate con uva passa, cioccolato fondente e la giusta dose di mosto cotto. Questa farcia è poi sistemata sopra dischi di sei-sette centimetri di diametro, ricavati da una sfoglia di pasta non molto sottile ottenuta amalgamando sfarinato di grano duro, strutto, uova, zucchero, cannella, sale, scorza grattugiata e succo di limone. Distribuito il ripieno, si ripiegano i bordi quasi a formare piccoli cestini da "chiudere", in superficie, con sottili striscioline di pasta. Si cuociono in forno a circa 180 gradi, ben allineati sopra una teglia già unta con un po' di strutto. Alcune ricette prevedono come metodologia di cottura la frittura in olio caldo.

In genere, le chinulille si gustano accompagnate da vini passiti o liquori tendenzialmente dolci.

Cuzzupa

In alcune zone della Calabria, quando, un po' timorosi, ci si recava per la prima volta in casa dei futuri suoceri, era tradizione presentarsi con la *cuzzupa*. Tipico delle province di Crotone e Catanzaro (ma ormai si trova un po' in tutta la regione), questo caratteristico pane dolce ha, nella versione originale, l'aspetto di una bambola (l'esatta traduzione del termine dialettale è proprio pupazzo): oggi, però, divenuto classico dessert pasquale, sempre più spesso assume anche la forma di ciambella o di agnello.

Dopo aver fatto sciogliere dello strutto in un po' di latte caldo, si miscela il liquido ottenuto con farina di frumento tenero di tipo 0, scorza di arancia o limone grattugiata, zucchero e lievito secco istantaneo. Si lavora il tutto in maniera energica e quando il composto è ben amalgamato, dopo un adeguato periodo di lievitazione, si modella la pasta nella forma desiderata decorandola con le uova fresche e i confettini colorati.

Deve cuocere, meglio se in forno a legna, lentamente e a media temperatura (180 gradi).

Muccellato

Dolce tipicamente pasquale, da prepararsi soprattutto in occasione della Settimana Santa, dipende, per forma e dolcezza, dalla zona di produzione. In tutta la regione è possibile trovare, fondamentalmente, due versioni di *muccellato*: una prima interpretazione, preparata utilizzando il lievito madre, che spesso si distingue per una maggiore complessità olfattiva e per un sapore più deciso; un'altra variante, confezionata ricorrendo invece al lievito secco come agente fermentante, e che non si distacca di molto, per quanto riguarda le caratteristiche organolettiche, da una normale ciambella. Ne esiste, in realtà, anche una terza tipologia, non molto diffusa, fatta con pasta azzima e semi di finocchietto.

Detto anche *buccellato*, appartiene alla categoria dei pani dolci e si prepara impastando, in un'unica soluzione, sfarinato (sia di frumento duro, sia di tenero), latte, olio extravergine d'oliva, strutto, zucchero, l'agente lievitante prescelto e buccia d'agrume (limone o arancia) grattugiata.

Prima di cuocerlo in forno caldo, può essere decorato, al fine di assicurare fortuna e prosperità, con alcune uova fresche: in questo caso prende anche il nome di *cuculu*.

Mustazzuoli o 'nzudde

I mustazzuoli (mostaccioli) sono dolci antichissimi di probabile origine araba. Il nome deriva dal latino *mustaceus*, un'antica focaccia tipicamente nuziale cotta al forno adagiata sopra foglie di lauro, a sua volta derivato da *mustum* (riferito quindi al mosto che – insieme a farina, albume d'uovo, miele e frutta secca – ne costituiva la base). Sono grandi biscotti dalla sagoma fantasiosa (figure che si rifanno alla mitologia o rappresentano personaggi storici e animali) che, considerati portatori di buon augurio, fanno parte della tradizione dolciaria calabrese e accompagnano regolarmente feste patronali e varie ricorrenze.

Farina tipo 0, bicarbonato di sodio, lievito secco, olio d'oliva, miele, zucchero, succo d'arancia, un po' di liquore (in genere, amaretto o maraschino) e un pizzico di sale si mescolano fino a ottenere un impasto abbastanza compatto. Si procede quindi alla trasformazione dello stesso nella forma desiderata e si cuociono, preferibilmente in forno a legna. Possono essere più o meno morbidi e, a volte, sono decorati con carta stagnola o con piccole palline variopinte.

Piparelli

Nell'impastatrice "planetaria" (particolare macchinario che consente l'assorbimento dei liquidi e una completa ossigenazione della pasta), sono mescolati – in un'unica tornata – farina di frumento tenero di tipo 00, zucchero, miele (preferibilmente di castagno, arancio o acacia), margarina, bicarbonato di sodio, mandorle, uova fresche, cannella e chiodi di garofano. Ottenuto un amalgama omogeneo e senza grumi, l'impasto è poi diviso in tanti bastoncini larghi almeno cinque centimetri. Dopo una prima cottura in forno, sono tagliati trasversalmente formando così dei biscotti, spessi circa sei millimetri, da biscottare in stufa a 50 gradi per almeno 48 ore.

Tipico dolce della provincia reggina, è di colore scuro, croccante e friabile a un tempo e, in una qualche maniera, può ricordare, nell'aspetto, una fetta di salame, con le bianche mandorle invece dei quadrati di grasso.

La paternità di questi dolcetti va divisa con la vicina Sicilia che li produce, uguali nell'aspetto e nel nome, in tutto il Messinese.

Pitta 'mpigliata

... a far la bocca dolce ai commensali penserà la famiglia dello sposo, che a fine pranzo dovrà offrire la pitta 'mpigliata preparata anzitempo curando che la pitta sia di finezza giusta...

Tra i vari obblighi e doveri, anche quello del dolce nuziale era ben specificato nel contratto matrimoniale stipulato, nel 1728, dai Giaquinta di San Giovanni con Battista Caligiuro, loro futuro genero.
La *pitta 'mpigliata* è un dolce antico, molto diffuso e caratterizzato da noci, mandorle, uva passa (i preferiti sono gli acini della varietà greco bianco), fichi secchi e pinoli. Non raro l'utilizzo di vino bianco, di liquori all'arancia, al mandarino o al limone, o di *paisanella*, particolare grappa prodotta a San Giovanni in Fiore (Cs). L'impasto di base è fatto con farina, olio extravergine, zucchero, miele (di castagno, acacia o millefiori), chiodi di garofano, cannella, succo d'arancia e di mandarini, acqua, sale e liquori. Una volta ottenuto un amalgama coeso, si divide in vari panetti che saranno tirati in sfoglie sottili. Dopo averle farcite con lo zucchero e la frutta secca (alcuni aggiungono anche scorzette d'arancia), sono modellate in varie forme (garofani, rose, ferri di cavallo). Le diverse figure sono poi sistemate sopra un disco di sfoglia abbastanza grande e racchiuse (*'mpigliate*) ripiegando verso il centro alcuni centimetri di pasta. La pitta 'mpigliata (o *'nchiusa* o *ccu passali*) cuoce per circa due ore a media temperatura.

Stomatico

Stomatico, dal greco *stomatikos*, è qualcosa che giova nelle malattie della mucosa orale. Ora, è difficile pensare che un dolce, per buono che sia, possa avere anche delle proprietà curative: più prosaicamente, si può quindi pensare che il riferimento etimologico si rifaccia unicamente alla piacevolezza che questi dolcetti arrecavano al palato, facendo, per così dire, star bene chi li mangiava.

Comunque sia, lo stomatico calabrese è un biscotto reggino, oggi a rischio d'estinzione, che si prepara impastando zucchero (sia "normale", sia caramellato), farina di grano duro, strutto, biga, bicarbonato di sodio, acqua, mandorle intere e sbucciate, vaniglia, cannella e chiodi di garofano. Quando si è formato un amalgama piuttosto liscio e omogeneo, si sistema lo stesso all'interno di una teglia da forno avendo cura di distribuirlo lungo tutta la superficie. A questo punto, s'incide la pasta formando dei quadrati sopra i quali si sistemano alcune mandorle pelate. Si procede a una prima cottura: 180 gradi per circa tre quarti d'ora. Una volta trascorso questo tempo, si sforna, si dividono i vari biscotti precedentemente intagliati e quindi si mettono in stufa a 50 gradi a biscottare per almeno due giorni.

Susumelle

Preparati amorevolmente in casa o acquistati in pasticceria, questi biscottini piatti e ovali, ricoperti di cioccolato oppure di dolce glassa, magari impreziosita con sottili ghirigori di scuro cioccolato, sono tipici della zona di Petilia Policastro, di Crotone e di Vibo Valentia; oggi, prodotti in notevole quantità, si trovano un po' in tutta la regione.

L'impasto che sta alla base di questo classico dolce natalizio da sempre presente sulle bancarelle di ogni sagra paesana, è formato da farina di grano tenero di tipo 0, zucchero, miele (il più delle volte, la scelta cade su tre varietà: castagno, millefiori o acacia), lievito secco istantaneo, bicarbonato di sodio (sale dal buon potere lievitante), margarina (ma in passato, con tutta probabilità, si utilizzava qualche altro grasso), frutta candita, uva passa, cannella e aromi naturali.

Ottime a fine pasto se accompagnate da un calice di dorato Greco di Bianco, le susumelle, data la propria composizione, si conservano benissimo per parecchio tempo non variando di molto le proprie caratteristiche organolettiche.

Turdilli

I turdilli (chiamati anche *tardilli* o *turdiddri*), sono dei dolci fritti prodotti, in prevalenza, nella provincia cosentina. Comunemente preparati in occasione del Natale, sono apprezzati, da calabresi e turisti, per quel loro particolare sapore dolce-amaro dato dall'utilizzo del miele che, qualora sia di castagno o di fiori d'arancio, conferisce aromi e profumi non comuni.

Dopo aver impastato la farina con lievito, olio d'oliva, uova, vino bianco e/o mosto cotto, un pizzico di sale, cannella e scorza d'arancia grattugiata, si formano dei cilindretti di pasta lunghi cinque-sei centimetri e larghi circa tre. A questo punto i *turdilli* si friggono in abbondante olio bollente e, una volta ben scolati dal grasso di cottura, si tuffano in una miscela liquida e calda ottenuta facendo sciogliere, portandolo a ebollizione, il miele con un po' d'acqua. Si possono consumare caldi o freddi secondo i gusti. Tra i dolci natalizi vanno ricordati anche le *scalille*, sottili striscioline di pasta fritte e caramellate col miele originarie di Cosenza e la **pasta *cumpettata*** che, tipica del Coriglianese, per forma e lavorazione ricorda molto i *turdilli*: se ne differenzia per la mancanza di vino o mosto cotto nell'impasto.

Le pasticcerie

Alberico
Piazza Filottette, 18
Petilia Policastro (Kr)
Tel. 0962 431042
Anicini, bucconotto, chinulille, cicerata, cuzzupa, mostaccioli, pitta 'mpigliata, susumelle, turdilli

Cappa
Via Monviso, 76
San Giovanni in Fiore (Cs)
Tel. 0984 992365
Muccellato, pitta 'mpigliata, scalille, susumelle, turdilli

Cecilia Lia
Piazza Borelli, 17
Sersale (Cz)
Tel. 0961 934069
Pitta 'mpigliata, susumelle

Cordon Bleu
Corso Garibaldi, 205
Reggio Calabria
Tel. 0965 332447
Cicerata, cuzzupa, muccellato, piparelli, stomatico, susumelle

Fiorindo
Via Alcide De Gasperi
Serra San Bruno (Vv)
Tel. 0963 71350
Susumelle

Lemuel di Giovanni Mancina
Via Monginevro, 15
San Giovanni in Fiore (Cs)
Tel. 0984 991736
Muccellato, pitta 'mpigliata, susumelle, turdilli

Martino
Via San Marco, 8 a-b
Reggio Calabria
Tel. 0965 28118
Cicerata, cuzzupa, muccellato, piparelli, stomatico, susumelle

Dolciaria Antonio Monardo
Via San Domenico
Soriano Calabro (Vv)
Tel. 0986 351107
Via I Maggio
Soriano Calabro (Vv)
Tel. 0963 351672
Mustazzuoli

Parmella di Rosa Iaquinta
Via Lodi, 9
San Giovanni in Fiore (Cs)
Tel. 0984 993450
Pitta 'mpigliata

Irene Pelaia
Piazza Borelli IV Traversa, 15
Sersale (Cz)
Tel. 0961 934128
Pitta 'nchiusa

Campania

Babà

Dalla Polonia, dove fu inventato da un cuoco del re Stanislao I, questo dolce che oggi appartiene alla tradizione pasticcera napoletana, arrivò in Francia nel 1738, seguendo le sorti dell'ex re, detronizzato dopo la guerra di Successione polacca e divenuto duca di Lorena. Il cuoco pasticciere parigino Sthorer imparò proprio alla sua corte la ricetta dei babà, chiamati così da Stanislao, appassionato lettore delle *Mille e una Notte*, in omaggio a uno dei personaggi del libro. La "napoletanizzazione" del *babbà* avvenne poi nell'Ottocento, grazie ai cuochi dei nobili partenopei, inviati a Parigi per essere istruiti sulla *haute cuisine*.
Sciolto il lievito in poca acqua, si impasta con un po' di farina e si fa lievitare. In una terrina a parte si mescolano farina, uova, burro fuso, sale e zucchero, fino a formare una massa compatta. A questo punto si incorpora lentamente il panetto lievitato. Si lascia riposare al caldo fino a quando raddoppia di volume, quindi si versa negli stampi (un tempo di rame, oggi di sottile lamierino). Mentre i babà cuociono in forno a calore moderato, si prepara uno sciroppo facendo bollire acqua, zucchero e, per ultimo, il rum. Sfornati e tolti dagli stampi, i babà vanno impregnati di sciroppo quando sono ancora caldi.
Varianti del babà classico sono quello alla crema, conosciuto anche come *parisien*, e quello, tipico della zona di Sorrento, bagnato nel limoncello e venduto in barattoli di vetro dove può conservarsi a lungo.

Delizie al limone

Nata qualche decennio fa, è la più recente invenzione pasticciera della Penisola Sorrentina e della Costiera Amalfitana; è tuttavia entrata tra i prodotti tradizionali grazie alla materia prima che la caratterizza: i limoni delle cultivar ovale di Sorrento e costa di Amalfi, entrambe protette dalla Igt europea.

Le delizie al limone di Sorrento e quelle di Amalfi si differenziano, oltre che per la varietà di limoni, anche per la pasta di base. In Costiera si utilizza come base la pasta del pan di Spagna, farcita con una morbida crema pasticciera al succo di limone e ricoperta con una salsa aromatizzata con bucce dei limoni della Costiera Amalfitana. A Sorrento, invece, la base è la pasta dei raffioli (v.) ricoperta da un composto di crema pasticciera, bucce di limoni e limoncello. Riempita con la pasta dei raffioli un *sac à poche* a bocca molto larga, si dispongono su una placca da forno imburrata e infarinata o in piccoli stampini circolari del diametro massimo di 15 centimetri: cuoceranno a 160 gradi per 15 minuti. Nel frattempo, si prepara una crema pasticciera cui, una volta fredda, si mescolerà della panna e la scorza grattugiata di limone. Bagnati i dischetti di pasta con limoncello diluito in acqua, si sovrappongono a due a due, interponendo uno strato di crema. Il tutto è quindi ricoperto con una salsa composta dalla stessa farcia, arricchita da altra scorza grattugiata di limone e diluita con limoncello, ed è decorato con sottili scorzette di limone.

Melanzane con la cioccolata

Le *mulegnane c'a' ciucculata* si preparano tra la Costiera Amalfitana (soprattutto per la festa di san Michele) e la Penisola Sorrentina (a Maiori è un classico di Ferragosto). L'origine di questa curiosa leccornia, chiamata per il suo aspetto anche *parmiggiana doce*, è assai incerta: pare che la ricetta, attinta dalla cucina araba, sia giunta nei conventi della Costiera durante la dominazione spagnola.

Le melanzane, tagliate nel senso della lunghezza in fette piuttosto spesse, sono messe sotto sale per non più di un paio d'ore, risciacquate bene, strizzate e asciugate con un panno. Sono quindi fritte in padella con olio bollente e fatte sgrondare su carta assorbente. Si preparano quindi due creme: una a base di latte, tuorli d'uovo, zucchero, farina, un pizzico di sale e di vaniglia, cui si aggiungono canditi misti tagliati finemente; una a base di cioccolato, farina, latte e burro, piuttosto leggera e non molto densa. Si alternano quindi in una tortiera strati di melanzane fritte e di crema pasticciera fino a esaurimento degli ingredienti, completando in superficie con la crema al cioccolato ancora calda. Si serve ben freddo.

In Penisola Sorrentina, seguendo la ricetta delle suore agostiniane di Piano di Sorrento, la crema pasticciera è sostituita da una a base di mandorle sgusciate e tritate, ricotta, zucchero, cioccolato fondente, amaretti, canditi, burro, uova, vanillina e cannella.

Migliaccio dolce

Dolce a rischio di estinzione, è di origine antichissima, da ricercare nella semplice cucina contadina delle società italiche pre-romane. Diffuso anche in altre regioni della penisola, sopravvive nelle campagne e in provincia, mentre è quasi sconosciuto dalle pasticcerie cittadine. Da principio era confezionato con la farina di miglio (da cui il nome), sostituita poi dalla semola di grano duro o dalla farina di mais. Oggi la variante più frequente prevede l'uso del semolino.

Farina o semolino si fanno cuocere nel latte bollente fino a quando non si forma una crema senza grumi. A parte si amalgamano bene tuorli d'uovo, miele, burro fuso, strutto, canditi misti, noce moscata e una striscia di buccia di limone. Si uniscono quindi i due composti aggiungendo infine gli albumi montati a neve. Unta di burro una teglia, si versa il tutto, cospargendo infine con altri pezzetti di canditi misti e uva passa. Il migliaccio dolce cuoce in forno già caldo a 180 gradi per circa 45 minuti.

Nella Penisola Sorrentina ne esistono una versione fritta e una cotta in forno a legna (*migliaccio doce 'nfurnato*); nell'Agro Nolano il migliaccio è anche salato: gli ingredienti sono farina gialla, salsicce, ciccioli, pecorino, parmigiano, strutto, sale e pepe.

Ministeriale

Alla fine dell'Ottocento, Pasquale, Francesco e Giovanni, tre dei dieci figli del pasticciere Nicola Scaturchio, si trasferirono a Napoli da un piccolo paese della Calabria, Dasà (Vv). Nel capoluogo campano, Pasquale e Giovanni decisero di seguire le orme del padre. Francesco, gaudente viveur, ben presto si introdusse nel bel mondo e lì s'invaghì di una bella sciantosa, Anna Fougez, che, in nome dell'amore, gli chiese di dedicarle un dolce. Fu così che nacque questo medaglione di cioccolato ripieno di crema al liquore. Il medaglione ebbe un successo tale che il suo creatore pensò di intraprendere la trafila per fregiarsi dell'ambito titolo di fornitore della Real Casa. L'istruttoria della pratica fu molto lunga e comportò frequenti spedizioni al ministero incaricato: da qui il nome di ministeriale. Tutto questo avveniva intorno al 1905; oggi la fama del ministeriale ha travalicato persino i confini italiani. La ricetta è tuttora segreta e se ne conoscono solo alcuni ingredienti principali: cioccolato fondente, latte, zucchero, alcol puro, rum, nocciole. Prodotto senza additivi in formato normale o mignon, può essere conservato per circa quattro mesi.

Una variante, anche questa brevettata da Scaturchio, è il **sandomenico**: in questo caso, la base è una pasta frolla che, riempita del composto segreto utilizzato per il ministeriale, è sigillata da un sottile strato di cioccolato fondente. Prodotto tutto l'anno, va consumato subito, conservandosi solo per pochi giorni.

Pastiera

C'è chi sostiene sia nata per le *Cerealia*, feste che nell'antica Roma celebravano il ritorno della primavera; c'è chi pensa derivi dal pane di grano e farro farcito di ricotta che, nella stessa epoca, si consumava nelle feste di nozze; per altri risalirebbe alle focacce distribuite nella notte di Pasqua in epoca costantiniana. Di sicuro, solo tra il XVIII e il XIX secolo, nel monastero di San Gregorio Armeno, la ricetta fu perfezionata e resa simile alla versione attuale. Se il ripieno è rimasto quello di un tempo, oggi la cosiddetta *pastaccia* (farina, uova, acqua, sale e poco strutto) è stata sostituita dalla pasta frolla (farina, zucchero, burro, strutto e tuorli d'uovo).

Tenuto a bagno per due-tre giorni, il grano è cotto in acqua per circa 15 minuti. Scolato, è immerso nel latte bollente con un pizzico di sale, buccia di limone tagliata molto sottile, zucchero e cannella in polvere. Quando il latte si è completamente asciugato, si travasa il grano in un piatto, si toglie la buccia di limone e si lascia raffreddare. A parte si lavora la ricotta con zucchero in polvere, tuorli d'uovo, cannella, scorza di limone grattugiata, acqua di fiori d'arancio, scorzette di cedro, dadini di zucca candita. Per ultimi, si aggiungono il grano e gli albumi montati a neve. Foderati il fondo e i bordi di una teglia con un disco di pasta frolla, si versa il composto e si ricopre con fettucce di pasta disposte a losanghe. Cotta in forno a calore moderato, la pastiera va servita fredda, cosparsa di zucchero a velo.

Raffioli

Il nome, variabile anche in *raffiuoli* o *raffaioli*, deriva dall'italiano raviolo. L'origine è conventuale e risale al Settecento: ne erano specialiste le suore del monastero di San Gregorio Armeno. Tipici della vigilia di Natale, si fanno in tre versioni: semplici, *monacali* o *sorrentini*, *a cassata* o *cassatine* (al di là dell'omonimia ben diverse da quelle siciliane, v.).

Per preparare i raffioli monacali o sorrentini, più evoluti rispetto ai rari raffioli semplici, si montano con lo zucchero un'uguale quantità di uova intere e tuorli, mescolandovi poi delicatamente farina e carbonato di ammonio. Incorporati anche gli albumi montati a neve, si prelevano dall'impasto con un cucchiaio tante piccole sfere: cuoceranno, su una placca leggermente unta di burro e spolverata di farina, per 20 minuti a 160-200 gradi. Terminata la cottura, si fanno raffreddare, quindi si spennellano con marmellata d'albicocche precedentemente diluita sul fuoco con un cucchiaio d'acqua e si ricoprono con una ghiaccia bianca.

I raffioli a cassata, preparati con l'identico impasto, sono cotti in forno dentro stampini ovali, tagliati a metà e farciti con una crema a base di ricotta, zucchero a velo, cioccolato e canditi. Posta in cima a ciascuno una striscia di pasta di pistacchio o una scorzetta d'arancia, si spennellano di marmellata e si ricoprono di ghiaccia bianca come i monacali.

Roccocò

Questo dolce, per gli ingredienti di base che lo caratterizzano, potrebbe avere radici molto lontane ed essere in qualche modo imparentato con gli altrettanto noti *susamielli* (v.): non solo sono entrambi tipici del Natale, ma hanno anche in comune, tra gli ingredienti, il *pisto*, un sapiente miscuglio di noce moscata, pepe bianco, cannella e chiodi di garofano ridotto in polvere sotto i colpi del pestello nel mortaio. Per la vaga forma di conchiglia rotondeggiante e barocca, il nome evoca il francese *rocaille* che, come si sa, ha dato il nome a quello stile che ha caratterizzato un po' dappertutto, specie nelle arti minori, il tardo barocco. *Rocaille*, inoltre, traduce l'italiano "pietraia": si può quindi anche azzardare che il nome roccocò (si noti il dialettale raddoppio della consonante) si riferisca alla particolare consistenza di questa profumata ciambella che mette a dura prova la robustezza, la solidità e la buona salute dei denti.
L'impasto, piuttosto sodo, si ottiene mescolando farina, acqua, zucchero, mandorle tostate sia intere sia tritate finemente, bucce grattugiate di limone e d'arancia, scorzette d'arancia e di cedro candite e tritate, *pisto*. Spezzandolo in piccole porzioni, se ne ricavano ciambelline molto schiacciate che, spennellate in superficie con un uovo sbattuto, cuociono in forno per circa 15 minuti su placche appena unte.

Sfogliatelle

Pare che le sfogliatelle ricce siano nate a Napoli nel monastero della Santa Croce di Lucca. La produzione restò appannaggio dei conventi fino al 1820, quando il pasticciere Pasquale Pintauro, entrato in possesso della ricetta, cominciò a prepararle nel suo esercizio: da qui la diffusione in tutta la città.

La pasta (a base di farina, acqua, sale e sugna) è stesa in strisce molto strette e sottili, lunghe parecchi metri e dello spessore di un millimetro: tagliate e arrotolate con grande abilità a formare un fagottino a forma di conchiglia, sono riempite con un composto di semolino cotto in acqua bollente, ricotta, uova, zucchero, canditi a pezzetti e odori di vaniglia e di cannella. Collocate su una placca poco unta di sugna e spennellate con l'uovo sbattuto, le sfogliatelle cuociono in forno già caldo a 180 gradi per 15 minuti. Si servono calde, spolverate di zucchero a velo.

Di invenzione leggermente successiva sono le sfogliatelle frolle: l'involucro, di più semplice lavorazione, è costituito da pasta frolla. Per il resto, sono identici sia il ripieno, sia la cottura.

Altra variante tradizionale, nata nel monastero di Santa Rosa a Conca dei Marini, sulla Costiera Amalfitana, è la **santarosa**, che si caratterizza per le grosse dimensioni e la farcitura di crema chantilly e amarene.

Frutto del connubio tra pasta sfoglia e pasta bignè, farcite con panna o anche con crema di nocciola e cioccolata, sono infine le più recenti **aragostelle**.

Struffoli

Il loro nome, che deriva da *strongulos* (piccola sfera), denota l'origine ellenica: gli struffoli sono presenti in tutta l'Italia meridionale, negli stessi territori in cui approdarono i coloni della Magna Grecia. A Napoli, però, la ricetta di questi dolcetti subì, nel Settecento, una rivisitazione per mano delle suore dei monasteri di Santa Croce di Lucca e di Santa Maria dello Splendore: gli struffoli furono così aromatizzati utilizzando scorza di limone grattugiata, limoncello o liquore all'anice; nacque, inoltre, l'usanza di presentarli disposti a montagnetta, cosparsi di una pioggia di confettini multicolori (*diavulilli*) e di scorzette candite e tritate di limoni e mandarini.

Disposta la farina a fontana, si uniscono zucchero, uova sbattute, scorza di limone grattugiato, lievito chimico, limoncello (o anice) e un pizzico di sale. Impastato il tutto a mano, si fa riposare per mezz'ora. Si suddivide quindi in pezzetti da allungare in forma di grissini e tagliare a tocchetti con il coltello spolverato di farina. Così formati, devono lievitare ancora mezz'ora; setacciati in modo da eliminare eventuale farina in eccesso, sono immersi in abbondante olio d'oliva bollente fino a quando si gonfiano e si indorano. Prelevati con una schiumarola, sono adagiati su un foglio di carta assorbente. Sgrondati dall'unto e raffreddati, gli struffoli sono introdotti in miele millefiori tiepido. Presentati come descritto sopra, possono essere anche spolverizzati con zucchero a velo.

Susamielli

Questi dolci natalizi, diffusi oltre che in Campania anche nel basso Lazio, erano già prodotti nelle ville dei patrizi romani che si godevano gli *otia* sulle coste dei Campi Flegrei o del Golfo di Napoli o nelle campagne dell'*ager campanus* o *capuanus*. A partire dal XVIII secolo entrarono nel novero dei classici dolci conventuali: a Napoli, le clarisse del monastero di Santa Maria della Sapienza ne rivisitarono l'antica ricetta arricchendola col *pisto*, una mistura di pepe bianco, noce moscata, cannella e chiodi di garofano. Da allora, i susamielli sono anche conosciuti con il nome di *sapienze*; altro nome consueto è *sesamielli*, dai semi di sesamo con cui, ora come allora, sono ricoperti.

Si mescolano farina, mandorle tritate, scorzette d'arancia e di cedro candite e tritate, zucchero, *pisto* e carbonato di ammonio. Disposto il tutto a fontana, si versa in mezzo del miele sciolto e bollente. L'impasto è lavorato finché non diventa piuttosto sodo: a questo scopo si può aggiungere ancora un po' di farina; si lascia quindi riposare per molte ore, anche per tutta la notte. Spezzandone piccole porzioni, si modellano quindi pasticcini bassi e piatti a forma di esse che, posti in forno non eccessivamente caldo (non più di 150 gradi), cuociono per 10-15 minuti.

La cottura a fuoco lento garantisce che i *susamielli* risultino *rusicarielli*, cioè fragranti e gradevolmente secchi, ideali da accompagnarsi a un buon passito o al limocello di Sorrento.

Torta caprese

Diffusa, oltre che a Capri, soprattutto nella Penisola Sorrentina e in Costiera Amalfitana, sarebbe un'involontaria creazione della pasticceria moderna caprese risalente agli anni Venti del secolo scorso. La scrittrice sorrentina Cecilia Coppola ne racconta la storia nel suo libro *Zeppole, struffoli e chiffon rosso*: il cuoco Carmine Di Fiore dimenticò di mettere la farina in una torta di mandorle che stava preparando per tre malavitosi americani giunti a Capri per acquistare una partita di ghette per Al Capone. Il risultato fu così buono che i tre americani ne pretesero la ricetta e Di Fiore, battezzatala caprese, iniziò a produrre la torta con regolarità, avendo in poco tempo grande successo e molti proseliti.

Per cominciare si triturano finemente mandorle sgusciate, cioccolato fondente e frollini o fette biscottate. Separati gli albumi dai tuorli, i primi sono montati a neve, i secondi sono lavorati con lo zucchero fino a ottenere una spuma. A questa si incorpora il burro e poi, gradualmente, il miscuglio di mandorle, cioccolato e biscotti triturati: se l'impasto risulta troppo duro, può essere ammorbidito con poco rum. Per finire, si amalgamano al tutto gli albumi montati. Si versa quindi il composto in una teglia imburrata e infarinata, sistemandolo delicatamente con una spatola. La caprese cuoce in forno per 50 minuti a 200 gradi. Una volta raffreddata, è capovolta e spolverizzata di zucchero in polvere misto a cannella.

Zeppole e scauratielli

Durante le *liberalia*, feste romane che si celebravano il 17 marzo in onore di *Liber Pater et Libera*, divinità protettrici della fecondità rurale, donne anziane col capo ornato d'edera vendevano per strada le *frictilia*, pizzette fritte col miele da offrire agli dei. Da queste discendono le sempre più rare zeppole.

Si fa scaldare dell'acqua con un po' di vino bianco e un pizzico di sale. Prima che giunga a bollore, si versa la farina e si lavora l'impasto fino a che diventa elastico. Tolto dal fuoco, è ancora lavorato per 10 minuti su una superficie leggermente unta d'olio. Ottenuta una pasta liscia e morbida, se ne staccano piccole porzioni da cui ricavare tanti bastoncini; congiunte le estremità, si ottengono piccole ciambelle oblunghe e sottili da friggere in abbondante olio d'oliva fin quando diventano bionde e croccanti. Sgocciolate su carta assorbente, si fanno rotolare in un miscuglio di zucchero e cannella.

Le zeppole col miele, o *scauratielli*, si trovano in alcuni paesi dell'entroterra campano durante sagre o feste patronali. Una volta fritte, le zeppole sono immerse in un denso sciroppo ottenuto sciogliendo in una pentola con un po' d'acqua, miele, zucchero, cannella e vaniglia. Per finire, si decora il tutto con i *diavulilli*, minuscoli confettini colorati.

Le **zeppule vullute** (zeppole bollite) della Penisola Sorrentina sono invece scauratielli spruzzati di liquore all'anice e decorati con uva sotto spirito e scorzette d'arancia, limone e mandarino.

Zeppole di san Giuseppe

S ono il frutto, relativamente recente, della creatività dei pasticcieri partenopei: anticamente, la ricorrenza di san Giuseppe
era festeggiata nella strada che prendeva il nome del santo (oggi
via Sanfelice) e nella contigua via Medina; nello stesso giorno e
negli stessi luoghi si svolgevano due fiere popolari che attiravano
gente da ogni parte della città e dalle campagne circostanti.
Mangiare le zeppole (v.) il 19 marzo presso le centinaia di friggi-
torie improvvisate all'aperto era una tradizione irrinunciabile. I
gusti sempre più esigenti e sofisticati della clientela trasformaro-
no però, nell'Ottocento, le antiche *frictilia* citate da Seneca e da
Plinio in ricchi bignè.
Preparata la pasta bignè mescolando farina, acqua, uova e un
pizzico di sale, si fa riposare per almeno mezz'ora. Si introduce
quindi l'impasto, poco per volta, in una siringa munita di beccuccio a forma di stella e con questa si formano delle ciambelle
che sono calate e fritte in una casseruola colma di abbondante
strutto o olio d'oliva. Una volta gonfie e imbiondite, si fanno
sgrondare su un foglio di carta assorbente, si spolverizzano con
zucchero a velo e si guarniscono al centro con una crema a base
di latte, uova, amido e scorza di limone. Per finire, si decorano
con ciuffetti di confettura d'amarene.
Cotte anche in forno, le zeppole di san Giuseppe sono ormai
preparate in ogni periodo dell'anno.

Le pasticcerie

Alberto
Via Roma, 9-11
Capri (Na)
Tel. 081 8370622
Babà, sfogliatine, torta caprese

Augustus
Via Toledo, 147
Napoli
Tel. 081 5754782
Sfogliatelle

Bar dei fiori
Piazza Angelini, 47
Sorrento (Na)
Tel. 081 8782728
Via degli Aranci, 91
Sorrento (Na)
Tel. 081 8074124
Delizie al limone

Giuseppe Bellavia
Via Luca Giordano, 158
Napoli
Tel. 081 5789684 - 081 5563151
Pastiera, sfogliatelle, torta caprese

Casa del dolce
Piazza Cota, 19
Piano di Sorrento (Na)
Tel. 081 8788038
Babà, delizie al limone, melanzane
con la cioccolata, pastiera, sfogliatelle,
torta caprese

Salvatore De Riso
Piazza Cantilena
Minori (Sa)
Tel. 089 853618
Melanzane con la cioccolata,
torta caprese

Fratelli Illiano
Via Roma, 59
Bacoli (Na)
Tel. 081 5234196
Babà, sfogliatelle

Internazionale
Via Marconi, 306
Positano (Sa)
Tel. 089 875434
Babà, sfogliatelle

La zagara
Via dei Mulini, 6-8
Positano (Sa)
Tel. 089 875964
Pastiera

Moccia
Via San Pasquale a Chiaia, 21-22
Napoli
Tel. 081 411348 - 081 425067
Pastiera, struffoli

O' funzionista
Via San Nicola, 13
Sorrento (Na)
Tel. 081 8074083
Pastiera, sfogliatelle, torta caprese

Pansa
Piazza Duomo, 40
Amalfi (Sa)
Tel. 089 871065
Delizie al limone, raffioli, roccocò,
santarosa, susamielli, torta caprese

Pantaleone
Via dei Mercanti, 75-77
Salerno
Tel. 089 227825
Pastiera

Pintauro
Via Toledo, 275
Napoli
Tel. 081 417339
Sfogliatelle

**Premiata fabbrica di biscotti
A. Riccardi**
Viale Europa, 105
Castellammare di Stabia (Na)
Tel. 081 8715561
Biscotti di Castellammare

Rosanna
Via Sacra, 30
Pompei (Na)
Tel. 081 8632346
Sfogliatelle

Scaturchio
Piazza S. Domenico Maggiore, 19
Napoli
Tel. 081 5517031
Ministeriale, pastiera, sandomenico

Sabatino Sirica
Via Marconi, 135
San Giorgio a Cremano (Na)
Tel. 081 2551672
Babà, sfogliatelle

Tonia
Via Limitone, 49-51
Giugliano (Na)
Tel. 081 8946584
Aragoste, babà, sfogliatelle, zeppole,
zeppole di san Giuseppe

Emilia Romagna

Buslanéin

Certosino o panspeziale

Ciambella e bensone

Mandorlini del ponte

Pampapato

Spongata

Torta Barozzi

Torta di riso

Torta di tagliatelle

Torta tenerina

Turtlitt

Buslanéin

Chiamati anche *buslàn*, sono tipici della provincia di Piacenza. Un tempo si vendevano, soprattutto nei giorni di mercato, agli angoli delle piazze. Fino a qualche decennio fa erano regalati dai padrini ai cresimandi, che ne indossavano lunghe collane a bandoliera. Attualmente la produzione maggiore si riscontra in due frazioni di Rottofreno, Mamago e San Nicolò a Trebbia. Pare che queste ciambelline fossero già note ai primi del Trecento, e che i monaci della chiesa di San Savino ne facessero omaggio ai canonici della cattedrale. Lo storico piacentino Aldo Ambrogio data la loro comparsa alla seconda metà del Settecento, collocandola geograficamente nell'alta Val Tidone.

Disposta la farina a fontana sulla spianatoia, si mettono al centro il burro a pezzetti e lo zucchero, quindi l'uovo, un pizzico di sale e la scorza di un limone. Si impasta il tutto aiutandosi con un po' d'acqua, quindi si ricavano lunghe strisicoline, che sono ritagliate in pezzetti di circa 8-10 centimetri. Unendo le estremità con una lieve pressione delle mani, si formano delle ciambelline. Scottate in acqua bollente, sono infarinate, poste su una teglia imburrata e cotte in forno a 180 gradi.

I *buslanéin* si mangiano a colazione, inzuppati nel latte, oppure, dopo pranzo, intinti nel vino bianco.

Certosino o panspeziale

Tipico dolce natalizio della provincia di Bologna, ha origini molto antiche e si caratterizza dall'essere fatto senza uova. Nel 2001 l'Accademia della Cucina ha codificato con atto notarile la laboriosa ricetta classica per tutelarne la tipicità.

L'impasto si ottiene mescolando la farina con miele, frutta candita (scorze d'arancia e cedro, ciliegie rosse e verdi, pere rosse, fichi, albicocche), mostarda bolognese (ricavata soltanto da mele cotogne) o frutta cotta a marmellata, mandorle, pinoli, cacao in polvere, cioccolato fondente, cannella, carbonato di ammonio, sciroppo di vino o marsala, burro, lievito. Il tutto è impastato lentamente fino a che diventa denso e compatto. Si lascia quindi riposare per lungo tempo, coperto da un canovaccio e in luogo asciutto, in modo da favorire la lievitazione della pasta che è molto pesante (per questo motivo si aggiunge circa il doppio del lievito usato per una normale torta). Trascorso questo periodo, si modella in forma di pane lungo e stretto i cui estremi vanno congiunti a mo' di ciambella e si pone in uno stampo unto di burro e il cui fondo è rivestito da ostie. Prima della cottura, si decora con canditi e mandorle tostate e caramellate e si spennella in superficie con l'albume. Cuoce in forno caldo a 180 gradi.

Ciambella e bensone

La ciambella è un dolce tipico di Bologna e Ferrara. Per la sua preparazione si mescolano innanzitutto zucchero, burro e scorza di limone. Quando il composto raggiunge la giusta morbidezza, continuando a mescolare si aggiungono le uova e, quando anche queste si sono amalgamate, la farina. Il burro può essere ben sostituito con l'olio di oliva extravergine. Se l'impasto risulta troppo duro, basta aggiungere un po' di latte. Unito anche il lievito, si versa il composto in una teglia del diametro di circa 20 centimetri, infornando per 40 minuti a circa 200 gradi. È possibile guarnire la ciambella con zucchero o praline di cioccolato oppure, nel periodo carnevalesco, con praline argentate e codette colorate.

Il bensone è la versione modenese della ciambella. L'impasto si ottiene mescolando burro fuso, farina, uova, zucchero, scorza di limone grattugiata, lievito, latte e un pizzico di sale, sino a ottenere una pasta di consistenza molle. Si lascia quindi riposare per circa un'ora, avvolta in un canovaccio infarinato. Ripreso l'impasto, si modella a mo' di fuso o di esse, si incide per la lunghezza e si pone in una placca imburrata. Spennellato con un tuorlo d'uovo e cosparso di zucchero in grani, cuoce in forno a 150 gradi per circa 45 minuti. Sia la ciambella sia il bensone si gustano spesso intinti in un vino rosso giovane e leggero come il Lambrusco, il Clintòn o il Fragolino.

Mandorlini del ponte

Sono una specialità di Pontelagoscuro, porto fluviale sulla destra del Po e piccola frazione distante sette chilometri da Ferrara. Il ponte da cui prendono il nome questi biscottini a base di mandorle è quello che attraversa il grande fiume, caratterizzando il paesaggio di questo piccolo paese.

Dopo essere state sbollentate in acqua, le mandorle sono scolate, pelate e asciugate in forno; a questo punto vanno affettate o, meglio, tritate in maniera grossolana. In una ciotola si montano a neve gli albumi, incorporando poi gradatamente lo zucchero; il recipiente è quindi posto in una casseruola piena d'acqua e si fa scaldare a bagnomaria, senza smettere di lavorare il composto, con la frusta o un cucchiaio di legno: in questo modo, gli albumi si addensano e lo zucchero si scioglie del tutto. Trascorsa una ventina di minuti, si toglie la ciotola dal fuoco e si aggiungono le mandorle tritate e la farina: si mescola il tutto fino a che l'amalgama sia denso e uniforme. Ricavati dei mucchiettini con un cucchiaio, si dispongono a giusta distanza l'uno dall'altro su una placca imburrata e infarinata. I mandorlini cuociono in forno già caldo a 180 gradi.

Pampapato

In segno di tributo alla Chiesa, nel 1580, il duca Alfonso II d'Este ordinò ai suoi cuochi di elaborare un dolce che ricordasse la papalina, il caratteristico copricapo cardinalizio. Nacque così il pampapato (cioè "pane del papato"), che fu inviato in omaggio a Roma. Ben presto questa specialità divenne il dolce simbolo di Ferrara, dov'è ancora oggi prodotto sia artigianalmente, sia a livello industriale.

Si scaldano in forno le mandorle, già pelate, per 10 minuti a 100 gradi. Mescolati farina tipo 00, zucchero, miele e un misto di cacao amaro e zuccherato, si aggiungono le mandorle, un misto di spezie di composizione variabile (ne fanno sempre parte cannella e chiodi di garofano), cubetti di cedro e arancia canditi e scorza grattugiata d'arancia. La possibile aggiunta di vino e/o caffè rappresenta un'innovazione recente per rendere più morbido il prodotto finale.

Terminata la lavorazione, l'impasto riposa per circa due ore. È quindi diviso in parti uguali cui si dà la forma di una calotta schiacciata. Il pampapato cuoce in forno per un'ora e mezza a 150 gradi. Una volta raffreddato è lasciato ad ammorbidire in luogo fresco e molto umido per due-tre settimane, protetto da uno strofinaccio, avendo cura di capovolgerlo dopo 10-12 giorni. Trascorso questo periodo, si versa del cioccolato fuso su entrambe le "facce" del dolce, spalmandolo con la lama di un coltello.

Spongata

Grazie all'editto sulla libertà di culto promulgato da Adalberto I Pallavicino, nella Bassa piacentina, lungo il Po, a partire dal Rinascimento si insediarono gruppi ebraici provenienti dal vicino stato Pontificio. Queste comunità apportarono anche varianti alla cucina locale: uno dei frutti di questo connubio di culture fu la spongata, o *spungata*, presente ancora oggi, con minime differenze, in un'area che comprende le province di Cremona, La Spezia, Piacenza e Massa Carrara. Famosa, fin dai primi anni del secolo scorso, quella preparata nel forno-pasticceria dei coniugi Re, a Monticelli d'Ongina (Pc), seguendo la ricetta di un vecchio speziale ebreo: piatta e circolare, questa versione era pressata dentro stampi in legno di noce che imprimevano disegni di frutta e di fiori in leggero rilievo (le attuali spongate, invece, hanno la superficie liscia).

In un recipiente capace si fa liquefare il miele, quindi si aggiungono senza smettere di mescolare zucchero, vino bianco, noci e mandorle tritate, amaretti e pane abbrustolito ridotti in briciole, uva sultanina, chiodi di garofano, noce moscata, cannella, scorza d'arancia. Amalgamato il tutto, si tiene in caldo mentre si prepara una pasta a base di farina, zucchero, olio, burro, latte e vino bianco. Tirata la sfoglia, se ne riveste il fondo e i bordi di una teglia precedentemente imburrata; si versa quindi il ripieno livellandolo, e si copre il tutto con un disco di pasta sfoglia del diametro della teglia. Saldati gli orli, si cuoce in forno a 180 gradi.

Torta Barozzi

Jacopo Barozzi (1507-1573), passato alla storia come "il Vignola" in ricordo della cittadina in provincia di Modena che gli diede i natali, è stato uno dei più grandi architetti del suo tempo: sue le più belle residenze dei Farnese, sua la chiesa del Gesù a Roma. Nel 1907, in occasione delle celebrazioni per i quattrocento anni dalla nascita, il pasticciere vignolese Eugenio Gollini decise di dedicare un dolce speciale alla memoria dell'illustre concittadino: nacque così la torta Barozzi. Preparata ancora oggi in esclusiva dalla famiglia Gollini, seguendo fedelmente l'antica e segreta ricetta artigianale, la torta ha conosciuto un successo sempre crescente, valicando anche i confini della provincia modenese.

Gli ingredienti sono uova fresche, cioccolato fondente, cacao, caffè decaffeinato, zucchero, burro, margarina, vanillina, rum, mandorle e arachidi tostate.

La torta Barozzi, avvolta nella carta stagnola (dentro cui si consiglia di tagliarla per evitare che si sbricioli), è confezionata nella classica scatola bianca con l'effigie del grande architetto.

Più recente, ma altrettanto famosa, è la **torta Muratori**, che Gollini dedicò all'omonimo storico e letterato vignolese, vissuto tra il XVII e il XVIII secolo: anch'essa di forma rettangolare, è a base di mandorle, pinoli e pasta sfoglia.

Torta di riso

È il dolce tipico dell'antica festa degli Addobbi, che si celebra a Bologna la domenica successiva al Corpus Domini. Con la sua istituzione, da parte dell'arcivescovo Gabriele Paleotti, la città fu divisa nel 1566 in dieci quartieri ognuno dei quali ha ospitato alternativamente la processione, occupandosi del restauro e della manutenzione di strade e edifici: quest'usanza, un tempo obbligatoria, ha sicuramente contribuito a una maggiore conservazione della città.

Per preparare questa torta, occorre innanzitutto lavare il riso e sgrondarlo molto bene. La varietà più usata oggi è il carolina: appartenente alla sottospecie indica, si caratterizza per i chicchi stretti e appuntiti, molto resistenti alla cottura. Si mescolano in una casseruola il latte, lo zucchero, la vaniglia e la scorza grattugiata di un limone; appena ha raggiunto il bollore, si incorpora il riso, senza smettere di mescolare. Quando è cotto, si versa il riso in una ciotola rimestandolo di tanto in tanto fino a che non si sarà raffreddato. A quel punto, si aggiungono le uova precedentemente sbattute e diluite con crema di latte, le mandorle tostate e tritate, il cedro candito tagliato a pezzetti e il liquore di amaretto. Lavorato il composto con una frusta, si versa in una teglia leggermente imburrata. Cuoce in forno a calore moderato per circa un'ora.

Una volta raffreddata, si serve cosparsa di zucchero a velo.

Torta di tagliatelle

Da sempre Lombardia ed Emilia, e più particolare il Mantovano e il Modenese, si contendono la paternità della *turta tajadlina*, un dolce gustoso, che richiede una preparazione semplice ma un po' insolita.

La versione più tradizionale si ottiene preparando un impasto a base di farina bianca, tuorli d'uovo e poco zucchero. Stesa la sfoglia fino a farle raggiungere uno spessore piuttosto sottile, si taglia seguendo lo stesso procedimento con cui si ottengono le comuni tagliatelle "salate". A parte si sbucciano e tritano le mandorle dolci che vanno amalgamate a un'identica quantità di zucchero. Imburrata una tortiera, si comincia così ad alternare uno strato di tagliatelle con uno di mandorle e zucchero, separandoli con qualche fiocchetto di burro e qualche goccia di liquore all'anice. La torta di tagliatelle cuoce in forno a 180 gradi per circa 40 minuti: sarà pronta quando avrà assunto un colore dorato.

Non mancano varianti più ricche ma meno ortodosse: alcuni pasticcieri racchiudono la torta in una crosta di pasta frolla, altri ancora coprono il fondo della teglia con un disco della sfoglia da cui sono ricavate le tagliatelle.

Torta tenerina

Tipico dolce ferrarese di grande fragranza, presenta vaghe somiglianze con la torta Barozzi (v.). Si scioglie in bocca ma tuttavia ha un'ottima consistenza: uno dei segreti della cottura in forno sta nel mantenere il "cuore" liquido. Gli ingredienti principali sono cioccolato fondente, burro, zucchero, farina e uova. Per la sua preparazione, occorre innanzitutto lavorare bene i tuorli d'uovo col burro ammorbidito, lo zucchero, la farina. Volendo, è possibile sostituire una piccola parte di farina con la fecola di patate. In un pentolino a parte si sciolgono a fuoco lento il burro e il cioccolato fondente (meglio se precedentemente ridotto in scaglie). La crema ottenuta va quindi accorpata ancora tiepida all'impasto. In ultimo si aggiungono gli albumi montati a neve. Amalgamato il tutto, si versa in una tortiera imburrata e infarinata, del diametro di circa 25 centimetri. La torta tenerina cuoce in forno a 180 gradi per 20 minuti. Una volta raffreddata, prima di servirla va ricoperta di zucchero a velo e cioccolato fondente fuso caldo.

Turtlitt

Sono tipici della provincia di Piacenza, e in particolare della Bassa. Venduti dal giorno di sant'Antonio sino all'inizio della Quaresima, si trovano sia in panetteria sia in pasticceria; è altresì viva la tradizione di produrli in casa e ogni famiglia ha le proprie piccole varianti dalla ricetta tradizionale.

Per cominciare, è meglio che il ripieno sia preparato il giorno prima. Questo si ottiene mescolando amaretti polverizzati nel mortaio, marmellata di castagne, marmellata di amarene del tipo acidulo, mostarda di frutta senapata ben tritata, pinoli tritati grossolanamente, cacao amaro, più una quantità variabile di cognac in modo da rendere l'impasto piuttosto morbido. La pasta si ricava invece impastando farina bianca, burro liquefatto, zucchero, un uovo intero e due tuorli, vino bianco secco o Marsala, un cucchiaio di sale, scorza di limone grattugiata. Ottenuto un impasto piuttosto consistente, si tira una sfoglia dello spessore di due-tre millimetri. Da questa si tagliano rettangoli di circa otto centimetri per dodici. Versato un po' di ripieno al centro, i *turtlitt* si ripiegano con cura e si friggono in abbondante strutto bollente. Sgrondati su carta assorbente, si dispongono in un vassoio dove saranno spolverizzati con zucchero a velo.

La stessa pasta fritta, priva di ripieno e tagliata in rombi di circa 10 centimetri di lato, dà luogo alle **sprelle** (*spréll*).

Le pasticcerie

Paolo Atti & figli
Via Caprarie, 7
Bologna
Tel. 051 220425
Via Drapperie, 6
Bologna
Tel. 051 233349
Panspeziale, torta di riso,
torta di tagliatelle

Gollini
Piazza Garibaldi, 1
Vignola (Mo)
Tel. 059 771079
Torta Barozzi, torta Muratori

Carlo Migliorati
Via Martiri della Libertà, 75
Frazione San Nazzaro
Monticelli d'Ongina (Pc)
Tel. 0523 820114
Spongata

Palladino
Via Matteotti, 225
San Pietro in Casale (Bo)
Tel. 051 810399
Ciambella, torta di riso

Otello Perdonati
Via San Romano, 108
Ferrara
Tel. 0532 761319
Pampapato

Offelleria Rizzati
Via Ginestra, 194
Cocomaro di Focomorto (Fe)
Torta tenerina

Spagna
Via Martiri della Libertà, 46
Monticelli d'Ongina (Pc)
Tel. 0523 827324
Spongata

Torte Gualmini
Via Provinciale per Lama 58/1
Vitriola di Montefiorino (Mo)
Tel. 0536 965125
Torta di tagliatelle

Friuli Venezia Giulia

Biscotti della cresima

Biscotti di Quaresima

Esse di Raveo

Gubana

Pinza

Presnitz

Putizza

Salviade

Strucchi

Torta di castagne

Torta di mandorle grezze

Torta di mele

Torta di noci

Torta di ricotta

Torta Dobos

Torta rigojanci

Torta rustica

Biscotti della cresima

Chiamati *colaz* in dialetto locale, sono tipici di tutto il Friuli e, in particolare, della Carnia. Biscotti di antica tradizione, hanno la forma di ciambella e, proprio come le brasadé (v.) tipiche dell'Oltrepò Pavese, un tempo erano confezionati in occasione del sacramento della confermazione: prima di essere consumati, infatti, ornavano, appesi a un nastro, l'abito dei cresimandi. L'impasto è costituito da farina di grano tenero di tipo 00, zucchero, strutto, latte, bicarbonato di ammonio e un pizzico di sale; il tutto è aromatizzato solitamente con vanillina, cannella e chiodi di garofano.

Si ricavano quindi dei cilindretti di pasta di lunghezza variabile; uniti i lembi in modo da formare ciambelle del diametro che si preferisce, si spennellano in superficie con tuorlo d'uovo e si ornano con zucchero in granella e confettini colorati. I biscotti così ottenuti sono adagiati su una placca da forno e posti a cuocere per 20 minuti alla temperatura di 200 gradi. Quando si sono raffreddati, li si lega insieme con nastri di colore rosa e azzurro.

Biscotti di Quaresima

Oggi come in passato, il Carnevale è tempo di eccessi, compresi quelli di tipo gastronomico: si assiste così a un trionfo di dolci fritti, spesso contraddistinti da fogge e ripieni fantasiosi e molto diversi tra loro. A fare da controcanto all'opulenta ridondanza di quel periodo, ecco giungere, nei quaranta giorni antecedenti la Pasqua, una schiera, meno folta ma certo non meno interessante, di biscotti e dolciumi di più semplice fattura, destinati a ricordare il carattere penitenziale della Quaresima nella tradizione cattolica.

In origine, i biscotti di Quaresima friulani erano davvero "magri", preparati con ingredienti essenziali, tanto che, per dar loro un gusto più invitante, si soleva consumarli intingendoli in un bicchiere di vino dolce. Oggi, pur restando sostanzialmente "biscotti di magro", la loro composizione base (farina di grano tenero di tipo 00, latte, zucchero, sale, scorza di limone grattugiata) si è arricchita di burro e uova. Come agente lievitante è utilizzato ancora il bicarbonato di ammonio. Impastati tutti gli ingredienti (avendo cura di incorporare per ultima la farina), si modella una serie di rombi leggermente allungati che cuoceranno in forno per 15 minuti a 180 gradi. Una volta raffreddati, i biscotti sono serviti spolverizzati di zucchero a velo.

Esse di Raveo

Si tratta di biscotti di pasta frolla, piatti e a forma di esse molto arrotondata. Furono ideati nei 1920 da Emilio Bonanni, un pasticciere di Raveo, centro agricolo della Carnia posto 64 chilometri a nordovest di Udine. Vuoi per la loro fragranza, vuoi per la forma curiosa, i biscotti incontrarono presto il favore degli avventori: la loro fama valicò presto gli angusti confini del paese d'origine, "costringendo" Bonanni ad aumentare la produzione ed estenderne la commercializzazione anche nel resto della regione. Le redini dell'azienda furono poi prese in mano dal figlio Aldo, il quale prepara tuttora le esse in un piccolo ma moderno laboratorio. Questi gustosi biscotti, venduti nella loro caratteristica scatola tonda trasparente, oggi sono distribuiti anche nel resto d'Italia nonché in alcuni Paesi europei.

L'impasto è costituito da farina di frumento tenero 00, burro, vanillina, uova fresche, bicarbonato di ammonio, lievito secco istantaneo. Ottenuta una pasta morbida, si lascia riposare per circa un'ora, quindi la si lavora nuovamente. Ricavati rotoli di circa tre-quattro centimetri di diametro, si tagliano in pezzi lunghi 10-12 centimetri che si piegano a forma di S e si schiacciano fino a raggiungere uno spessore di tre millimetri. Le esse cuociono in forno a 200 gradi per 30 minuti.

Gubana

Diffusa, oltre che in provincia di Udine, anche a Gorizia e Trieste, è tipica delle valli del Natisone, a nordest di Cividale del Friuli, in una zona dov'è forte l'influenza slovena: il nome deriverebbe proprio dallo sloveno *guba* che significa "piega". Pare che già i Romani preparassero un dolce simile, rielaborato poi nel Medioevo e nel Rinascimento, in cui due sfoglie di pasta racchiudevano un ripieno di frutta secca (uva, mandorle, pignoli, noci, datteri) tritata e cosparsa di miele.

La differenza fondamentale tra la gubana friulana e quella giuliana è nella composizione dell'involucro: pasta lievitata a base di farina, lievito di birra, latte tiepido, zucchero, tuorli e uova intere, nelle valli del Natisone; pasta sfoglia a Gorizia e Trieste. In ogni caso, una volta tirata, la pasta è cosparsa di un ripieno ottenuto mescolando frutta secca (noci, nocciole, mandorle, pinoli) tritata, vaniglia, miele, cannella e grappa (o rum); quindi è arrotolata a mo' di salame, chiusa alle estremità e composta in forma di chiocciola. Dopo un breve riposo, si spennella con chiara d'uovo montata e zucchero e si cuoce in forno per 40 minuti a 180 gradi.

Pinza

"Bona Pasqua, bone pinze" è l'augurio che ancora oggi si scambiano molti triestini. Dolce del periodo pasquale, rappresenta nella simbologia cristiana la spugna che dissetò il Cristo in croce. In un tempo non troppo remoto era punto d'onore per le massaie triestine prepararla in casa. Cominciando alle quattro del mattino, lavoravano a più riprese la pasta ricca di uova, zucchero e burro, quindi portavano a cuocerla dal fornaio di fiducia. In occasione del Venerdì Santo, le pinze erano portate nella parrocchia di appartenenza per essere benedette.

La lavorazione è suddivisa in quattro fasi. Si prepara un primo impasto sciogliendo il lievito in un po' d'acqua tiepida e aggiungendo zucchero e farina: formata una pastella morbida, si copre con un tovagliolo e si lascia lievitare. Quando avrà raddoppiato il suo volume, si incorporano, sempre mescolando, un po' per volta e alternandoli, farina, zucchero, burro liquefatto, tuorli e uova intere. Amalgamato tutto per bene, si ricopre la terrina con una salvietta infarinata e si fa lievitare al caldo per due ore. La terza e la quarta fase sono identiche per ingredienti e lavorazione. Alla fine, la pasta dovrà essere tenera ed elastica. A questo punto si modellano dei panetti che, disposti su carta imburrata, lieviteranno al caldo fin quando saranno quasi raddoppiati di volume. Dopo aver inciso tre tagli profondi dal basso verso l'alto con un coltello affilato, le pinze, spennellate con l'uovo sbattuto, cuociono in forno a 140 gradi per circa 40 minuti.

Presnitz

Secondo il *Grande dizionario del dialetto triestino* di Mario Doria, presnitz (o presniz) deriva dallo slavo *presenec*, cioè focaccia pasquale: la sua forma a spirale rappresenta nella tradizione cristiana la corona di spine posta in capo al Cristo. Ogni famiglia triestina ha la propria ricetta, in cui variano lievemente le dosi e gli aromi. Stretta è la parentela con la putizza (v.) e la gubana (v.): i dolci hanno probabilmente la stessa provenienza, anche se molti storici sostengono che il presnitz abbia origini viennesi. L'impasto non è arrotolato assieme alla pasta, ma forma un ripieno compatto, simile a un morbido marzapane dalla forma di salsicciotto, avvolto in una pasta sfoglia sottilissima. Diffuso soprattutto nel periodo pasquale, oggi si trova quasi tutto l'anno.

La sfoglia si ottiene tirando fino a uno spessore sottile un impasto a base di farina, burro sciolto, sale fino e acqua tiepida. Per il ripieno, si mette l'uva sultanina a bagno nel rum e si tritano le noci. Si mescola quindi il tutto aggiungendo la frutta candita, i pinoli e lo zucchero. Racchiuso il ripieno nella sfoglia, si forma un salsicciotto tirando gli orli per congiungerli. Il presnitz, avvolto a spirale ma non troppo stretto, è quindi disposto su una teglia. Spennellato in superficie con rossi d'uovo, cuoce in forno piuttosto caldo (160 gradi) per circa 40 minuti.

Putizza

Chiamata anche putiza o potiza, fa parte delle tradizioni pasquali come il presnitz (v.), a differenza del quale conserva però un sapore molto più familiare. Sebbene Salvatore Samani nel suo *Dizionario del dialetto fiumano* la definisca "dolce triestino", in città si trova soltanto a Pasqua; viceversa, nell'altipiano carsico è preparata con molta frequenza e con parecchie varianti in tutte le occasioni festive. Per quel che riguarda l'origine etimologica, il nome è un'italianizzazione dello sloveno *potica*, contrazione di *povitica* che, a sua volta, deriva dal verbo *poviti* (rotolare, avvolgere).

L'involucro della putizza è ottenuto stendendo con un mattarello, in modo da ricavare un foglio rettangolare alto mezzo centimetro, l'impasto della pinza (v.). Per fare il ripieno, si macinano il pan di Spagna e le noci, cui si aggiungono uva passa, cioccolato grattugiato, burro fuso, pinoli, cubetti d'arancia candita, rum e, per finire, le uova. Si mescola energicamente, finché l'impasto non risulta omogeneo. Si stende quindi sulla sfoglia, si arrotola il tutto su se stesso e si lascia lievitare per circa mezz'ora in una tortiera unta di burro. Spennellata con rosso d'uovo, la putizza cuoce a fuoco moderato (120 gradi) per circa tre quarti d'ora.

Salviade

L'uso commestibile e farmaceutico delle erbe selvatiche e aromatiche vanta nella Carnia tradizioni antichissime. La salvia, sempre più spesso coltivata in orti o vasi, è un arbusto cespuglioso sempreverde che racchiude nel nome stesso un suo uso, passato e contemporaneo, di pianta medicinale. Le foglie grigioverdi, caratterizzate dalla superficie vellutata e dall'aroma inconfondibile, hanno la peculiarità di mantenere il proprio afrore anche dopo essere state cotte. Questa particolarità la fa diventare presenza consueta in molte cucine che la trasformano in profumato ingrediente di piatti elaborati o semplici come, appunto, le croccanti frittelle di salvia (*salviade*).

La preparazione in questione non presenta particolari difficoltà: si ricava una pastella mescolando a dovere uova, farina, zucchero, latte e un poco di lievito; il composto così ottenuto, di consistenza piuttosto cremosa, è lasciato riposare alcuni minuti. Quindi vi s'intingono le foglie di salvia, avendo cura di coprirle in tutta la loro interezza. Si friggono, poco per volta, in olio di semi, o strutto, bollente. Una volta dorate devono essere private con carta assorbente dal grasso in eccesso e spolverate con abbondante zucchero a velo.

Dolce semplice e frugale, dà il meglio di sé consumato caldo.

Strucchi

Tipici delle valli del Natisone, in provincia di Udine, gli strucchi sono piccoli sacchettini di pasta sfoglia, prima riempiti
con lo stesso ripieno utilizzato per la gubana e poi fritti. Nati da
una tradizione prettamente familiare, sono preparati abitualmente in occasione delle festività o di feste e sagre locali.
In un recipiente si lavorano uova fresche, zucchero, burro; per
ultima, si aggiunge la farina di grano tenero di tipo 00.
Mescolato bene il tutto, la pasta così ottenuta è tirata e divisa in
rettangoli di cinque-sei centimetri di lunghezza e tre di larghezza. Si versa quindi su ciascuno un mucchietto di ripieno, ottenuto mescolando un trito di frutta secca (noci, uva sultanina, amaretti, pinoli) con grappa non aromatizzata o rum, vanillina, cannella e aroma di limone. I rettangoli sono quindi richiusi in
modo da formare sacchetti di forma squadrata che cuociono
immersi in olio di mais.
Più legati alla produzione familiare e alla ristorazione gli **strucchi
lessi**: la pasta, ottenuta con i medesimi ingredienti, è tirata fino
allo spessore di tre millimetri e ritagliata in dischetti di 12 centimetri di diametro. Posto al centro il ripieno, la pasta è richiusa
verso l'alto quasi a forma di barchetta; sulla sommità si forma un
piccolo incavo con l'indice della mano. Immersi brevemente in
acqua bollente, gli strucchi lessi sono raccolti appena salgono in
superficie e sono serviti con una spolverata di zucchero.

Torta di castagne

Contadini e pastori hanno sfruttato per anni e in vari modi la castagna quale ingrediente fondamentale della propria alimentazione. In Friuli, questo frutto serviva anche come merce di scambio per gli abitanti dell'alta valle – dove il castagneto dominava – che lo scambiavano, insieme con la farina da esso ricavata, con il granoturco, tipica coltivazione di pianura. Per lo più, con lo sfarinato di castagne si confezionava il pane ma, siccome in passato spesso bisognava fare di necessità virtù, la fantasia delle massaie "partoriva" anche qualche squisito dolce per la felicità dei più piccini.

Questa torta scura e compatta, tipica della provincia di Udine, rimanda a sapori antichi e si prepara montando inizialmente uova fresche, burro e zucchero. Quando il composto si presenta gonfio e spumoso, si aggiungono farina di castagne e di frumento, lievito, un po' di cacao in polvere e castagne bollite e fatte a pezzetti. Appena l'amalgama diventa coeso, si versa in una classica tortiera precedentemente imburrata ed infarinata. Cuoce per 30 minuti a circa 200 gradi.

Torta di mandorle grezze

Tra le varie tipologie di frutta secca usate nell'arte pasticciera, la mandorla è forse quella più utilizzata. Rosacea originaria, con tutta probabilità, del continente asiatico, si è acclimatata piuttosto bene lungo le zone temperate del bacino mediterraneo. Importata dai Greci in Italia, deve la sua diffusione all'espansione dell'impero romano. Ovale e appuntito da una parte, il frutto (che coincide con il seme) è racchiuso in un guscio legnoso piuttosto duro. Dolce e aromatico, anche se vi sono alcune specie che danno frutti tipicamente amarognoli, diventa ingrediente principale di questa torta friulana preparata, generalmente, in occasione della Pasqua.

La torta di mandorle grezze si confeziona foderando una tortiera con uno strato di pasta ottenuta amalgamando uova, zucchero e farina. Vi si rovescia quindi sopra un composto fatto con mandorle macinate, zucchero, cioccolato fondente, buccia di limone grattugiata e albume montato a neve ferma. Si racchiude il tutto con un secondo disco di sfoglia, si guarnisce la superficie con una generosa manciata di mandorle tritate grossolanamente e s'inforna per 30 minuti a 180 gradi. Una volta fredda, la torta è spolverata con zucchero a velo.

Torta di mele

In tutti gli svariati ricettari regionali di cui è ricca la nostra penisola, trovano posto svariati dolci alla frutta. Tra i tanti frutti utilizzati per queste preparazioni, particolarmente predilette – soprattutto al nord – paiono essere le mele. *Golden delicious*, presente sul mercato tutto l'anno, *Granny Smith*, verde e dal sapore spiccatamente acidulo, *Stayman*, dalla forma globosa, *Imperatore*, rossa e dolce, *Stark red delicious*, farinosa e profumata: sono molte le varietà presenti in Italia e anche la Carnia ne può vantare significative coltivazioni. In Friuli, la torta di mele, per sottolineare la ricchezza del ripieno, prende il nome di *pite* che, in dialetto locale, significa sacco pieno.

Dopo aver preparato la pasta che servirà da involucro amalgamando farina, burro, grappa, lievito, panna e zucchero, si lascia riposare per circa un'ora, dopodiché si stende in sfoglia sottile e si provvede a rivestire internamente una normale tortiera imburrata e infarinata. Si farcisce quindi con sottili fette di mela, gherigli di noci, uvetta, pangrattato e cannella e, infine, si chiude il tutto con un altro strato di pasta. La cottura avviene in forno a temperatura moderata (160 gradi) per una trentina di minuti.

Torta di noci

La noce, detta anche ghianda di Giove, è un frutto antichissimo, forse già presente in Europa addirittura prima dell'ultima era glaciale e, poi, riapparso in piena età del bronzo. La parte commestibile, cioè il gheriglio, essendo molto ricco di grassi va consumato fresco d'annata perché, oltre a essiccarsi, proprio per l'alto contenuto in oli naturali tende col tempo a irrancidire facilmente. Classico frutto da consumo diretto, in special modo durante le feste natalizie, a volte è impiegato per arricchire alcuni pani o, più frequentemente, per confezionare torte e altre preparazioni di pasticceria.

Per fare questa torta bisogna mescolare inizialmente burro, zucchero e uova creando così un composto piuttosto spumoso cui si aggiungono la farina di frumento tenero di tipo 00, la fecola di patate e i gherigli macinati a dovere. Mescolato bene il tutto, si versa l'impasto in una tortiera imburrata e infarinata per far sì che l'amalgama non aderisca al fondo. Dopo aver cotto per 30 minuti in forno caldo, la torta viene tolta dallo stampo, bagnata con un po' di Marsala, ricoperta nella sola parte superiore con cioccolato fondente sciolto a bagnomaria e infine guarnita, a mo' di corona, con altri gherigli.

Torta di ricotta

L'uso della ricotta nelle preparazioni di pasticceria rientra in molti ricettari regionali: i cannoli (v.) o la cassata (v.) siciliani, il *flan de arrescottu* (v.) e l'*arrescottu a durci* (v.) sardi, la zonclada (v.) veneta sono solo alcuni componenti di una lista che comprende anche la *scuete* (torta di ricotta) friulana. Quest'ultimo è un dolce che vanta antiche origini. Il Friuli, infatti, era terra dedita all'agricoltura e numerosi erano gli allevamenti di bestie da carne e da latte presenti in tutta la pianura: approvvigionarsi di ricotta, quindi, non era un problema per gli abitanti del luogo. Tra i vari modi escogitati per utilizzare al meglio il sopracitato latticino, ecco questo dolce, una torta ricca di profumi e sapori, che racchiude tra due strati ben sigillati di friabile pasta frolla (burro, zucchero, tuorli, vaniglia e sale) una farcia ottenuta impastando ricotta, zucchero semolato, uova, rum, scorza di limone grattugiata, succo d'arancia e uva sultanina precedentemente ammollata in acqua tiepida. Cuoce, in normali tortiere, a 220 gradi per circa mezz'ora.

Torta Dobos

La cosa può sembrare strana ma una delle torte più famose della pasticceria giuliana, nata nella capitale ungherese e presto diffusasi all'estero, non è stata creata da un pasticciere: Jozef Dobos, il magiaro che la ideò e che per molto tempo ne custodì gelosamente la ricetta, era un trattore, un commerciante di derrate alimentari e, in ultimo, persino un discreto scrittore.

Questa torta, che il poliedrico personaggio presentò nel 1885, è un sontuoso monumento barocco di non facile esecuzione, in cui sei dischi di pasta (tuorli, zucchero, farina tipo 00, scorza di limone grattugiata e albume montato a neve), molto bassi e cotti separatamente, sono intervallati a strati di gustosissima farcia ottenuta miscelando zucchero caramellato, burro, crema pasticciera, bianco d'uovo montato, cacao in polvere e pasta gianduia. Sull'ultimo disco, in cima alla "torre", viene poi versato del caramello caldo preoccupandosi di segnare, prima che quest'ultimo si raffreddi, con un coltello unto di burro le varie fette per meglio porzionare, in seguito, la torta.

Può anche essere decorata con un trito fino di mandorle o nocciole tostate.

Torta rigojanci

Il passato mitteleuropeo e l'importante ruolo del capoluogo giuliano come porto commerciale durante l'impero austroungarico, si può intravedere anche in non poche preparazioni culinarie. Ne è un buon esempio la torta *rigojanci*, un dessert molto diffuso in città. Stando a quanto si racconta, sembra che il nome si debba al celebre musicista tzigano Rigò Jancsi: questi, nei primi anni del Novecento, realizzò il dolce in questione insieme alla bella e miliardaria moglie americana.

Per confezionarlo, occorre innanzi tutto preparare del soffice pan di Spagna al cioccolato partendo da uno sbattuto d'uova e zucchero cui viene aggiunto del cacao setacciato insieme alla farina e (facoltativo) un po' di burro sciolto. Disteso l'impasto su due teglie da forno quadrate (ma, oggi, non è poi così raro trovare delle *rigojanci* a forma di cuore), si cuoce a 190-200 gradi per 20 minuti. Nel frattempo si prepara una crema miscelando a dovere panna, cacao amaro in polvere, zucchero e cioccolato fondente precedentemente sciolto a bagnomaria.

Si procede quindi con l'assemblaggio della torta: si distribuisce il composto cremoso sulla superficie di un primo strato di pan di Spagna, si copre con un secondo pezzo di torta e, sopra quest'ultimo, si sistema un "foglio" di cioccolato a guisa di rigida copertura. Un po' di crema è distribuita anche lungo i lati.

Torta rustica

La torta rustica, o *pete*, stando al dialetto locale, è un dolce piuttosto particolare che affonda le proprie origini in un'antica tradizione della Carnia: in queste terre, un tempo, era uso cuocere il burro, affinché si conservasse più a lungo, insieme alla farina. Quando lo sfarinato assumeva una colorazione "oro antico", la pentola veniva tolta dal fuoco e il tutto era lasciato raffreddare. La parte liquida che si formava finiva in un contenitore detto *piter,* mentre la farina diventava ingrediente fondamentale per questa torta che, abitualmente, era cotta sotto la brace e ben avvolta da alcune foglie di verza che contribuivano a conferirle un sapore del tutto particolare.

Oggi le cose sono un po' cambiate e la *pete* si prepara impastando contemporaneamente uova, farina di frumento tenero e farina di mais, polenta, latte appena intiepidito, zucchero e un pizzico di sale. L'amalgama, soffice e cremoso, è quindi rovesciato nelle tortiere, spolverato con una miscela di pan grattato e zucchero e cotto a bassa temperatura (150 gradi) per circa un'ora.

Le pasticcerie

Aldo Bonanni
Zona Artigianale, 3
Raveo (Ud)
Tel. 0433 746030
Esse di Raveo

Ducale
Piazza Picco, 18
Cividale del Friuli (Ud)
Tel. 0432 730707
Gubana, torta di mele, torta di ricotta

La bomboniera
Via XXX Ottobre, 3
Trieste
Tel. 040 632752
Pinza, presnitz, putizza, torta Dobos,
torta rigojanci

La gubana della nonna
Frazione Azzida, 15/1
San Pietro al Natisone (Ud)
Tel. 0432 727234
Gubana, strucchi, strucchi lessi

Laboratorio del dolce
di Danilo D'Olivo
Vicolo Sottomonte, 2
Udine
Tel. 0432 299375
Biscotti della cresima, biscotti
di quaresima, gubana, torta di castagne,
torta di mandorle grezze, torta di noci,
torta di ricotta

Penso
Via Diaz, 11
Trieste
Tel. 040 301530
Pinza, presnitz, putizza, torta Dobos,
torta rogojanci

Pirona
Largo Barriera Vecchia, 12
Trieste
Tel. 040 636046
Pinza, presnitz, putizza

Saint Honorée
Via Prosecco, 2 b
Trieste
Tel. 040 213055
Pinza, presnitz, putizza

Giuditta Teresa
Località Ponte San Quirino
San Pietro al Natisone (Ud)
Tel. 0432 727585
Gubana

Vogrig L. & C.
Viale Libertà, 136
Cividale del Friuli (Ud)
Tel. 0432 730236
Gubana

Lazio

Ciambella al mosto

Questo squisito dolce racchiude in sé la semplicità e la ricchezza delle tradizioni contadine e va preparato con indispensabile, paziente manualità.

Bisogna partire da un preimpasto d'acqua e farina cui, dopo due ore di riposo, si aggiungono il mosto fiore tiepido, poco zucchero, l'olio d'oliva, l'uva passa e altro sfarinato di frumento tenero "avvantaggiato" da un po' di manitoba. Una volta creato un composto omogeneo, si lascia "crescere" lo stesso per l'intera notte. Il mattino successivo si porziona l'impasto e si formano le singole ciambelle che, poste giustamente distanziate all'interno di una classica teglia da forno, sono coperte con un telo e lasciate lievitare per altre due-tre ore. Trascorso questo periodo, s'infornano a 180 gradi per una ventina di minuti. Prima di essere gustate, le grosse e morbide ciambelle sono spennellate con un po' di zucchero liquido.

Dolce antichissimo, pare sia stato ideato intorno al Quattrocento; per l'ingrediente che usa è chiaramente legato al periodo della vendemmia e, *ça va sans dire*, è da considerarsi tradizionale negli abitati di Marino e dei Castelli Romani, paesi da sempre conosciuti come centri produttori di buon vino.

Ciambelle al vino bianco

Dorate in superficie, leggere e friabili, le ciambelle al vino bianco nascono da pochi e semplici ingredienti.

Farina di frumento tenero, olio d'oliva, zucchero, vino bianco secco e un pizzico di sale si lavorano fino al raggiungimento di un composto abbastanza morbido da far riposare per almeno un'ora in ambiente tiepido. L'amalgama è quindi diviso in vari pezzetti che, lavorati manualmente, serviranno a formare dei grissini lunghi una ventina di centimetri dal diametro non superiore a quello di un dito mignolo. Unendone le estremità, si formano le ciambelle, avendo cura di esercitare una leggera pressione sul punto di contatto. Disposte sopra una teglia leggermente infarinata, si cuociono in forno caldo per circa 30 minuti.

Regolarmente prodotte in diverse località, ad Arsoli (Rm) sono conosciute come *ciammellette de magru*, mentre ad Affile (Rm) prendono il nome di *risichelle*.

Mondo eterogeneo, quello delle ciambelle laziali: in occasione dei matrimoni si preparano, mescolando a una pasta da pane già lievitata dei semi d'anice, le **ciambelle zagarolesi** o *cacchi*. Molte versioni nascono poi da una prima cottura in acqua che precede la classica infornata: si preparano così le **ciambelle all'olio** (farina, olio, zucchero, sale, lievito di birra e acqua) o le lucide e profumate **ciambelle all'anice**. Stesso procedimento ma meno ingredienti – zucchero, uova e farina –, per le gialle e delicate **ciambelle scuttuniate** o *marturiate* come sono soliti chiamarle ad Affile.

Ciambellone

Distrutta dalla soldataglia al servizio di Clemente VII nel 1526, Gallicano nel Lazio è un piccolo borgo ai piedi dei monti Tiburtini, non lontano da Tivoli. Immersa nella particolare atmosfera che pervade gli antichi vicoli, in concomitanza con le celebrazioni dedicate a sant'Antonio Abate, si svolge la popolare sagra del ciambellone, tipico dolce regionale che, per l'occasione, nel paese è preparato da forni e famiglie. L'aria gioiosa della festa ne stimola il consumo, accompagnato, in ossequioso rispetto della tradizione, da bicchieri di profumato vino novello. Prodotto, in vario modo, durante tutto l'anno, un buon ciambellone – morbido e ben colorito in superficie, ottimo a colazione o, in sostituzione dei pasticcini durante il rito del tè – si prepara amalgamando farina di grano tenero di tipo 00, burro fuso, uova fresche, latte e lievito per dolci (può essere aromatizzato anche con semi d'anice). Appena l'impasto si rivela omogeneo e della giusta densità, si versa in uno stampo rotondo con foro centrale precedentemente imburrato e si cuoce in forno caldo (180 gradi) per circa tre quarti d'ora.

Giglietti

Nel variegato mondo dei dolci, molte ricette si devono alla fantasia di abili massaie, altre all'inventiva di capaci pasticcieri, altre ancora derivano da preparazioni "foreste": è il caso di questi gustosi biscottini dalla caratteristica forma a giglio, fatti con farina, zucchero e uova e poi cotti in forno per 10 minuti a 200-210 gradi.

La loro storia italiana si può far cominciare nell'anno 1644, quando, a seguito della morte di papa Urbano VIII, i principi Barberini – accusati di malversazione dalla Camera Apostolica – furono costretti a riparare presso la corte di Francia a Parigi. Fra i tanti servitori che si portarono appresso, non dimenticarono i pasticcieri e questi, lavorando a stretto contatto con i colleghi transalpini, impararono nuove ricette tra le quali, appunto, quella dei giglietti. Finito il periodo d'esilio forzato e rientrati in Italia, gli artigiani provarono a utilizzare gli stessi ingredienti per confezionare un dolce a forma d'ape, simbolo gentilizio della famiglia Barberini. I risultati ottenuti non li soddisfecero e così continuarono a proporre quei dolcetti d'oltralpe che si rifacevano, nella forma, allo stemma del casato del Re Sole.

I giglietti trovano la propria consacrazione verso la fine d'agosto quando a Palestrina (Rm) si svolge la sagra in loro onore.

Maritozzo

Guarnito esternamente con la glassa, il maritozzo (oggi quasi soppiantato dall'universale cornetto) si prepara formando inizialmente un semplice impasto (farina, lievito di birra e acqua tiepida) che è fatto riposare per almeno 30 minuti. Dopodiché si aggiungono altro sfarinato e zucchero fino a ottenere un amalgama morbido e pronto per essere aromatizzato con l'uva passa (alcuni usano inserire anche pinoli e piccoli cubetti di cedro candito). Formati dei panetti ovali, si sistemano sopra una teglia ben unta e, dopo un ulteriore periodo di lievitazione, s'infornano per 20 minuti a 180 gradi.

Dolce per innamorati, di pezzatura maggiore rispetto all'attuale, l'originale maritozzo assomigliava a una pagnotta che, come segno di buon augurio, era decorata con ricami di zucchero riproducenti cuori trafitti dalla freccia di Cupido. I più infatuati lo utilizzavano anche come scrigno per celarvi qualche piccolo oggetto d'oro da regalare all'amata; mentre in tempi più recenti si è diffusa l'usanza di imbottirlo con freschissima panna montata.

Citato anche dal Belli come nome alternativo dell'organo sessuale maschile nella poesia *Er Padre de li Santi*, il maritozzo è anche oggetto di questa celebre filastrocca per golosi: *Er primo è pe' li presciolosi, er siconno pe' li sposi, er terzo pe' li innamorati, er quarto pe' li disperati.*

Dalle parti di Cerveteri e Capena, per la festa di san Luca, se ne prepara una variante con mosto e chicchi d'uva.

Morselletti e subiachini

Secondo l'interpretazione che ne dà Teofilo Folengo, poeta e scrittore cinquecentesco conosciuto soprattutto per l'*Opus maccaronicum* o *Maccheronèe*, *morselletto* sembra essere il diminutivo di morsello (vale a dire boccone), e bocconcino è una parola che ben riflette la consolidata abitudine di consumare questi deliziosi dolcetti a piccoli morsi. Prodotti in concomitanza con le principali festività, diventano, oltre che gradito regalo, anche decorazione da apporre sull'albero natalizio. Piccoli biscotti romboidali, derivano da un impasto a base di noci macinate, farina, miele di castagno, scorza d'arancia grattugiata e un pizzico di pepe. Assolutamente privi di lievito, cuociono per 10 minuti a 200 gradi.

Tradizionali di Subiaco (come peraltro i morselletti), i subiachini si ricavano impastando albume, mandorle macinate molto finemente, miele e zucchero a velo, fino a ottenere un amalgama compatto e omogeneo. A questo punto, si formano dei piccoli rombi alti circa un centimetro – alcune ricette, però, antepongono la cottura dell'intero impasto al taglio dei dolcetti – da adagiare sopra una teglia da forno foderata con dell'ostia o con zucchero a velo. Si cuociono, dopo un riposo di 24 ore, a 180 gradi per cinque minuti. Una volta sfornati, si coprono con "ghiaccia reale", una glassa fatta con succo di limone, zucchero e albume. L'ultima vezzosa decorazione è rappresentata da un filo dorato (non commestibile) che li taglia trasversalmente.

Pangiallo

Tradizionale dolce dalla forma a cupola colorato di giallo, presenza irrinunciabile sulle tavole natalizie laziali, è così chiamato perché se ne copre l'intera superficie esterna con dell'acqua di zafferano che, giocoforza, gli dona il peculiare colore.

La lunga preparazione inizia la sera prima quando, in un'unica soluzione, s'impastano nel miele caldo nocciole, pinoli, mandorle, agrumi canditi, uva passa, cannella, chiodi di garofano, noce moscata. Può essere utilizzato, ma è un'aggiunta "moderna", anche del cioccolato fondente. Appena il tutto si è raffreddato, si aggiunge la farina per legare meglio il composto. Formati i pani, si lasciano riposare in ambiente temperato per l'intera notte, coperti con carta paglia o stagnola. Il giorno seguente s'infornano a 180 gradi per circa un'ora e, appena sfornati, si ricoprono con una glassa composta da acqua, zucchero e zafferano.

Un tempo se ne confezionava anche una versione più bassa, i cui profumi erano amplificati da una miscela d'uova fresche e pasta di mandorle; in ultimo, si rivestiva il pangiallo con una base composta da zucchero e cioccolato. Apprezzato dono di Natale, pare che persino la principessa Vittoria Colonna non mancasse di portarlo in regalo a san Francesco d'Assisi in occasione della santa festività. Oggi si trova in vendita in molti forni e, a Riano (Rm), l'8 dicembre, questo dolce è al centro dell'omonima sagra.

Pizza cresciuta di Pasqua

*E*quanno la magnamo a colazzione, pe' Pasqua, assieme a li *nostri famijari, ce s'empie er core de sodisfazione*: così Igino Alunni, poeta dialettale, concludeva la sua "Ode alla pizza cresciuta", rispecchiando al meglio il momento in cui questo dolce era portato in tavola per la classica colazione pasquale insieme a uova sode, salame, coratella con i carciofi e buon vino.

Il particolare iter per confezionare la pizza di Pasqua comincia con la preparazione del fermento acido cui, in un secondo tempo, sono addizionati altra farina, un po' di lievito di birra per facilitare la fermentazione, burro, zucchero, generose manciate di uvetta appassita, piccoli cubetti di agrumi canditi, succo di arancia e limone e loro scorza grattugiata, uova fresche, un pizzico di sale e alchermes. Il composto così ottenuto è lasciato riposare fino al giorno dopo; si sistema quindi negli appositi stampi per un successivo periodo di lievitazione e, infine, si cuoce per 40 minuti a 170 gradi, magari dopo aver spennellato l'intera superficie con dell'uovo sbattuto.

Prima di diventare una preparazione di pasticceria, peraltro un po' diversa, la pizza si faceva in casa e si dice che le donne, per favorire il magico (e fondamentale) momento della lievitazione, sistemavano i vari testi con l'impasto sul letto, ben coperti da teli di lana: rimanevano poi di sentinella per l'intera notte, preoccupandosi di scaldare le coperte con un ferro caldo ogni qualvolta la temperatura tendeva ad abbassarsi.

Pupazza frascatana

Sono molte le versioni che tendono a spiegare il significato di questo curioso biscotto a tre seni: una prima interpretazione lo collega, forse in maniera ardita, a una raffigurazione "maggiorata" della dea dell'abbondanza, con la terza mammella atta a produrre del vino con il quale le mamme di Frascati allattavano i bambini che nascevano in questo paese dalla forte tradizione vitivinicola. Altri accomunano l'abbondanza con il semplice fatto che tre seni danno più latte di due. Infine, quella che con tutta probabilità rappresenta la spiegazione più plausibile: la nascita della pupazza frascatana si deve alla fantasia di un pasticciere burlone che un giorno, parecchi anni or sono, decise di modificare con l'insolita aggiunta un biscotto già esistente.

Il dolcetto che oggi si trova nei forni frascatani 365 giorni l'anno, si prepara impastando farina, acqua e miele di castagno o millefiori; alcune ricette riportano, tra gli ingredienti, anche un filo d'olio d'oliva e dell'essenza naturale di arancia. Amalgamato con dovizia il tutto, si fa riposare l'intera notte. Si staccano quindi vari pezzetti di pasta, si modellano nella classica forma e si fanno cuocere, a calore moderato, per circa 20 minuti.

In linea di massima sono biscotti lunghi circa 25 centimetri ma, in occasione delle feste, se ne sforna di più grandi.

Sposatella e lepericchio

Un tempo, i dolci costituivano un piacere piuttosto costoso e, molto spesso, collegato a particolari occasioni e momenti di festa. È un po' il caso della *sposatella*, dolce a base di farina di frumento tenero, zucchero, uova, latte e olio d'oliva, che a Capena "benedice" i festeggiamenti in onore di san Marco Evangelista il 25 aprile (nello stesso giorno, in genere, sono celebrate anche le prime comunioni).

Si prepara amalgamando velocemente gli ingredienti; quando la pasta ha raggiunto una certa omogeneità, si modella facendole assumere l'aspetto di una fanciulla con le mani appoggiate sui fianchi. Tradizionalmente riservata alle bambine, dopo la cottura in forno la sposatella è decorata con zucchero variopinto; al posto degli occhi, sono sistemati due granelli di pepe.

Per una sorta di *par condicio*, sempre nel medesimo paese e per la stessa festività, è uso confezionare anche il *lepericchio*, dolce tentazione destinata prevalentemente ai maschietti: di forma rotonda, è decorato con un uovo nella parte bassa e con le iniziali del santo (S.M.E.) al centro.

Tortolo terracinese

L'ultima cena, Gesù Cristo che spezza il pane e lo offre agli Apostoli insieme al vino in segno di sacrificio: nella Pasqua, appare chiaro un riferimento al cibo più marcato rispetto a tutte le altre festività. Uova, vere o di cioccolato, agnelli di marzapane, colombe farcite di mandorle e canditi o dolci ciambelle da collegare, in qualche modo, alla corona di spine che martirizzava il capo del figlio di Dio: sono i dolci pasquali, per così dire, "senza confini". A questi, vanno poi aggiunte tutte quelle preparazioni proprie d'ogni paese, come il tortolo terracinese.

È una specie di panettone dolce che richiede tempo e pazienza visto che lievita per quasi due giorni. Una prima fase di "crescita" (36 ore) inizia subito dopo aver impastato con metodo diretto tutti gli ingredienti (farina tipo 0, latte, lievito madre, olio di semi di girasole, zucchero, semini d'anice, uova fresche, anisetta e rum). Il passo successivo prevede la porzionatura dei pani e la loro sistemazione in stampi, di metallo o di carta, dove lieviteranno per altre otto ore. L'ultimo atto, la cottura in forno caldo (180 gradi) per circa un'ora, è preceduto dalla spennellatura della sola parte superiore con uovo sbattuto.

Il tortolo si può conservare anche più di un mese, tanto da arrivare, ancora perfettamente commestibile, al primo maggio, giorno in cui, a Terracina, si festeggia il santo patrono.

Tozzetti e biscotti della sposa

Come succede in molte ricette a diffusione regionale, anche le interpretazioni per ottenere questi dolcetti da fine pasto sono varie e tutte legittimate della propria verità. In ogni modo, i tozzetti nascono solitamente da un impasto in cui entrano sfarinato di grano tenero, miele di castagno o millefiori, pinoli, mandorle, nocciole, un pizzico di pepe e una giusta dose di cannella. Si lavora il tutto amalgamandolo in un composto abbastanza omogeneo che viene suddiviso in vari filoni di pasta. Gli stessi sono poi divisi, mediante tagli diagonali, in rettangoli o rombi che sono cotti in forno caldo per circa 20 minuti.

Dalle parti di Cerveteri (Rm) se ne produce una variante in cui l'uso dell'alchermes ne determina la colorazione rosata, mentre a Marino spesso si arricchiscono di frutta candita.

Simili nella forma, ma diversi negli ingredienti, sono i biscotti della sposa: prodotti da oltre due secoli, sostituivano le bomboniere nelle famiglie più povere, che li offrivano agli invitati avvolti in tovaglioli di lino ricamati a mano dalle madri delle spose. Si realizzano miscelando farina, strutto, zucchero, mandorle, noci, sale e uova fresche. Dopo aver preparato diverse pagnotte lunghe e strette, si spennellano con l'uovo e si cuociono a 180 gradi per circa mezz'ora. Trascorso questo tempo, i pani sono sfornati, lasciati raffreddare e quindi tagliati trasversalmente in modo da ottenere tanti biscotti. Questi ultimi si ripongono nuovamente in forno caldo così da farli ben tostare su tutti i lati.

Le pasticcerie

Cavalletti
Via Nemorense, 181
Roma
Tel. 06 86324814
Castagnole, frappe

Francellini
Via Provinciale, 100
Capena (Rm)
Tel. 06 9032007
Ciambelle al mosto, ciambelle al vino
bianco, ciambellone, lepericchio,
maritozzi, pan giallo, pizza cresciuta
di Pasqua, sposatella

I dolcetti di Mirella
Via Roma, 53
Marino (Rm)
Tel. 06 9387055
Ciambelle, pan giallo, tozzetti

Il torno del ghetto
Via del Portico d'Ottavia, 2
Roma
Tel. 06 6878637
Ciambelle, tozzetti

King bar
Via Conte Celani, 10
Guarcino (Fr)
Tel. 0775 46087
Amaretti di Guarcino

Maria Orsini
Via Turanense, 43
Castel di Tora (Ri)
Tel. 0765 716270
Ciambelle al vino bianco, ciambellone,
pizza cresciuta di Pasqua

Purificato
Piazza del Mercato, 4
Frascati (Rm)
Tel. 06 9420282
Ciambelle al vino bianco, tozzetti

Venanzio Sagratella "Er Nasone"
Via Roma 84
Marino (Rm)
Tel. 06 9388788
Ciambelle al mosto

Liguria

Baxin d'Albenga

Biscette

Biscotti del Lagaccio

Biscotti di Lerici

Biscotti di Taggia

Biscuteli

Buccellato

Canestrelli

Canestrello di Brugnato

Castagnole

Castagnun

Chifferi

Focaccia di Lerici

Focaccia dolce della nonna

Gobeletti

Michette

Pandolce Antica Genova

Pandolce genovese

Sacripante
  e delizia sacripantina

Stroscia

Torta tacunà

Baxin d'Albenga

Perché questo biscottino sia chiamato così non è dato sapere. Più facile, invece, datarne – con un po' di tolleranza – la nascita: prima metà dell'Ottocento. Sono dolcetti piuttosto graditi e, molto spesso, quando gli ingauni vanno a fare visita a qualche loro amico, non mancano mai di omaggiare l'ospite con un vassoietto di gustosi *baxin*.

Semplici e leggeri, pochi centimetri quadrati di pasta fragrante e profumata, questi pasticcini non temono il trascorrere del tempo e durano piuttosto a lungo. La ricetta originale – di proprietà della pasticceria Bria che nel lontano 1933 l'acquistò da un avvocato-pasticciere, indica gli ingredienti nello zucchero, nella farina di frumento tenero di tipo 00, nelle mandorle tritate, nei semi d'anice e nell'acqua. Aborrendo qualsiasi additivo, sia esso conservante o stabilizzante, il processo di lavorazione è rimasto sostanzialmente immutato nel tempo. Con la stessa sapienza artigianale di sempre, si amalgama il tutto, tramite metodo diretto, fino a raggiungere un'adeguata coesione degli stessi. Si formano quindi i singoli biscotti e si pongono in forno già caldo. Il color dell'ambra in superficie sancisce la fine del periodo di cottura.

Biscette

Biscottini di morbida pasta frolla, friabili e dai contorni un po' frastagliati, le biscette (o esse) sono tradizionali dolcetti propri della provincia savonese.

Si ottengono unendo burro ammorbidito e fatto a pezzi, farina tipo 00 setacciata, zucchero, uova, sale e un po' di latte aromatizzato alla vaniglia. Quando l'amalgama – che va lavorato non troppo a lungo perché il calore, delle mani o dell'impastatrice, potrebbe far affiorare la parte grassa – risulta della giusta omogeneità, è modellato a forma di palla ed è posto a riposare in un luogo fresco per circa mezz'ora. Trascorso questo tempo, la pasta frolla, inserita in un *sac à poche* munito di cornetto a stella, è distribuita – formando i biscottini – sopra una placca da forno imburrata. Una volta cotti (15 minuti a 180 gradi), i dolci sono spolverati con zucchero a velo o in grani.

Le **biscette di Solva**, frazione di Alassio, profumano di leggenda: qui, nel 1200, l'intero comprensorio fu invaso da vipere che la popolazione tentò di scacciare con ogni mezzo ma senza fortuna. Solo l'intervento supplichevole di un santone nei confronti della Madonna sortì esiti positivi. Oggi, in occasione della festa patronale e per ricordare il fortunato evento, farina, acqua, lievito di birra, semi d'anice e zucchero sono amalgamati fino a formare una pasta molto duttile che, lasciata cadere a pezzi nell'olio bollente ricorda, nella forma e nei movimenti, una serpe.

Biscotti del Lagaccio

È il biscotto genovese per antonomasia. Deve il nome all'omonimo quartiere cittadino dove, nella prima metà del Cinquecento, Andrea Doria fece costruire una diga tra le colline di Oregina e Granarolo che gli permettesse di raccogliere sia le acque piovane sia quelle sorgive. Il lago che si formò pare fosse così brutto o poco gradito agli abitanti da meritarsi l'appellativo di "lagaccio". Qui, alcuni secoli or sono, un panificio incominciò ad affiancare alla quotidiana produzione di gallette del marinaio, quella di biscotti denominati appunto del Lagaccio.

Biscotti secchi, leggeri, friabili e gustosi, prendono forma da un impasto realizzato miscelando farina tipo 00, lievito naturale (condicio sine qua non), acqua, burro, un pizzico di sale e, ma non sempre, semi d'anice nonché lecitina di soia. La lavorazione, lunga e complessa, prevede che alla pasta già lievitata siano aggiunti, dopo la seconda lievitazione, gli ingredienti sopra citati impastando accuratamente il tutto fino a ottenere un composto giustamente coeso. L'intera massa viene, a questo punto, divisa in pani di circa 500 grammi ciascuno, cui sarà data la forma di filoni lunghi 50 centimetri. Terminata una seconda lievitazione in ambiente caldo per sei-otto ore, i pani sono infornati a 190-200 gradi per 30 minuti. Le pagnotte, dopo alcune ore, sono divise, mediante tagli diagonali, in fette spesse due centimetri prima di essere biscottate da entrambe le parti a circa 200 gradi.

Biscotti di Lerici

Già menzionati all'interno dell'*Almanacco igienico popolare* di Paolo Mantegazza, edito nel 1878, che ne decantava la straordinaria leggerezza, i biscotti di Lerici, o *pan cor fenoceto*, per dirla con i lericini, sono figli di una ricetta popolare derivante, con buona probabilità, da una preparazione araba. In occasione della loro Pasqua, la Pesah, alcune comunità ebraiche presenti nell'estremo Levante ligure solevano preparare i cosiddetti "zuccherini", piccole golosità ottenute con pane azzimo grattugiato (la cosiddetta "farina di *matzot*"), zucchero, semi di anice e uova.

Friabili e gustosi, rinomati per il gradevole aroma che emanano, questi dolcetti oggi si preparano sostituendo la farina di frumento al pane azzimo e mantenendo gli stessi altri ingredienti (alcuni aggiungono pure un po' di lievito o di bicarbonato e un pizzico di cremortartaro). L'impasto è formato avendo cura di montare a neve ben ferma gli albumi così da ottenere un prodotto di maggiore fragranza.

Un tempo se ne sfornava sicuramente una maggiore quantità in quanto, in virtù della propria conservabilità, andavano a rifornire le cambuse delle navi diventando, a guisa di galletta nobile, saporito compagno dei marinai nei loro lunghi viaggi.

Biscotti di Taggia

La storia di questi biscotti risale alla seconda metà del Seicento. Specialità di Taggia, derivano da ciò che due confraternite, i Rossi e i Bianchi, preparavano per contraccambiare le offerte dei fedeli alla parrocchia durante il periodo pasquale. Le due congreghe erano così chiamate per via delle cappe indossate in occasione della processione quaresimale e, rimarcandone l'appartenenza, ogni compagnia donava i propri dolci avvolti, appunto, con nastri di colore rosso o bianco.

Il biscotto di Taggia si ottiene impastando contemporaneamente farina tipo 00, zucchero, olio d'oliva e semi di finocchietto (alcune varianti prevedono l'aggiunta d'acqua e uova). Quando l'amalgama è ben coeso, si pone a lievitare per circa un'ora prima di sistemarlo nelle teglie di cottura e tagliarlo con sezioni trasversali nelle pezzature classiche. Dopo un successivo periodo di riposo, grosso modo altri 30 minuti, s'infornano per tre quarti d'ora.

Oltre che presenza quotidiana nei forni del paese, questi dolcetti sono proposti durante i festeggiamenti in onore di san Benedetto Revelli, quando le vie del borgo s'illuminano grazie ai *furgari*, elementari fuochi d'artificio sparati dai ragazzi dei vari rioni.

Sempre a Taggia, si producono, in quantità limitata, i **granatini**, antichi pasticcini ottenuti impastando semola, farina, zucchero e acqua di fiori d'arancio. D'aspetto irregolare, piccoli e duri al tatto, diventano friabili al palato.

Biscuteli

Chissà se a far innamorare di Bordighera la regina Margherita di Savoia hanno contribuito, in qualche misura, anche questi gradevoli biscottini. Originari della città delle palme, dove sembra si consumassero già nella seconda metà dell'Ottocento, oggi i *biscuteli* si producono, in un quantitativo pari a sei-sette chili giornalieri, solamente presso un unico forno situato nel vicino borgo di Vallebona.

Piccoli, dall'aspetto irregolare, né morbidi né secchi ma abbastanza compatti, questi dolcetti sono contraddistinti da un percettibile sentore di finocchietto. Da consumarsi preferibilmente freschi perché tendono ad indurire con facilità, un tempo erano particolarmente apprezzati, forse anche per questa ragione, se inzuppati nel vino Rossese.

Gli ingredienti, da impastare in un'unica tornata, sono: sfarinato di grano tenero di tipo 00, lievito di birra, zucchero, burro, olio di girasole, uova fresche, sale, miele, semi di finocchio, vaniglia. Quando l'amalgama ha raggiunto un'adeguata consistenza, sono infine aggiunti uva sultanina e pinoli. Il tutto è fatto riposare per una decina di minuti prima di formare i vari biscotti che saranno fatti lievitare, più o meno, per 30-40 minuti. A questo punto si fanno cuocere a 180-200 gradi.

Buccellato

Circa 25 centimetri di diametro, spessore oscillante tra i cinque-sei, foro centrale e spolverizzazione di zucchero a velo: queste sono le caratteristiche che identificano il buccellato, tipica torta del territorio spezzino da non confondere, soprattutto a sentire gli abitanti di Varese Ligure, con l'omonimo dolce confezionato in provincia di Lucca. Il nome potrebbe essere ricondotto al latino *buccella* che, oltre a boccone, sta a significare pure "spezie di pane a foggia di corona".

Farina, zucchero, scorza di limone grattugiata e un pizzico di sale sono miscelati e amalgamati con burro precedentemente ammorbidito, lievito (a volte si usa una pasta di pane già lievitata), latte, un goccio di Marsala, pinoli, uvetta sultanina, uova e gherigli di noce. Quando l'impasto si presenterà sotto forma di pasta morbida e malleabile, si sistema in uno stampo da savarin leggermente unto, dove lieviterà per alcune ore ben coperto e in luogo caldo. Una volta inumidita la superficie con l'albume, si procede all'infornata; il dolce cuocerà in non meno di tre quarti d'ora a 180 gradi.

Canestrelli

È una matassa difficile da dipanare quella collegata alla paternità dei canestrelli (o canestrelletti). Questi fragranti dolcetti
dal sapore inimitabile si trovano in molti centri dell'entroterra
ligure o del basso Piemonte: Torriglia o Montoggio, Acquasanta,
Santo Stefano d'Aveto o Gavi, paesi accomunati dall'ambienta-
zione orografica e dalla – più o meno presunta – paternità
riguardante questo dolce. In ogni caso, gli ingredienti di base
restano sempre gli stessi: farina, burro, zucchero, uova. A diffe-
renziarli, a volte, intervengono piccoli accorgimenti propri d'o-
gni artigiano come la scorza grattugiata di limone, l'uso di sfarinati diversi o del forno a legna per la cottura.
Dopo aver formato l'impasto, si lascia riposare lo stesso in luogo
fresco prima di riprenderlo per stenderlo, a mano o a macchina,
fino a ottenere una sfoglia spessa circa un centimetro. A questo
punto, servendosi dell'apposito macchinario che gli conferisce la
forma finale di stella a sei punte (in origine pare fossero undici)
con foro centrale, si ricavano i futuri pasticcini. Spennellati d'albume, cuociono a 150-180 gradi per circa 15 minuti e, una volta
freddi, vengono, in genere, spolverati con zucchero a velo.
Golose ciambelle, morbide e friabili, ottime da inzuppare nel
latte o da sgranocchiare abbinate a un buon vino passito, furono
confezionate, da tale Caterina Campodonico, in versione povera,
miscelando pasta di pane lievitata con zucchero e olio d'oliva.

Canestrello di Brugnato

La parentela con i gustosi dolcetti a sei punte non va oltre il nome: il canestrello brugnatese è una ciambella che misura circa 20 centimetri di diametro, ottenuta partendo da un impasto formato unendo farina tipo 00, acqua, zucchero, uova, caratterizzanti semi d'anice, margarina vegetale (sic!), lievito di birra, miele e aromi naturali.

Dopo un iniziale passaggio meccanico che conferisce coesione all'amalgama, lo stesso è poi lavorato manualmente fino a modellarlo con la caratteristica forma di piccola ciambella. Prima di conoscere i calori del forno (20 minuti a 190 gradi) deve lievitare in ambienti idonei per circa due ore. Il risultato è un prodotto morbido e un po' spugnoso, bruno dorato in superficie, che emana avvolgenti sentori mielosi e di pasticceria, rinfrescati dalla componente aromatica dell'anice; dolce senza sfiorare l'opulenza, è ideale consumato con una tazza di tè o caffelatte.

Caro anche a Mario Soldati che, con nostalgia, lo ricorda nel suo *Regione regina*, questo dolce vive il proprio momento di massima celebrità durante la pasquale fiera del canestrello, storica kermesse celebrata nell'antico borgo della Val di Vara: questo si caratterizza per la singolare forma urbanistica a tenaglia, già citata in alcuni documenti antecedenti l'anno Mille.

Castagnole

Dolce della tradizione ventimigliese la cui storia si perde nella notte dei tempi, la castagnola è una sorta di pagnottina realizzata con farina di frumento, cacao amaro, caffè, acqua di fiori d'arancio, cannella in polvere, chiodi di garofano macinati, zucchero e bicarbonato di sodio.

Mentre un tempo era presenza fissa un po' in tutti i forni, specialmente durante la mattinata, oggi sono rimasti in pochi a proporla: le occasioni per assaggiarla in tutto il loro inconfondibile sapore di cacao e aroma d'arancia, spesso, si limitano alla festa di san Secondo e alle bancarelle colorate allestite per Carnevale.

La preparazione inizia con la setacciatura congiunta di tutti gli ingredienti in polvere che quindi, una volta ben miscelati, s'impastano con caffè freddo ristretto fino a ottenere un composto piuttosto sodo che deve riposare in luogo fresco per una decina di minuti. Trascorso questo tempo, e trasformato l'impasto in palline non più grosse di una noce, le stesse andranno umettate con l'acqua di fiori d'arancio e tamponate nello zucchero prima di sistemarle, giustamente distanziate tra loro e con la parte zuccherata verso l'alto, in una teglia unta con olio d'oliva. La cottura avviene in meno di un quarto d'ora alla temperatura di 250 gradi.

Castagnun

La castagna ha sempre rappresentato per i liguri una buona fonte di sostentamento. Gente dura, abbarbicata tra mare e montagna, dal carattere *sarvego* (selvatico) e chiuso, pronta a elaborare in vari modi il noto frutto autunnale. *Rostìe, peè, balètti* sono nomi che ogni ligure con il finale degli anni in "anta" ha ben impressi nella memoria, senza scordare la farina di castagne trasformata, nel Genovesato, in originali trofie sposate nel piatto con latte, panna acida o pesto. In questa situazione, il castagnaccio assurgeva a dolce goloso e, da Levante a Ponente – con qualche piccola variante – era preparato per santificare le feste.

Fermo restando l'uso di alcuni ingredienti fondamentali (farina di castagne, uva sultanina, pinoli, sale, acqua, olio d'oliva), percorrendo l'arco ligure gli elementi che lo compongono si modificano da una zona all'altra e così nel ponentino *castagnun* entrano pure gherigli di noci, scorza di arancia grattugiata e zucchero. Nella rara **panella** genovese, fanno capolino i semi di finocchio e nel castagnaccio di Levante, ormai in odor di Toscana, s'inseriscono anche aghi di rosmarino e pane grattugiato. Prelibato e singolare l'uso dei canditi nel Savonese. Resta comune la metodologia operativa che prevede lo scioglimento della farina in acqua tiepida fino a formare un composto piuttosto liquido e la cottura in forno ben caldo (190 gradi) da protrarre fino a quando il dolce non si presenti, nella parte superiore, con una crosticina appena screpolata (circa un'ora).

Chifferi

La diffusione delle mandorle e delle nocciole come addolcenti e addensanti accompagna, grosso modo, l'arrivo della canna da zucchero e si può datare intorno al XIII secolo. I due ingredienti, zucchero e mandorla, camminano a braccetto già in molti ricettari medievali e, ancora oggi, forti di un'unione quanto mai duratura, si utilizzano nella confezione di alcuni dolci conosciuti da tutti: gli amaretti, i torroni e la frutta martorana. In Liguria, oltre ai tradizionali ravioli di Carnevale, mandorle e zucchero danno vita ai finalesi chifferi. Di probabile derivazione dalla parola araba *kefir* (luna), l'etimo si rifà proprio alla forma di mezzaluna data a questi pasticcini. Fu un ex navigante dedito all'arte pasticciera, Benedetto Ferro, a proporre per la prima volta, nel 1872, questo dolce a Finale Ligure (Sv): da allora, questa cittadina ne ha fatto un giustificato vanto gastronomico oggi conosciuto in tutta la regione.

Mandorle dolci, sbucciate e ridotte in polvere, si uniscono a una pari quantità di zucchero e ad albume fino a formare un amalgama di giusta consistenza. Diviso in tante palline grosse come una noce, queste ultime sono fatte rotolare su mandorle tritate in maniera grossolana affinché le stesse vi aderiscano esternamente. Modellati a mano fino a donar loro la caratteristica forma, i chifferi sono decorati con alcuni frutti interi e cotti in forno non molto caldo.

Focaccia di Lerici

Si chiama focaccia perché nell'impasto finisce anche un po'
d'olio d'oliva: in realtà non ha nulla a che vedere con la corre-
gionale specialità salata. Parente levantino del panettone genovese, prima di diventare una preparazione di pasticceria la focaccia
di Lerici era, in altri tempi, il dolce delle feste, preparato utilizzando quanto di meglio racchiudeva la dispensa casalinga.
Mandorle, uvetta, canditi e Marsala contribuiscono a rendere
nobile un semplice impasto ottenuto miscelando farina tipo 00,
zucchero, olio e lievito di birra. La trasformazione del compatto
amalgama di partenza in ottima preparazione dall'aroma
inconfondibile, passa attraverso il sapiente ed equilibrato dosaggio degli ingredienti e non può assolutamente prescindere dal
lento scorrere del tempo necessario al fenomeno lievitativo che,
dopo 20 ore, porta la focaccia a incontrare i calori del forno. Le
forme assumeranno l'aspetto finale dopo un soggiorno di 50-55
minuti a circa 180 gradi.

Focaccia dolce della nonna

Quando arriva il momento del dessert, è difficile che il ricettario ligure proponga dolci particolarmente elaborati o torte dall'architettura imponente. Le voglie iperglicemiche saranno più facilmente soddisfatte da friabile piccola pasticceria, da qualche "rombo" di latte dolce fritto o, se si è in periodo natalizio, dal classico pandolce. Le rare torte dolci sono frutto di quell'arte sottile che, da sempre, distingue questa gente nelle preparazioni culinarie. Figlie di una cucina che bada al sodo, pronta a infischiarsene del detto "anche l'occhio vuole la sua parte", ma caleidoscopica nei profumi e ricca di gusto, sono un po' come la gente di questa terra, più attenta all'essere che all'apparire.

Per fare la ventimigliese focaccia della nonna, si comincia impastando, su una spianatoia, farina tipo 00 e lievito di birra sciolto in acqua tiepida. Si aggiungono poi latte, zucchero, olio, buccia di limone grattugiata, uva passa fatta rinvenire in acqua calda e pinoli. Quando l'amalgama si rivela compatto e senza grumi, si fa lievitare per circa un'ora coperto da un canovaccio. Si stende quindi sopra una teglia da forno unta con olio d'oliva, si arricchisce con zucchero e pinoli e si fa nuovamente riposare per altri 60 minuti prima di conoscere i calori del forno. Una volta dorata in superficie, si sforna, si bagna con acqua di fiori d'arancio e si spolvera con un po' di zucchero. Si consuma fredda.

Gobeletti

Detti anche *gubelletti*, *cobeletti*, *cubeletti*, secondo la zona di produzione, sono gustosi biscotti di pasta frolla ripieni di marmellata da sempre prodotti lungo il litorale e nell'entroterra delle province di Genova e Savona.

Farina, burro, zucchero e latte devono essere lavorati fino a ottenere un impasto piuttosto sodo cui, poco dopo, viene aggiunto il Marsala precedentemente miscelato con l'uovo. Occorre fare attenzione a non scaldare troppo – anche con le sole mani – l'intero amalgama perché ciò inficerebbe il risultato finale. Dopo un appropriato periodo di riposo (circa 40 minuti) la pasta viene spianata, in genere con il mattarello, fino a formare una sfoglia spessa circa mezzo centimetro; con particolari stampini smerlati si ricavano dei piccoli dischi che fodereranno la parte interna di appositi contenitori. Ogni gobeletto è quindi farcito con un cucchiaio di marmellata (di albicocche o pesche), richiuso con un altro dischetto sigillandone i bordi; nella zona di Albenga, alcuni pasticcieri confezionano i gobeletti a mo' di *pansoti*. In ogni caso, infornati a 180 gradi per una ventina di minuti, sono fatti raffreddare e quindi spolverati con zucchero a velo.

Di forma tronco-conica smerlata, friabili, profumati e sostanziosi, secondo tradizione non possono mancare sulla tavola durante la festa di sant'Agata celebrata il 5 febbraio. Sono così buoni che, in dialetto genovese, quando si è oltremodo cerimoniosi, si dice *fà di cobeletti*.

Michette

Forse la matrice di quest'originale specialità va cercata nella ricetta della brioche parigina ma, transalpine o liguri tout court che siano, le michette sono immancabili, per i dolceacquini, in occasione della festa dell'Assunzione di metà agosto. La leggenda vuole che questo dolce, caratteristico nella forma assimilabile a un attributo sessuale femminile, sia stato inizialmente confezionato dalle giovani spose per offrirlo, in sostituzione della propria verginità, al castellano in luogo dei piaceri dello *ius primae noctis*.

L'impasto è semplice: farina di frumento, uova, zucchero, olio d'oliva, burro, scorza grattugiata di limone, acqua tiepida e sale, formano un amalgama da lavorare a lungo, battendolo anche sul piano di lavoro così da renderlo più elastico. Terminata questa fase, si passa alla fermentazione: coperto da un telo, in ambiente tiepido, l'impasto deve raddoppiare abbondantemente il proprio volume; ciò richiede almeno un'ora. A questo punto l'impasto è diviso in numerosi pezzi ai quali è data una forma ellittica di quattro centimetri per due. Disposte sulle placche da forno giustamente distanziate in modo che non vengano a contatto durante la seconda lievitazione, le michette sono lasciate ancora a "gonfiare". S'infornano quindi alla temperatura di 200-210 gradi finché non raggiungono una colorazione marroncina. Una spolverata di zucchero precederà il consumo.

Pandolce Antica Genova

Quello pandoçe bassu, un po sciaccou ch'u pa finn-a un po duo quand'o se tocca ma lì per lì, comme ti l'ae addentou comme butiro o se deslengua in bocca (quel pandolce basso, un po' schiacciato che sembra perfino duro quando si tocca ma lì per lì, come l'addenti, come burro si scioglie in bocca): così il poeta vernacolare Luigi Vacchetto descrive uno dei dolci più conosciuti nel capoluogo ligure: il pandolce "Antica Genova", chiamato anche, dalle parti di Albenga, pane del pescatore. Simile, ma basso e schiacciato rispetto al tradizionale *pandoçe*, è di più recente invenzione. Contraddistinto da minori tempi e difficoltà di lavorazione, con il fermento naturale sostituito da lieviti chimici che agiscono direttamente nel forno, si profuma con canditi tagliati a cubetti, uva sultanina, pinoli, semi d'anice e acqua di fiori d'arancio.

Il procedimento di lavorazione inizia con l'emulsione – nella sbattitrice – di zucchero, latte e, a volte, uova. Si forma così un composto abbastanza omogeneo al quale si uniscono acqua e burro (portati a ebollizione), farina di manitoba in quantità quasi doppia a quella di frumento e gli agenti lievitanti. L'impasto, morbido ed elastico, è quindi miscelato con tutti gli aromi, ulteriormente lavorato e, infine, diviso in pani. Una volta ben tornito, sulla sommità vanno praticati due o tre tagli non molto profondi: ciò garantisce una "crescita" senza spaccature. Cuoce in forno per 75 minuti a 200 gradi.

Pandolce genovese

Simbolo genovese del Natale (anche se ora si trova, più o meno, durante tutto l'anno), il pandolce ha origini lontane, probabilmente medievali. Prima di raggiungere l'attuale livello di diffusione, era una preparazione squisitamente casalinga e ogni massaia, seguendo una propria ricetta, iniziava la lavorazione il giorno dell'antivigilia confezionandone una quantità tale che ne garantisse l'approvigionamento fino all'Epifania. Derivato dai pani dolci impreziositi con frutta, bacche e miele che Egizi e Greci offrivano alle divinità, un tempo era il risultato finale di un processo quanto mai lungo che iniziava con la formazione del *crescente* o fermento naturale oggi, purtroppo, molte volte sostituito dal lievito di birra.

Profumato scrigno ripieno di bontà, si ottiene miscelando farina, zucchero, burro, crescente (già lievitato per almeno 18 ore), uva passa, pinoli, scorzette d'agrume candito, semi di finocchio, acqua normale e di fiori d'arancio, buccia di limone grattugiata, un po' di Marsala, vaniglia e un pizzico di sale. Quando è stata ottenuta una pasta piuttosto soda, la si fa riposare per tre quarti d'ora. Tagliato nella pezzatura voluta, il pandolce lievita per altre 12 ore. Sistemati su teglie leggermente imburrate e spolverate di farina, i pani sono incisi sulla parte superiore con una forma di triangolo e cuociono a 180 gradi per 60-90 minuti.

La ricetta, seguendo i molti genovesi là emigrati, è arrivata persino in Argentina.

Sacripante e delizia sacripantina

… Se mi domanda alcun chi costui sia, che versa sopra il rio lacrime tante, io dirò ch'egli è il re di Circassia, quel d'amore travagliato Sacripante…

Giovanni Preti, cultore di buone letture, quando nel 1851 ideò questi due dolci, li battezzò rifacendosi ai personaggi all'Orlando Furioso di Ludovico Ariosto. Ma, mentre per il primo il richiamo è diretto, per la seconda preparazione il collegamento rimane misterioso e, forse, potrebbe collegarsi alla bella Angelica, capace di accendere, con la sua bellezza, il desiderio di molti cavalieri.

Il sacripante è un goloso parallelepipedo composto da tre strati di pan di Spagna imbevuti con liquore all'arancio, farcito con due gustose creme e ricoperto da profumato fondente. Per ottenere le due farce si emulsionano uova, grasso vegetale, zucchero caramellato, rum e marsala. Una volta formato un amalgama piuttosto spumoso, si divide lo stesso a metà e, a una parte, è aggiunto del cioccolato stemperato così da ottenere due gusti. La delizia sacripantina è invece una torta fresca, anch'essa costruita intervallando sottili dischi di pan di Spagna a "spalmate" di crema fino a donargli un aspetto leggermente convesso. Tutta la superficie esterna è poi cosparsa con briciole molto fini di pan di Spagna (versione originale), o con nocciole tritate o, anche, con una spolverata di cacao.

Stroscia

È racchiuso nell'etimologia del nome il metodo ideale per consumare questo dolce: *stroscià*, in dialetto, sta per strappare, torcere, e la stroscia va proprio spezzata con le mani poiché il taglio con il coltello tenderebbe a sbriciolarne le fette. Vero vanto di Pietrabruna, borgo medievale alle spalle di San Lorenzo al Mare (Im), nel Ponente ligure, è un dolce molto saporito che utilizza l'olio d'oliva extravergine invece del burro.

La preparazione inizia con l'impasto degli ingredienti: per un chilo di sfarinato di frumento, una bustina di lievito chimico, 250 grammi di zucchero, mezzo litro d'olio, un bicchiere di vermut o, più raramente, di Marsala, e la scorza grattugiata di un limone. L'amalgama deve essere lavorato abbastanza energicamente prestando attenzione che la farina s'imbeva bene sia d'olio, sia di vino. Dopodiché si stende in una teglia, senza necessità di ungerla perché il preparato lo è già di suo, si spolvera con zucchero semolato e s'inforna: la torta sarà cotta quando si presenterà omogeneamente dorata, vale a dire dopo circa un paio d'ore passate a 180-200 gradi.

È chiaro che, al fine di ottenere un risultato soddisfacente, gioca un ruolo molto importante nel preparare questa torta la qualità intrinseca dell'extravergine: deve essere esente da difetti, senza alcun retrogusto anomalo e, preferibilmente, di acidità naturale piuttosto bassa.

Torta tacunà

Farina tipo 0 o 00, uova intere, burro, zucchero e lievito vanigliato sono lavorati fino a ottenere un composto ben amalgamato cui viene data la forma di un salame. Questo è poi diviso in tante piccole fette da sistemare, in parte, sul fondo di una teglia da torte, avendo cura di schiacciarle bene con le dita così da farle aderire tra loro. Sullo strato di pasta così ottenuto, si versa la confettura d'albicocche, si inumidisce il tutto con una spruzzata di Marsala e, infine, si sistemano i dischetti rimasti fino a coprire il dolce nella sua interezza. Quando ogni buco sarà rattoppato (*tacunà*, o *tacconà*, in dialetto ligure significa rattoppare), una generosa manciata di zucchero sancirà la fine delle operazioni che precedono l'infornata a 180 gradi. Quest'ultima durerà circa tre quarti d'ora.

Componente importante della tacunà è la confettura d'albicocche. Spesso siamo portati a identificare con i termini confettura o marmellata la stessa preparazione. Se questo può considerarsi giusto sotto l'aspetto tecnico – un frutto e una sostanza dolcificante sono fatti cuocere fino a ottenere il composto che tutti conosciamo – risulta errato se riferito agli specifici ingredienti: dopo aver aderito all'Unione Europea, anche noi dobbiamo chiamare marmellata i preparati che prevedono l'utilizzo degli agrumi e confettura quelli a base di qualsiasi altro frutto. Per quanto riguarda la frutta secca, si parlerà unicamente di creme.

Le pasticcerie

Alimentari Francesca
Salita San Sebastiano, 8
Dolceacqua (Im)
Tel. 0184 206044
Focaccia dolce della nonna, michette,
torta tacunà

Antica pasticceria genovese Grondona
Via Discesa Torrente Verde, 1
Pontedecimo (Ge)
Tel. 010 7856134
Biscotti del Lagaccio, pandolce Antica
Genova, pandolce genovese

Bria
Via Medaglie d'oro, 32 r
Albenga (Sv)
Tel. 0182 52923
Baxin d'Albenga

Brondi Cargiolli
Via Petriccioli, 58
Lerici (Sp)
Tel. 0187 967219
Biscotti di Lerici, focaccia di Lerici

Da Sandro
Via Mazzini, 54
Taggia (Im)
Tel. 0184 475504
Biscotti di Taggia, canestrelli, granatini

Dallorto
Via Stazione, 1 b
Ventimiglia (Im)
Tel. 0184 351036
Focaccia dolce della nonna, michette,
torta tacunà

De Benedetti
Piazza Marconi, 17
Vallebona (Im)
Tel. 0184 254569
Biscuteli

Ferro
Piazza San Giovanni Battista, 1-2
Via Garibaldi, 10
Finale Ligure (Sv)
Tel. 019 692753
Biscette, chifferi, gobeletti

Francesco
Via Terzi, 16
Sarzana (Sp)
Tel. 0187 622504
Buccellato

Gemmi
Via Mazzini, 21
Sarzana (Sp)
Tel. 0187 620165
Buccellato, spungata

Guano
Piazza Cavour, 2 r
Torriglia (Ge)
Tel. 010 944290
Canestrelli

La boutique del pane
Via Roma, 38
Ventimiglia (Im)
Tel. 0184 351361
Castagnole

La fortezza
Via Mazzini, 20
Tel. 0187 620568
Via Aurelia, 76
Tel. 0187 622202
Sarzana (Sp)
Spungata

Preti
Via Carnevale, 1
Sant'Olcese (Ge)
Tel. 010 709852
Via XX Settembre, 79 r
Genova
Tel. 010 581597
Delizia sacripantina, sacripante

Quirini
Piazza Martiri
Brugnato (Sp)
Tel. 0187 894144
Canestrello di Brugnato

Secondo
Piazza San Bartolomeo, 41
Frazione Gorra
Finale Ligure (Sv)
Tel. 019 696020
Biscette

Spalla
Via Amendola, 28
Imperia - Oneglia
Tel. 0183 294265
Stroscia

Valeria
Via Soleri, 3
Taggia (Im)
Biscotti di Taggia, granatini

Villa
Via del Portello, 2 r
Genova
Tel. 010 2770077
Pandolce Antica Genova,
pandolce genovese

Lombardia

Agnello di sfoglia

Amor polenta

Anello di monaco

Bisciola

Biscotìn de Prost

Bossolà

Brasadé di Staghiglione

Caldidolci

Chisola

Colomba pasquale

Elvezia

Masigott

Offelle di Parona

Pan de mein

Pan dei morti

Pane di san Siro

Panettone

Polenta e osei

Resta e matalocch

Spungarda

Torta di fioretto

Torta di mandorle

Torta Donizetti

Torta greca

Torta paradiso

Torta sbrisolona

Tortellini dolci

Tortionata

Agnello di sfoglia

L'agnello, insieme all'uovo e alla colomba, è uno dei simboli classici dell'iconografia pasquale: non c'è dunque da stupirsi che esistano dolci tradizionali che ne riproducono le fattezze (in Sicilia, ad esempio, sono molto comuni gli agnelli di marzapane). Non si sa esattamente quando sia nato l'agnello di sfoglia: di certo è un'invenzione tutta lombarda, in particolare del Pavese e della Bassa lodigiana, già presente nelle migliori pasticcerie intorno alla seconda metà dell'Ottocento. Nelle zone in cui è tipico, sostituiva, e sostituisce ancora oggi, la colomba (v.) quale dessert del periodo pasquale.

L'impasto è quello classico della pasta sfoglia (o *feuilletée*): farina e burro in parti uguali, acqua, sale. La lavorazione è quella, antichissima ed estremamente laboriosa, conosciuta già da Egiziani, Greci e Romani e "codificata" in Francia nel Seicento: il risultato è una pasta a strati di consistenza molto leggera e friabile. Modellata in forma di agnello e spennellata con uovo o miele, cuoce in forno. Generalmente, si taglia in tre strati e si farcisce con crema pasticcera e crema al cioccolato; meno classica la farcia di crema chantilly e marmellata.

L'agnello di sfoglia è preparato nelle dimensioni più varie: il più grande, per 15-20 persone, è denominato "mammuth".

Amor polenta

La principale caratteristica di questo dolce è la presenza nell'impasto di farina di frumento e farina di granoturco.
Per la sua preparazione si procede così: tagliato il burro a pezzetti, lo si fa ammorbidire e si monta energicamente con lo zucchero a velo setacciato fino a ottenere una crema piuttosto soffice. Si aggiungono quindi una per una le uova, avendo cura di non metterne un altro finché il precedente non è perfettamente incorporato all'impasto. È importante che l'impasto si mantenga soffice e cremoso. A questo punto, si uniscono pian piano la farina bianca e il lievito, continuando a mescolare con un cucchiaio di legno. A parte si sbollentano per qualche minuto le mandorle: pelate e asciugate leggermente con un panno, vanno tritate finemente nel mixer con l'aggiunta di poco zucchero. Si incorporano quindi all'impasto insieme alla farina gialla, mescolando lungamente finché il composto sarà perfettamente omogeneo. Il tocco finale consiste nell'aggiunta di un po' di liquore (amaretto di Saronno o maraschino). Versato l'impasto in uno stampo scannellato rettangolare già imburrato e infarinato, si cuoce in forno a 180 gradi per 50 minuti.
Tolto dallo stampo, capovolto e lasciato raffreddare, l'amor polenta si serve tagliato a fette, accompagnato da una crema inglese o da uno zabaione.

Anello di monaco

Nel 1798, Samson Putscher, pasticciere svizzero proveniente da Suffers, nel Cantone dei Grigioni, aprì una bottega con annesso laboratorio in una delle piazze centrali della città di Mantova. Insieme alla moglie, al figlio e a una piccola squadra di lavoranti tutti provenienti dalla Svizzera, iniziò la produzione di torte e dolci dai nomi forestieri (gateau, Helvetia, krapfen, Sachertorte) di tradizione, o d'ispirazione, svizzera e mitteleuropea. L'apprezzamento dei mantovani fu così grande che l'attività ebbe presto successo; poco dopo, un altro pasticciere svizzero, parente di Putscher, arriva nella città virgiliana e, dopo un breve periodo di lavoro nel primo laboratorio, apre una pasticceria per proprio conto. Da queste due botteghe nacque una tradizione che è ancora molto viva, e che individua nell'anello di monaco il dolce più consumato nelle grandi feste.

Il dolce, figlio dell'alsaziano-germanico *kugelhupf*, assomiglia sia nella forma sia nel tipo di impasto a un panettone. Le differenze però sono notevoli. In primo luogo, come un'alta ciambella, l'anello presenta un buco centrale; inoltre, la sommità del cappello formato dalla fermentazione è decorata da una glassa bianca di zucchero; infine, l'interno è arricchito da una deliziosa farcia a base di nocciole e mandorle tostate, zucchero e Marsala.

Bisciola

Chiamata anche *bisoëla*, *panun*, *figascia* o *pan di fic*, è una sorta di panettone rustico, tipico della Valtellina, che si caratterizza per il ripieno particolarmente ricco.

Preparata la biga impastando farina, acqua e lievito madre, si fa lievitare per almeno 12 ore. Trascorso questo periodo, si reimpasta aggiungendo farina bianca, uova, burro, zucchero. Dopo aver lasciato ancora riposare il tutto, si incorporano lentamente nell'impasto noci, uvetta e fichi secchi precedentemente tagliati a dadini, correggendo eventualmente la sapidità con un po' di sale. Si impasta fino a ottenere una pasta liscia, morbida e omogenea, quindi si spezza in tocchi da 500 o 1000 grammi. Modellate a forma di pagnotta, le bisciole sono nuovamente poste a lievitare. Incise in superficie con una croce, in modo che durante la cottura si aprano e possano cuocere meglio, cuociono in forno a 200 gradi con vapore.

Di fornaio in fornaio, di pasticciere in pasticciere, la ricetta base può subire piccole variazioni e contemplare un numero maggiore di ingredienti, quali frutta candita, mandorle, pinoli, cioccolato tagliato a pezzetti o sciolto a bagnomaria.

Biscotìn de Prost

Attraversando la Val Bregaglia, che dallo svizzero passo del Maloia sbocca in Italia a Chiavenna, superati i limitrofi San Carlo e Campedello, si giunge a Prosto, un piccolo paesino frazione di Piuro (So), le cui case sono distribuite sulle due sponde del torrente Mera. A dispetto delle ridotte dimensioni, c'è più di una ragione per visitare questo borgo: il museo di palazzo Vertemate Franchi (già dimora signorile cinquecentesca), un campanile del Seicento e varie caratteristiche fontane in pietra. Accanto alla chiesa parrocchiale, si erge il mulino i cui proprietari, da tempi lontani, sono i possessori dell'autentica ricetta dei biscottini qui prodotti e diffusi a livello locale e regionale.

Premesso che la ricetta è segreta, in linea di massima è possibile rendere pubbliche queste procedure: l'impasto è ottenuto mescolando farina di frumento di tipo 00 e farina di castagne, zucchero, burro, miele di acacia, bicarbonato di sodio. Dopo aver lasciato riposare la massa per alcune ore a una temperatura di quattro gradi, si ricavano dei dischetti di spessore sottile che cuoceranno in forno a calore moderato.

Bossolà

È una specialità bresciana conosciuta già nel XIX secolo, assimilabile al bossolano (*bisuláan*) cremonese e mantovano.
La ricetta più tradizionale prevede tre fasi di lievitazione e una lavorazione totalmente manuale che escludeva persino l'utilizzo dello stampo; oggi la preparazione più comune è questa: setacciate sulla spianatoia la farina bianca e la fecola (utile a conferire maggiore leggerezza alla ciambella), si forma la classica fontana e si uniscono zucchero e sale. Dopo aver mescolato, si incorporano uno alla volta i tuorli d'uovo aiutandosi con un cucchiaio di legno. A questo punto si aggiungono la scorza di limone o d'arancia grattugiata finissima, il burro fuso, il lievito, la vanillina e, per finire, gli albumi montati a neve ferma. Quando il composto è omogeneo, si versa in uno stampo imburrato per ciambelle e si cuoce a calore moderato (170 gradi) per 40 minuti: è importante che durante la cottura non si apra mai lo sportello del forno. Spesso, prima di infornarlo, si spennella in superficie con un po' di latte o con uovo sbattuto e si cosparge di granella di zucchero. Preparazioni pressoché identiche esistono anche in Veneto e in Emilia: il *bussolà* vicentino ha un impasto più ricco di uova ed è aromatizzato al Marsala (ma anche grappa o anice); il *buslàn* tipico della provincia di Piacenza si differenzia invece per l'aggiunta di mandorle tritate in superficie.

Brasadé di Staghiglione

Ciambelline dolci tipiche dell'Oltrepò Pavese, nate come preparazione prettamente casalinga, sono oggi comunemente sfornate da forni e pasticcerie di quasi tutta la zona. Il luogo d'origine, però, resta Staghiglione, un piccolo borgo collinare, frazione di Borgo Priolo, alle spalle di Casteggio. Era consuetudine, in passato, infilare con lo spago un certo numero di *brasadé* e regalare queste particolari "collane" ai bambini sia per le feste sia, soprattutto, in occasione della cresima.

Disposta la farina bianca a fontana, si versano nel mezzo olio (o strutto), burro, zucchero, un cucchiaino di sale fino e uno di carbonato di ammonio. Si mescola il tutto aggiungendo tanta acqua quanta ne occorre per ottenere una pasta soda ma non troppo dura. Quando l'impasto è pronto, si spezzano e modellano cannelli lunghi circa 15 centimetri e dello spessore di un pollice. Questi sono quindi chiusi a ciambella, premendo bene sulla congiunzione in modo che non si stacchino durante la cottura. A questo punto, i brasadé sono immersi in una capace pentola d'acqua portata a lieve bollore. Tolti non appena vengono a galla, passano in acqua fredda: scolati, sono disposti su un canovaccio pulito fino a che saranno asciutti. Infine, sono sistemati su una teglia abbondantemente imburrata e cotti in forno a temperatura non molto alta fino a che risultano ben secchi e dorati. Conservabili anche per settimane, i brasadé sono ottimi inzuppati nel latte caldo.

Caldidolci

Si tratta di dolcetti morbidi di tradizione mantovana, a base di farina di mais e burro; sono tipici del 2 novembre, giorno della commemorazione dei Defunti.

Si fa bollire il latte con burro, zucchero, pinoli e un pizzico di sale; a questi ingredienti base si aggiungono tradizionalmente vino cotto, scorza di limone grattugiata, cannella e chiodi di garofano. Di più recente introduzione è invece l'aggiunta di uvetta. Quando il latte bolle, si versa a pioggia il fioretto (la farina più fine) di mais. Si cuoce a fuoco lento per circa mezz'ora, senza mai smettere di mescolare, in modo che non si formino grumi. Terminata la cottura, si fa raffreddare questa sorta di polentina dolce, quindi con le mani bagnate, per evitare che l'impasto si attacchi, si spezzano palline della dimensione di una grossa albicocca, cui dare la forma di una polpetta allungata. I caldidolci passano quindi in forno a media temperatura per il tempo sufficiente a farli asciugare e dorare leggermente.

Oggi alcuni pasticcieri aggiungono (o sostituiscono) alla farina di mais quella bianca, per rendere l'impasto più compatto e più facile da lavorare: il risultato è però meno soffice e gustoso.

Chisola

Friabile e gustosa, è conosciuta anche col nome di buffetta o, in dialetto, di *chisöl* o *chisoel*: dell'origine etimologica non si sa nulla di certo. Dolce spiccatamente autunnale, è nato ed è tuttora diffuso nel Mantovano: si tratta di una focaccia, o ciambella, nel cui impasto (a base di farina, zucchero e strutto) si immergono chicchi di uva fresca, cui possibilmente siano stati tolti i semi. Cotta in forno, è cosparsa in superficie con zucchero semolato.

Un'interessante variazione sul tema della chisola è il ***pipasener***, diffuso un tempo nelle campagne mantovane, cremonesi e anche bresciane. Deriva la sua unicità e il suo nome un po' curioso dal fatto che la focaccia, impastata con gli stessi ingredienti della chisola più cioccolato a tocchetti, si metteva a pipare, cioè a cuocere lentamente, sotto la cenere (*sener*) del camino. Era la preparazione tipica della festa di sant'Antonio Abate (17 gennaio), una delle poche celebrazioni improntate all'abbondanza e alla gola fra quelle contemplate dal calendario popolare.

Colomba pasquale

Classico dolce delle feste, è diffuso in tutta Italia sia in versione artigianale sia in versione industriale. L'origine, indubbiamente lombarda, a dar retta alla tradizione si colloca a metà tra storia e leggenda: la colomba pasquale dovrebbe essere nata a Pavia intorno al 570; merito di un fornaio che, per placare la ferocia dell'invasore longobardo Alboino, gli recò in segno di pace un pane dolce la cui forma ricordava quella del volatile.

Per cominciare, si mescola la metà della farina col lievito precedentemente sciolto nel latte tiepido, fino a ottenere una piccola pagnotta di aspetto omogeneo. Messa al caldo e ben coperta, questa è lasciata riposare fino a che raddoppia il suo volume. Si riprende quindi incorporandovi la farina rimasta, uova, zucchero, latte, burro, sale, scorza d'arancia grattugiata e canditi misti. Dopo averla lavorata ancora un po', la pasta è modellata a forma di colomba e lasciata nuovamente lievitare fino a quando il suo volume raddoppia ulteriormente.

Prima di infornare, la superficie è spennellata col rosso d'uovo, cosparsa di mandorle tostate e decorata con la granella di zucchero. La colomba cuoce a 200 gradi per circa un'ora e, a fuoco più basso, per altri 20 minuti.

Elvezia

La famiglia Putscher, proveniente dal Cantone dei Grigioni, aprì a Mantova alla fine del Settecento un laboratorio di pasticceria. Coniugando la tradizione elvetica ad alcuni elementi della pasticceria mantovana, Samson Putscher creò, in omaggio alla sua terra d'origine, questa torta particolarmente ricca.

Si comincia miscelando delicatamente lo zucchero a velo con gli albumi montati a neve ferma. A questo punto si aggiunge la farina di mandorle; quando il composto è omogeneo, per mezzo di una tasca dalla bocchetta fine, si versa su un foglio di carta oleata formando una spirale stretta. Si ripete l'operazione altre due volte, in modo da ottenere tre dischi dello stesso diametro che cuoceranno in forno a bassa temperatura. I dischi vanno sfornati appena cominciano a prendere colore: quando si sono raffreddati, si spalma sul primo una crema a base di burro e cioccolato; si sovrappone quindi il secondo, su cui si spalma uno strato di zabaione; infine si sovrappone il terzo disco. Regolati i bordi, si spalmano la superficie e lo scalzo con altra crema al cioccolato, decorando quest'ultimo con granella di mandorle tostate.

Masigott

È un dolce molto antico della zona di Erba (Co). Non si sa di preciso quando sia nato, ma si sa per certo che era di produzione comunitaria ed era preparato nella piazza del paese in occasione del raccolto. Il termine dialettale *masigott* fa riferimento a una persona goffa, malvestita e sprovveduta: il dolce locale è l'evoluzione di un prodotto dall'aspetto poco appetibile, offerto, per scherzo, a queste persone e, in seguito, anche alle zitelle.

Col passare degli anni, la preparazione ha subito varie modifiche che hanno reso il masigott più raffinato e meno rustico. Il dosaggio degli ingredienti è piuttosto variabile di produttore in produttore ma la ricetta, in linea di principio, è questa: lavorato il burro morbido con lo zucchero a velo, si aggiungono uova intere, farina tipo 00, farina di grano saraceno, fecola di patate (o farina di mais a grana fine) e il lievito. Quando si è ottenuto un impasto liscio e senza grumi, si aggiungono in abbondanza noci, pinoli, scorze d'arancia candite e tritate, uva sultanina. Il masigott cuoce in forno caldo a 190 gradi per 40 minuti.

Il masigott è di forma ovale e pesa circa 500 grammi. Di consistenza compatta e omogenea, è di colore marrone scuro aranciato; il profumo è quello intenso ma delicato dei cereali tostati.

Offelle di Parona

Biscotti lomellinesi, oggi distribuiti in tutta Italia, nacquero a fine Ottocento per mano di due sorelle di Parona (Pv), Elena e Pasqualina Colli. Inizialmente furono chiamati con il vezzeggiativo di una di loro, familiarmente detta *Linìn*, e solo qualche tempo dopo assunsero il nome di offelle (diminutivo del termine di derivazione latina *offa*, focaccia). Per qualche anno furono prodotte in quantità limitata e vendute a numero, anziché a peso, durante la festa patronale della Madonna del Rosario. La ricetta, custodita gelosamente, passò inizialmente a qualche conoscente e, solo in un secondo tempo, ad alcuni panificatori locali. Fece scalpore il rifiuto da parte delle sorelle di cedere il brevetto all'industriale mortarese Pietro Guglielmone, nonostante l'offerta di ventimila lire di allora. Dal secondo dopoguerra la ricetta iniziò a subire delle modifiche per mano di artigiani poco scrupolosi, a discapito della qualità. A partire dal 1971, grazie all'interessamento della Pro loco di Parona, è avvenuto il rilancio delle offelle grazie al deposito del brevetto industriale e del marchio d'impresa, rappresentato dalle classiche scatole o sacchetti giallo-verdi con il sigillo numerato su cui è apposto il nome della ditta produttrice, a garanzia della provenienza e della genuinità del prodotto.

Gli ingredienti sono ancora soltanto farina di grano tenero, burro, zucchero, uova, olio d'oliva, lievito. Le tecniche di lavorazione sono più moderne, raggiungono in alcuni casi livelli industriali, ma lo standard qualitativo si mantiene sempre alto.

Pan de mein

Tipico principalmente delle province di Milano e Como, è un dolce molto antico. Il nome, che, di zona in zona, varia in *pan de meitt*, *pan de mej*, *pandemèinn*, significa pane di miglio: questo cereale, infatti, era comunemente impiegato fino al XVII secolo nella panificazione e nella preparazione di dolci rustici. Dal Settecento in poi, il nome restò immutato ma la farina di miglio fu sostituita da quella di mais. Altro nome del pan de mein è *panigada*, dalla *paniga* (il sambuco) i cui fiori decorano questo dolce.

Per la sua preparazione si mescolano tre tipi di farina: frumento, mais a grana fine e a grana grossa. A queste si aggiungono una parte dei fiori di sambuco, un pizzico di sale, lo zucchero, le uova, il burro fatto fondere precedentemente e (introdotto solo in tempi recenti) il lievito sciolto in poco latte tiepido. Ricavata una palla, si lascia lievitare per un'ora in luogo tiepido, coperta da un tovagliolo. Si modellano quindi varie pagnottine un po' schiacciate, di 8-10 centimetri di diametro, e si pongono ben distanziate su una placca da forno unta con olio e spolverizzata con farina bianca. Cotti a fuoco medio per 30 minuti, sono solitamente cosparsi di zucchero vanigliato e fiori di sambuco.

Stessa ricetta, ma pezzatura inferiore ai 100 grammi, per i cosiddetti **meini**: questi si distinguono in fini o greggi, secondo che siano presenti o meno i fiori di sambuco.

Pan dei morti

I *pan di mort* erano tradizionalmente preparati dai pasticcieri milanesi il 2 novembre, giorno della commemorazione dei Defunti: per la loro realizzazione, si utilizzavano gli avanzi delle diverse paste lavorate durante la settimana. Ancora oggi, il pan dei morti è prodotto principalmente tra ottobre e novembre.

L'impasto, piuttosto ricco, può subire qualche piccola variazione ma, solitamente, è composto da farina bianca, biscotti secchi polverizzati, mandorle pelate e tritate, zucchero, lievito, uva sultanina già rinvenuta in acqua, fichi secchi tagliuzzati, dadini di arancia candita, cannella. Mescolato il tutto, si aggiungono degli albumi e qualche cucchiaio di vino bianco secco, quindi si impasta energicamente per circa 10 minuti. Se la consistenza è troppo dura, basterà aggiungere ancora un po' di vino. Si modellano quindi dei panini leggermente appiattiti e allungati sulle estremità, sotto i quali si pongono una-due ostie. Posti su una placca da forno, cuociono alla temperatura di 180 gradi fino a che non si seccano anche internamente.

Terminata la cottura, si lasciano raffreddare e si spolverizzano con lo zucchero a velo.

Pane di san Siro

Chiamato anche san Sirino o *sansir*, è una specialità pavese. Le pasticcerie locali ne preparano a centinaia soprattutto intorno al 9 dicembre, giorno di san Siro, patrono e primo vescovo della città conosciuta da tutti per la sua Certosa. Vissuto intorno alla metà del IV secolo, Siro, secondo una tradizione secentesca che non tiene in nessun conto la plateale incongruenza cronologica, è identificato anche col ragazzino che portò a Gesù Cristo le ceste contenenti i pani e i pesci per il miracolo della moltiplicazione. Questi dolci particolarmente ricchi e golosi sono nati proprio per ricordare quel prodigio miracoloso.

Per ottenere il pane di san Siro, occorre preparare alte e rotonde piccole torte di pan di Spagna al cacao. Inzuppate di rum, sono farcite con crema di burro alla nocciola e infine ricoperte da una glassa di zucchero al cacao decorata con la scritta "San Siro".

Panettone

Derivato dai pandolci e dai panspeziali del Medioevo, il panettone, conosciuto nella metà del Settecento col nome di *pan grande*, è l'indiscusso simbolo della pasticceria milanese nel mondo. Legato al periodo natalizio, ha da tempo travalicato i confini regionali per diventare, in versione sia artigianale sia industriale, il dolce delle feste più diffuso in Italia.

Si comincia mescolando una parte della farina col lievito sciolto in acqua tiepida, fino a ottenere un composto liscio e morbido che riposerà in luogo caldo per almeno tre ore. Si ripete l'operazione, aggiungendo altra acqua e farina, facendo lievitare stavolta per due ore. Nel frattempo si tagliano a cubetti il cedro e l'arancia canditi e si ammolla in acqua tiepida l'uvetta. A parte, ottenuto uno sciroppo sciogliendo lo zucchero in poca acqua calda, vi si incorporano le uova. Si aggiunge la restante farina alla pasta lievitata, mischiando un pizzico di sale e amalgamando il tutto versando piano lo sciroppo e il burro fuso in precedenza. Quando la pasta raggiunge la giusta consistenza, si aggiungono l'uvetta e i canditi. Si modellano quindi dei pani cilindrici di forma un po' allungata. Disposti sulla placca da forno e circondati con una fascia di cartone, lievitano ancora per sei ore. Prima di infornare a 200 gradi per 60-80 minuti, si pratica con un coltello affilato una croce sulla cima.

Polenta e osei

Polenta e *osei* non è solo il piatto a base di uccelletti arrosto più diffuso in Lombardia: è anche il nome del più tipico dolce bergamasco, nato più di un secolo fa in una pasticceria a pochi passi dall'odierno teatro Donizetti.

La ricetta richiede, per cominciare, la preparazione di una calotta di pan di Spagna o pasta margherita che si otterrà cuocendo il composto in un apposito stampo semisferico. Tolta dal forno, va tagliata orizzontalmente in due o tre parti da bagnare con liquore all'arancia e rivestire con una crema ricavata mescolando tuorli d'uovo, zucchero, farina, latte e gianduiotti sciolti precedentemente a bagnomaria. Ricomposta la cupoletta a mo' di polenta, si tinge a parte dello zucchero, in una ciotola, con del colore giallo per pasticcieri precedentemente diluito in mezzo bicchiere d'acqua. Con lo stesso colore si tinge anche della pasta di mandorle che, stesa in sfoglia sottile col mattarello, servirà a rivestire la polenta. Nell'attesa che il rivestimento si asciughi, con altra pasta di mandorle colorata di marrone con cioccolato in polvere, si modellano due o tre uccelletti che decoreranno la cima della polenta sopra un sottile strato di confettura di albicocche diluita in acqua. Il dolce va conservato in luogo fresco.

Resta e matalocch

Chiamata anche *resca*, era il tradizionale pane pasquale dell'area lariana, in particolare nella zona di Como. Come la maggior parte dei dolci di questa zona, è costituita da ingredienti semplici ed è legata a una ricorrenza particolare, fatto abbastanza usuale per le produzioni tradizionali: com'è facile intuire, un'economia povera non poteva permettersi dolci ogni giorno.

Per ciò che riguarda le caratteristiche specifiche, nonostante la semplicità degli ingredienti il tipo di lavorazione implica il lavoro di un buon pasticciere. Gli ingredienti, vale a dire farina di semola di tipo 00, zucchero, sale, uova, burro e lievito di birra precedentemente sciolto in acqua tiepida, sono impastati fino a formare un panetto che deve lievitare al caldo per circa un'ora; dopodiché, per completare l'impasto, si aggiungono miele, uva sultanina, canditi di cedro e arancia, scorza di limone grattugiata. Si modella quindi il pane dandogli la classica forma oblunga, si inserisce longitudinalmente un bastoncino di legno d'ulivo, si praticano incisioni oblique a spina di pesce in superficie (resca significa, appunto, lisca di pesce), e si cuoce in forno caldo.

Antenato della resta ancora presente nelle tavole lariane è il *matalocch*: la forma è più rotonda e l'impasto è impreziosito dall'aroma dell'anice. Il nome deriverebbe dall'ispanico *matalanga*, a sua volta mutuato da un non dissimile termine arabo indicante appunto l'anice.

Spungarda

È una tipica specialità cremasca e, come risulta dalla *Raccolta di vecchie cose di Crema* di Mario Perolini, era già nota e diffusa in città nel 1755. Dolce compatto, simile a certi dolci nordici e, per restare in Italia, riconducibile per certi versi alla spongata (v.) e al panforte (v.).

La preparazione ha inizio con la riduzione in granella di mandorle, noci, pinoli, nocciole e torrone. A questi si aggiungono l'uvetta sultanina, i dadini di cedro candito e spezie in composizione variabile. L'impasto è quindi legato con confettura di albicocche e miele d'acacia ed è aromatizzato con bacche di vaniglia. Il composto così ottenuto è posto a riposare per 24 ore in recipienti di terracotta smaltata. Trascorso questo periodo, si modellano mucchi d'impasto in dischi rotondi di varia pezzatura. Avvolti in un sottile strato di pasta frolla, che sarà "pizzicato" creando una trama originale ed esteticamente gradevole, riposano ancora una notte prima della cottura in forno.

Di peso variabile tra i 150 e i 500 grammi, la spungarda si presenta esternamente di colore nocciola chiaro, mentre il ripieno è di un bel colore marrone; l'odore è speziato, il sapore è dolce, intenso e fortemente connotato dalla vaniglia. Se opportunamente conservata, la spungarda può mantenere la propria fragranza per ben sei mesi.

Torta di fioretto

In dialetto chiavennasco, col termine *fioret* si intende il fiore essiccato del finocchio selvatico. Per estensione, si chiama così anche la torta di fioretto, o *funghiascia:* è una focaccia dolce tipica della zona, guarnita, per l'appunto, con i fiori di finocchio.

L'impasto è costituito da farina di frumento di tipo 00, zucchero, burro, uova fresche e lievito di birra (ma alcuni pasticcieri, per fortuna, usano ancora la "madre"). Ottenuto un composto omogeneo, si lascia riposare per circa tre quarti d'ora. Laminato dello spessore voluto e tagliato in forma circolare della dimensione che si preferisce, si adagia in una teglia imburrata dove lievita ancora per circa un'ora. La torta di fioretto cuoce quindi in forno a 220 gradi per 30 minuti. Nel frattempo, si scioglie una noce di burro a bagnomaria, con la quale si cospargerà la superficie della torta appena sfornata, decorandola con lo zucchero e, naturalmente, con i fiori essiccati di finocchio selvatico.

Dolce di consistenza tenera e morbida, ha una crosta di color cotto che, al centro, diventa bianca di zucchero con screziature tendenti al grigio crema. I profumi e i sapori prevalenti sono quelli del burro e del "fioretto".

Torta di mandorle

Documenti risalenti al XII secolo attesterebbero che sia il salame, sia la torta di mandorle, le due specialità gastronomiche per cui è rinomata Varzi (60 chilometri a sud di Pavia), fossero già note all'epoca e particolarmente apprezzate dai marchesi Malaspina, signori della città. La torta di mandorle, in realtà, è presente anche in altre zone della regione, ma l'Oltrepò Pavese, insieme alla provincia di Cremona, è sempre stata una delle zone d'elezione: questo grazie anche, in passato, alla notevole presenza di mandorli, alberi robusti e resistenti alle intemperie, impiantati nel territorio molti secoli fa ma oggi sfortunatamente diradati.

La semplice ricetta, di origine contadina, prevede un impasto di farina di grano di tipo 00, zucchero, uova, scorza di limone e mandorle tritate. Raggiunta la giusta omogeneità, il composto, piuttosto consistente, va versato in una tortiera imburrata e cotto in forno ad alta temperatura.

Gustosa e nutriente, secca ma friabile, la torta di mandorle, se ben conservata, mantiene la sua fragranza molto a lungo.

Torta Donizetti

La *turta del Donizèt* è il dolce omaggio che la città natale ha voluto tributare al musicista bergamasco Gaetano Donizetti, vissuto nella prima metà dell'Ottocento e autore di opere liriche celeberrime quali *Lucia di Lammermoor* e *L'elisir d'amore*.

Per la preparazione di questa ciambella, si inizia lavorando burro, zucchero a velo e albumi d'uovo non montati fino a ottenere una crema. Si incorporano quindi i canditi di albicocca, la farina, la fecola di patate e un pizzico di bicarbonato. Amalgamato il tutto con una spatola o un cucchiaio di legno, si versa il composto in uno stampo per ciambelle imburrato e infarinato. La torta cuoce in forno preriscaldato a 200 gradi per circa 50 minuti.

Terminata la cottura, la torta Donizetti va lasciata raffreddare e, prima di essere servita, va decorata con lo zucchero a velo.

Torta greca

Morbido dolce di semplice preparazione, più diffuso nei forni che in pasticceria, la torta greca ha origini piuttosto incerte, anche se qualcuno sostiene sia riconducibile alla tradizione gastronomica ebraica: infatti, un tempo, il ghetto di Mantova era, dopo quello di Venezia, uno dei più estesi.

Si amalgamano inizialmente i tuorli d'uovo col burro, quindi si aggiunge lo zucchero e si monta il tutto fino a ottenere un composto cremoso morbido e soffice. A quel punto si incorporano la farina bianca, le mandorle (sia dolci sia amare) ridotte precedentemente in polvere e una bustina di lievito chimico. Quando i nuovi ingredienti sono bene amalgamati, si completa la lavorazione dell'impasto aggiungendo albumi montati a neve e una quantità di latte sufficiente a rendere il tutto di consistenza piuttosto morbida. Stesa su una tortiera una crosta di pasta sfoglia, si versa al suo interno il composto così ottenuto. Prima di cuocere in forno caldo, la superficie è decorata con mandorle intere e cosparsa con zucchero a velo.

Torta paradiso

Torta di estrema semplicità, ormai celebre e imitata in tutta Italia, nacque nel 1878 a Pavia ad opera di Enrico Vigoni, che – dopo avere appreso l'arte dolciaria a Milano – aprì la sua pasticceria proprio di fronte all'Università, nel cuore culturale della città. La torta paradiso divenne così in breve il dolce simbolo della città. L'origine del nome appare più fantasiosa che realistica: deriverebbe dall'esclamazione di una nobildonna che, assaggiatene una fetta, la paragonò a un paradiso terrestre.

La torta è frutto di ingredienti semplici, tutti reperibili nell'Oltrepò Pavese: burro, farina, uova e zucchero (un tempo si usava quello di barbabietole) si potevano acquistare nelle cascine della zona. Montati a lungo il burro con lo zucchero, si aggiungono i tuorli d'uovo, il succo di limone, il lievito, la fecola e le chiare montate a neve con un pizzico di sale. Mescolato delicatamente il tutto, si versa in una tortiera imburrata e infarinata. Cuoce in forno a 180 gradi per 35 minuti. Una volta raffreddata, prima di servirla si cosparge di zucchero a velo in superficie.

La torta paradiso si può conservare per diversi giorni, specie se avvolta nella carta metallizzata; è buona sia accompagnata dal tè sia intinta nel vino a fine pasto.

Torta sbrisolona

Detta anche *sbrisolina*, *sbrisolosa* o *sbrisulada*, è il più popolare dolce mantovano. Presente anche nel Cremonese, è di antica origine contadina. Il nome si deve alla sua tendenza a sbriciolarsi, a causa della presenza di farina di mais e alla scarsa coesione degli ingredienti. Era anticamente chiamata anche "torta delle tre tazze" in quanto si usavano uguali quantità di farina bianca, farina gialla e zucchero, empiricamente misurate in tazze. La versione moderna si ottiene da un impasto di farina gialla macinata fine, farina bianca, mandorle tritate, zucchero, tuorlo d'uovo e strutto. La ricetta originaria non prevedeva l'uso di uova (utili a favorire la manipolazione dell'impasto), né delle mandorle: di queste ultime si fa ancora a meno nella sbrisolona contadina. Lavorato a mano, senza amalgamare troppo gli ingredienti, l'impasto va poi versato in una tortiera imburrata e infarinata e livellato in modo uniforme: lo strato non dev'essere più alto di due centimetri. Cuoce a 150 gradi per circa un'ora. Si può spruzzarla di vino bianco, grappa o altri liquori. A cottura ultimata si cosparge in superficie di zucchero, semolato o a velo. Impossibile da tagliare, la sbrisolona va spezzettata con le mani. Si serve solitamente con lo zabaione, la crema di mascarpone o il *caulat*, una tipica crema di uova e panna. Un tempo, durante la vendemmia, si accompagnava al sugolo (o *suc*), una gelatina a base di mosto d'uva e farina.

Tortellini dolci

Cotti in forno oppure fritti, sono tradizionali di Mantova. Si trovano soprattutto a Carnevale e nascono come preparazione prettamente familiare. Ne esistono molte varianti, soprattutto per quello che riguarda il ripieno, poiché un tempo si utilizzavano gli ingredienti che si avevano in casa. Ricette più semplici prevedevano una farcia di mele cotte, sugo di mostarda di mele, biscotti sbriciolati, ma oggi la preparazione è molto più elaborata.

La sfoglia dei tortellini al forno si ricava tirando in strisce non troppo sottili un impasto a base di farina, zucchero, uova, lievito chimico, scorza di limone grattugiata. Il ripieno è invece ottenuto mescolando castagne secche cotte e tritate, marmellata, frutta candita, noci pelate e tritate, pinoli, zucchero, cacao, scorza di limone grattugiata, liquore dolce e caramelle alla menta tritate. Posati dei mucchietti di ripieno a intervalli regolari, si ripiega la pasta e si tagliano, con uno stampino dentellato, delle mezzelune che cuoceranno in forno per 40 minuti.

La sottile sfoglia dei tortellini fritti è tirata, dopo tre ore di riposo, da un impasto a base di farina, fecola, burro, uova, zucchero, scorza di limone grattugiata, liquore dolce e un pizzico di sale. Il ripieno è invece un insieme di biscotti secchi tritati, amaretti sbriciolati, marmellata, vermut e Sassolino. Tagliati dei dischetti di pasta del diametro di un bicchiere, si mette al centro il ripieno, si richiude a mezzaluna e si frigge nello strutto.

Tortionata

Il nome pare proprio derivare da *tortijon*, il fil di ferro attorci-
gliato al quale può essere paragonata per la difficoltà a essere
tagliata: fa parte infatti della stessa famiglia della torta sbrisolona
(v.). A sottolinearne il legame con la città lombarda d'origine, è
anche detta *turta de Lod*. Codificata nel 1855 da Luraghi, titolare
della più antica pasticceria di Lodi, la ricetta risale però con tutta
probabilità al tardo Medioevo. Ciò si evince da alcune caratteristiche riconducibili ai dolci di quel tempo: la forma bassa, la consistenza morbida nonostante si tratti di una torta secca, la mancanza di lievitazione.
Si ricava preparando una comune pasta frolla con farina bianca,
zucchero, tuorli d'uovo, burro e un pizzico di sale. Quando la
pasta è ben amalgamata si aggiungono le mandorle precedentemente tritate. Pur non prevista dalla ricetta originale, è ormai
diffusa l'aggiunta di scorza di limone grattugiata. Terminata la
lavorazione, si versa il tutto in una teglia imburrata avendo cura
che non superi i due centimetri di spessore. Prima di infornare,
la torta va rigata con linee trasversali utilizzando i rebbi di una
forchetta. La tortionata cuoce in forno a 120 gradi.
Sorta di anello di congiunzione tra la tortionata e la torta sbrisolona (v.) è invece la ***barlocca***, tipico dolce lombardo a base di
farina bianca e gialla, la cui modalità di preparazione è descritta
ne *La cucina degli stomachi deboli* (1862) del Dubini.

Le pasticcerie

Antica pasticceria Demetrio
Via Guidi, 33
Pavia
Tel. 0382 27716
Agnello di sfoglia, colomba pasquale,
panettone, torta paradiso

Arvati
Piazza Diaz, 31
Mantova
Tel. 0376 302071
Torta sbrisolona

Bennati
Via Mainolda, 18
Mantova
Tel. 0376 321468
Anello di monaco, chisola,
torta di tagliatelle

Biffi
Corso Magenta, 87
Milano
Tel. 02 48006702
Panettone

Busnelli
Piazza Cavour, 3
Arluno (Mi)
Tel. 02 9017690
Panettone

Campanini
Strada Goitese, 292
Goito (Mn)
Tel. 0376 604463
Chisola, torta sbrisolona

Luigi, Ezio e Michele Cao
Via Fratelli Cairoli, 20
Ardenno (So)
Tel. 0342 660357
Bisciola, biscotin de Prost,
torta di fioretto

Castelli
Via Garibaldi, 19
Bellagio (Co)
Tel. 031 950444
Matalocch

Cavour
Via Gombito, 7
Bergamo
Tel. 035 243418
Polenta e osei, torta Donizetti

Chiozzini
Via Conciliazione, 16
Mantova
Tel. 0376 320676
Anello del monaco

Cis
Via Parini, 2
Albavilla (Co)
Tel. 031 627381
Resta

Citterio
Via Verza, 13
Canzo (Co)
Tel. 031 681330
Pan de mein

Fratelli Collivasone
Vicolo Filippo Turati, 1
Parona (Pv)
Tel. 0384 253018
Offelle di Parona

Cova
Via Montenapoleone, 8
Milano
Tel. 02 76000578
Panettone

Cucchi
Corso Genova, 1
Milano
Tel. 02 89409793
Amor polenta, colomba pasquale,
pan de mein

Simonetta Del Curto
Via Strada Della Chiesa, 3
Prosto (So)
Tel. 0343 32733
Biscotìn de Prost

El furneer
Via Bergamo, 9
Cremona
Tel. 0372 22733
Bussolano

F3 pasta fresca
Piazza degli Alpini
Goito (Mn)
Tel. 0376 605212
Bussolano, torta di tagliatelle,
torta sbrisolona

Freddi
Piazza Cavallotti, 7
Mantova
Tel. 0376 321418
Elvezia, torta greca

Gattullo
Piazzale di Porta Ludovica, 2
Milano
Tel. 02 58310497
Colomba, panettone

Il forno più
Via Toma, 6
Parona (Pv)
Tel. 0384 253167
Offelle di Parona

Il granaio
Via Verdi, 29
Mantova
Tel. 0376 322254
Anello del monaco

La lombarda
Via Garibaldi, 16
Lodi
Tel. 0371 423519
Agnello di sfoglia

La Marianna
Via Colle Aperto, 4
Bergamo
Tel. 035 237027 - 035 247997
Polenta e osei

Le specialità
Strada Marziana, 4
Parona (Pv)
Tel. 0384 253245
Offelle di Parona

Gianfranco Liviero
Via Crispi, 20
Santa Maria della Versa (Pv)
Tel. 0385 79235
Torta paradiso

Locatelli
Via Mattioli, 61
Bergamo
Tel. 035 253407
Colomba pasquale, panettone,
polenta e osei, torta Donizetti

Loris Lugarini
Piazza Roma, 3
Vescovato (Cr)
Tel. 0372 81137
Chisola

Namura
Via Castelvetro, 16
Milano
Tel. 02 34534176
Pan de mein

Nazionale
Piazza della Vittoria, 44
Lodi
Tel. 0371 421328
Agnello di sfoglia, tortionata

Pasticceria del nonno
Via Luzio, 4
Mantova
Tel. 0376 323315
Anello del monaco, torta sbrisolona

Giovanni Pina
Via Locatelli, 14
Trescore Balneario (Bg)
Tel. 035 940344
Brasadé

Ponti
Via Mazzini, 39
Canzo (Co)
Tel. 031 681076
Nocciolini di Canzo, pan de mein

Radaelli
Via Matteotti, 9
Crema (Cr)
Tel. 0373 256284
Agnello di sfoglia, spungarda

Sartori
Via Volta, 8
Erba (Co)
Tel. 031 611819
Masigott

Tacchinardi
Piazza Vittoria, 37
Lodi
Tel. 0371 420677
Agnello di sfoglia, tortionata

Veneto
Via Salvo D'Acquisto, 8
Brescia
Tel. 030 392586
Bossolà, panettone

Vigoni
Strada Nuova, 110
Pavia
Tel. 0382 22103
Agnello di sfoglia, pane di san Siro,
torta paradiso

Zuffada
Via Lombardia, 68
Varzi (Pv)
Tel. 0383 52227
Torta di mandorle

Marche

Beccuta

Appartiene alla grande famiglia dei biscotti arricchiti con frutta secca. È ottenuta da un impasto a base di farina di mais, uva passa, pinoli, mandorle tritate, gherigli di noci e, qualche volta, fichi secchi.

Gli usi sembrano divergere in base alla zona di produzione. Nella zona di Fano (Pu), dov'è conosciuta con il termine dialettale di *becut*, la beccuta è utilizzata come dolce quaresimale: la sua presunta povertà, indotta dall'utilizzo della farina di mais, e la tipica compattezza e friabilità, una volta freddata, ben si sposa con lo spirito penitenziale dei quaranta giorni che precedono la Pasqua cattolica. Nel capoluogo marchigiano e nell'entroterra anconetano era invece diffusa anche come tipico dolce natalizio sin dall'inizio del Novecento: oggi si è quasi persa questa consuetudine ma la sua reperibilità è legata ai mesi freddi.

La genesi del nome è incerta: sembra che per la sua forma bitorzoluta invitasse allo spizzico, a beccarla appunto. Da qui il curioso etimo, il più delle volte utilizzato nella forma plurale.

Bostrengo

È un dolce tipico del Montefeltro, in particolare della zona intorno a Carpegna, Macerata Feltria e San Leo, confinante col parco regionale del Sasso Simone e Simoncello. Nonostante l'assonanza con un altro dolce, il frustingo (v.), caratteristico delle Marche centro-meridionali, non ha nulla a che vedere a riguardo. Il bostrengo è una torta bassa e compatta, generalmente di forma rettangolare o rotonda, creata con farina di frumento, latte, uova e zucchero cui si può unire, in una diversa interpretazione, il riso già cotto nel latte. Il composto ottenuto, ben amalgamato, passa velocemente nel forno sino a cottura ultimata, indicata dal colore bruno della superficie. È fondamentale che tra la preparazione e la cottura passi un tempo brevissimo per non far slegare gli ingredienti.

Il bostrengo, paragonabile a una ricca crema catalana, si caratterizza per la presenza del riso che, in regione, nei dolci è piuttosto raro. Classico dessert familiare della domenica, è apparentemente facile da approntare ma in realtà richiede una preparazione alquanto complessa: è nel perfetto amalgama e nella rapida cottura che risiedono i segreti della sua perfezione.

Calcioni e piconi

Molte le somiglianze tra calcioni, *caciuni, caciù, caciunitti, piconi*, che variano per alcuni ingredienti e, in molte località marchigiane, assumono appunto nomi leggermente diversi. Il termine di origine maceratese *caciù* fa riferimento a una sorta di grosso raviolo. Sebbene il nome suggerisca immediatamente la presenza del formaggio (*caciò*, appunto), sembra che la ricetta originaria, talvolta ancora proposta, avesse un ripieno di legumi (fave, specialmente). Il dolce è legato alle festività pasquali, durante le quali è offerto con significato augurale; nel Fermano e nel Maceratese era preparato anche nelle settimane successive e, in tempi lontani, si vendeva, per la strada, anche nel periodo estivo.
La versione con formaggio pecorino prevede un impasto di farina, burro, zucchero, strutto, uova e tuorli, scorza grattugiata di limone per realizzare la pasta. Pasta da cui tirare una sfoglia, da tagliare in dischetti grosso modo di 10 centimetri di diametro e da riempire con impasto di pecorino fresco, zucchero e limone. Ripiegati a mezza luna e incisi con il coltello, i caciuni sono spennellati con uovo e messi in forno caldo per una ventina di minuti. Il gesto conclusivo di inciderli con il coltello è all'origine dell'altro nome (piconi, da *piccare*, ossia pungere), con cui sono chiamati soprattutto nell'Ascolano. La versione alla ricotta varia, sostanzialmente, per l'impiego di quest'ingrediente al posto del pecorino fresco.

Cavallucci

Confezionati in particolar modo durante il periodo natalizio, sono una classica preparazione di alcuni paesi intorno a Jesi e dell'alto Maceratese. La ricetta è di origini molto antiche ed è rimasta pressoché invariata fino a oggi.

Scottate in acqua bollente e pelate, le mandorle vengono tritate insieme a noci e nocciole. La granella così ottenuta è mescolata a zucchero, sapa, pangrattato, caffè, buccia grattugiata d'arancia o limone, più una variabile mistura di liquori: secondo una vecchia ricetta, l'insieme dovrebbe essere costituito da alchermes, cognac, amaretto, Marsala e mistrà, ma dosi e composizione, come spesso accade, variano di pasticciere in pasticciere. Mescolato il tutto, si lascia riposare il ripieno per una notte. Il giorno successivo si prepara un impasto piuttosto consistente a base di uova, burro, zucchero, lievito e farina. Da questo si tira una sfoglia dello spessore di mezzo centimetro, che va poi tagliata in grossi quadrati. Si pone un cucchiaio di ripieno su ogni quadrato, che va quindi arrotolato e chiuso alle estremità. Effettuati piccoli tagli sui lati, i dolci sono modellati a ferro di cavallo, spennellati con tuorlo d'uovo e cotti in forno caldo per mezz'ora.

Una variante altrettanto tradizionale prevede che la pasta sia ottenuta con farina, olio, zucchero e vino bianco; in questo caso il ripieno contiene marmellata, pangrattato, pezzetti di cioccolato e di buccia d'arancia, mandorle, noci e canditi.

Ciambella strozzosa

Diffuse nell'intero arco regionale, con piccole varianti locali (aggiunta di vino bianco all'anice, uso dell'olio extravergine d'oliva in alternativa al burro…), le ciambelle strozzose sono legate alle festività pasquali e rientrano nella diffusa tipologia dei dolci "poveri" all'anice. In molte località queste ciambelle rappresentano il tipico dessert della gita fuori porta nel Lunedì dell'Angelo; il Giovedì Santo, tuttavia, è il giorno in cui, ancora oggi, lo si sforna più copiosamente, come vuole la tradizione.

La versione-base della ricetta prevede che sulla spianatoia siano collocati farina, zucchero, un pizzico di sale, da mescolare bene per poi aggiungere uova, olio d'oliva e un bicchierino di mistrà. Nelle campagne marchigiane, picene in particolare, il mistrà è tradizionalmente prodotto in proprio, da lungo tempo, per distillazione alcolica, oltre che dell'anice verde, largamente presente nelle zone montane e particolarmente in quella dei Sibillini, anche del finocchio selvatico o di frutta (mele, arance).

L'impasto ottenuto è spezzato e modellato in ciambelle, da immergere una alla volta in acqua bollente fino a che non salgano in superficie. Incise con un coltello lungo tutto il bordo esterno, sono sistemate su una placca da forno e cotte a 200 gradi per circa 20 minuti.

Ciambellone

In campagna il periodo largamente prescelto per le nozze, per ovvie ragioni di maggiore libertà dalle cadenze lavorative, era quello immediatamente successivo alla vendemmia. Originariamente legato alle feste nuziali d'autunno, ma ormai presente in ogni festività nell'intero territorio regionale, il ciambellone è ancora oggi il dolce marchigiano largamente più popolare. Le sue origini sono prettamente rurali (la versione moderna della ricetta impiega burro e olio, certamente sostituiti dallo strutto in quella originaria), ma dalle aie dei giorni festivi si è poi diffuso nelle cucine cittadine. Facile da preparare, è un dolce domenicale ma anche una rapida soluzione per la merenda o per la prima colazione; ottimo poco dopo sfornato, è molto buono anche raffermo, nei giorni successivi.

Gli ingredienti per la preparazione (da mescolare bene collocandoli in una terrina) sono, di regola, burro, uova, zucchero, farina, scorza di limone grattugiata, olio extravergine d'oliva, lievito, latte. I tempi di cottura, in forno a 150 gradi, si aggirano attorno ai 45 minuti; il risultato deve essere di grande soffità.

Cicerchiata, scroccafusi e castagnole

Le tradizione carnascialesca marchigiana è caratterizzata principalmente da tre specialità: cicerchiata, scroccafusi e castagnole. La loro distribuzione è piuttosto uniforme, con piccole varianti, in tutta la regione.

La cicerchiata è un dolce formato da piccole palline della grandezza di una nocciola, ricavate da un impasto di farina, uova e poco zucchero, aromatizzate con mistrà (tipico liquore all'anice) e fritte nello strutto (o nell'olio). Una volta raffreddate, sono amalgamate con miele millefiori.

Gli scroccafusi, parola di origine probabilmente onomatopeica per via della croccantezza, sono un impasto di farina, uova, zucchero, mistrà, olio e buccia di limone che, dopo esser stati brevemente bolliti, prendono, in base alla tradizione locale, una duplice via: fritti nello strutto oppure cotti nel forno. Nel primo caso il miele è il degno complemento finale mentre nel secondo, appena sfornati, sono innaffiati con alchermes o rum prima di esser cosparsi di zucchero. La grandezza tradizionale è quella di una noce ma sono reperibili anche versioni più grandi.

Le castagnole, tradizionalmente utilizzate come omaggio tra le famiglie, sono un omogeneo impasto di farina, uova, zucchero, latte, mistrà, vaniglia e buccia di limone cui si aggiunge il bicarbonato o il lievito. Con un cucchiaio poi sono gettate nell'olio (o strutto) e lasciate gonfiare sino a completa doratura. Una volta tirate fuori, è consuetudine spolverarle di zucchero semolato.

Frustingo

Il frustingo è un dolce natalizio che, nato povero, nel corso della sua evoluzione si è arricchito di vari ingredienti. Nasce povero perché gli ingredienti fondamentali erano facilmente reperibili e a basso costo (fichi neri secchi, noci, mandorle) e perché era un "dolce di recupero" di tanti alimenti a disposizione della dispensa. Negli anni, agli ingredienti principali si sono aggiunti canditi, uvetta sultanina, rum, cacao, caffè, mistrà, mosto cotto: il frustingo è diventato così una bomba calorica a cui, però, nessun marchigiano rinuncia nel periodo natalizio.

Le varianti sono molte, non solo linguistiche (*pistringo*, *frostenga*...) anche se l'etimo assodato è "frusto" cioè malridotto (per il colore nerastro), misero, frugale. Le versioni principali, diffuse dal Pesarese al Piceno, sono fondamentalmente due. La prima è la più filologicamente corretta e utilizza come legante l'olio extravergine d'oliva. La seconda (la cosiddetta pizza di fichi) prevede che gli ingredienti siano amalgamati dalla massa del pane che fa subire al dolce una leggera lievitazione e lo rende solo apparentemente più digeribile. Al palato la pizza di fichi è più consistente del frustingo che resta più morbido; in entrambi i casi, il profumo è quello della frutta secca, il gusto è decisamente dolce, con le caratteristiche note del fico, delle mandorle e delle noci in evidenza.

Funghetti di Offida

Nelle Marche, il successo dell'anice (o anisetta, o mistrà, secondo la differente composizione aromatica) ha una radice popolare, rurale, e un momento "propulsivo" legato alla fortuna dei caffè nella seconda metà del XIX secolo. Oltre che in purezza o come correzione nel caffè, anice, mistrà e anisetta sono impiegati in alcune preparazioni, prevalentemente dolci, come i funghetti di Offida (Ap). Sono piccoli dolcetti a base di farina, acqua, zucchero e anice, e la loro origine sembra misteriosamente legata a leggende di fatture, frati e miracoli. Piccoli e circolari (a forma, appunto di cappelle di funghi), esigono denti robusti data la loro consistenza molto croccante (l'impasto è lasciato riposare per un tempo adeguato ad acquistare consistenza). Alcuni forni ne propongono una versione più tenera, dalla consistenza più simile a un dolcetto di mandorla.

Il sapore dell'anice riporta inevitabilmente al ricordo dei momenti festosi che si vivono a Offida, durante un Carnevale molto suggestivo. Legato a rituali pagani (vi sono presenti tracce dei baccanali greci e dei saturnali romani) e caratterizzato da una viva partecipazione popolare, il Carnevale di Offida si rifà alle antiche celebrazioni del nuovo anno e dell'inizio della primavera. Presso il monastero del Corpus Domini di Loro Piceno (Mc), è ancora frequente la produzione di funghetti preparati con i medesimi ingredienti e identica lavorazione, ma la cui forma ricorda quella di piccole mammelle.

Maritozzi con l'anice

Vino e mistrà sono due ingredienti decisivi nella gastronomia marchigiana. Il vino, nelle sue diverse fasi evolutive, era vero e proprio alimento nelle campagne: il mosto entrava nella preparazione di pani e ciambelle; la sapa, denso concentrato di vin cotto, diventava prezioso condimento per la polenta o per i dolci. Il mosto cotto è ancora oggi impiegato nella preparazione di numerose ciambelle e maritozzi: questi ultimi, però, hanno una specificità tutta loro quando nell'impasto viene utilizzato il mistrà. Nella memoria dei più anziani, i maritozzi restano legati a ricordi di fiere, quando fornai e ambulanti ne preparavano in quantità; in uno dei momenti topici della civiltà rurale, quello della trebbiatura, l'imbrunire coincideva con una pausa, prima di riprendere il lavoro fino a notte, per rifocillarsi con ciambelle e maritozzi accompagnati dal vino.

La preparazione prevede che prima si diluisca del lievito in acqua tiepida, quindi si impasti con farina e poi, dopo aver lasciato lievitare, si realizzi una sorta di palla aggiungendo altra farina, olio, uovo e un pizzico di sale. Lasciata lievitare la palla al caldo per qualche ora, si sistema l'impasto sulla spianatoia, si aggiungono ancora farina, uova, olio, zucchero e semi d'anice, lavorando bene il tutto per ottenere una pasta morbida da cui si ricaveranno panini a forma di spoletta. Collocati in una lastra da forno imburrata (unta di strutto, nella ricetta originaria), cuociono in forno per 15-20 minuti.

Pan nociato

Tra i dolci di origine popolare ancora oggi assai diffusi nelle
Marche, si segnalano alcuni prodotti prettamente autunnali
come i vari biscotti e ciambelline che utilizzano il mosto, i lonzini
di fichi, che arrivano a tavola per San Martino, e il pan nociato
(o pannociato) di Camerino, variazione sul tema del pane ed
espressione tipica di stile marchigiano, per la sobrietà e il gusto
"dolce-non dolce".
Per la preparazione occorrono una certa quantità di gherigli di
noci già sbollentati e tritati, mosto cotto, scorza di limone, fichi
secchi spezzettati, pecorino fresco, burro (oppure olio d'oliva),
uova, sale, pepe, lievito sciolto in latte. Il tutto è amalgamato e
unito a pasta di pane, in modo da ottenere un impasto piuttosto
consistente. Se ne ricava una serie di panini che va lasciata lievitare per una notte. Il giorno successivo, i panini sono infornati su
di una lastra oleata, e lasciati cuocere fino a che non diventino
quasi dorati: l'ideale sarebbe il forno a legna, un tempo presente
in ogni casa colonica.
A Camerino, il pannociato era preparato in particolare nel giorno dei morti, mentre a Macerata era assai diffuso nell'intero arco
invernale, in forma di piccole pagnotte.

Pizza pasquale

Dolce o salata, è una delle specialità di origine popolare ancora oggi molto diffusa nelle Marche. Laddove erano presenti comunità ebraiche, un tempo la pizza pasquale aveva un forte significato di identità religiosa: proprio nei giorni in cui gli ebrei interrompevano la consuetudine di preparare pani lievitati, infatti, la comunità cattolica eleggeva a proprio piatto simbolico questa pizza pasquale, con evidente valenza di diversità.

La sera precedente la preparazione, si mescolano lievito sbriciolato, farina e tanta acqua tiepida quanta ne occorre per ottenere una pasta molto morbida. Lasciata riposare per una notte intera in luogo tiepido, la pasta è quindi adagiata sulla spianatoia. Si uniscono quindi il resto della farina e del lievito, olio, uova, sale, pepe, scorza di limone. A questo punto, la versione "salata" prevede l'aggiunta di pecorino grattugiato di due diverse stagionature, quella dolce di buccia di cedro grattugiata e uvetta. Mescolando adagio fino ad amalgamare il tutto, si ricava una sfera che si lascia lievitare, in un luogo tiepido per circa tre ore, dentro una terrina coperta da un tovagliolo (un tempo si usava il corbello di vimini). Unta con un po' d'olio d'oliva una tortiera dai bordi alti, si distende la pasta che dovrà lievitare ancora per un'ora. Spennellata delicatamente la superficie con il tuorlo d'uovo battuto, s'informa a calore moderato. Terminata la cottura, il dolce è spennellato con una glassa di albume montato a neve e zucchero.

Ravioli di castagne

Dolce di Carnevale, è tradizionale dell'area picena. Una sottilissima sfoglia di pasta all'uovo racchiude un impasto di castagne bollite setacciate, rum o altro liquore, zucchero, cacao o pezzetti di cioccolato. Il raviolo viene poi fritto e consumato bollente spolverato di cannella. Rientra, come molti altri dolci fritti, in quella vasta categoria di produzioni dolciarie proposte dai forni e dalle pasticcerie della regione tra la fine del Natale e l'inizio della Quaresima; tutti caratterizzati dalla povertà degli ingredienti che però, grazie a piccoli accorgimenti quali il condimento di miele, rum o sapa, hanno una ricchezza di gusto che la cottura in olio extravergine esalta e amplifica. Dolci apparentemente poveri, i ravioli farciti di castagne sono frutto di un'arte di arrangiarsi che li fa diventare sontuosi e gustosissimi. Soprattutto in provincia di Ascoli, nella parte meridionale della regione – occupata in antico dalla popolazione preitalica dei Piceni, romanizzati dal III secolo a.C. –, è tuttora abituale consumarli nelle fredde serate invernali, quando ci si ritrova tra amici per una partita a carte o a tombola.

Serpe

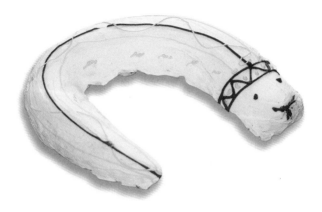

È tradizionale delle zone collinari del Fermano e montane del Maceratese. Con l'impasto di mandorle, noci, fichi secchi, canditi, zucchero, chiare d'uovo e burro, si riempie una pasta frolla e le si dà una forma a serpente che viene sottolineata dalla decorazione di zucchero glassato. La serpe è caratterizzata da una doppia, intrigante consistenza: involucro compatto e duro e ripieno morbido e speziato che libera in bocca una infinità di sensazioni aromatiche.

Non è facile trovarla nelle pasticcerie e nei forni al di fuori della zona di produzione tradizionale, che è quella a cavallo delle province di Ascoli Piceno e Macerata, e oltre il periodo che è esclusivamente quello natalizio. La forma del serpente racchiude un elemento augurale legato alla longevità e alla buona fortuna; elementi che gli ofidi hanno ispirato alle popolazioni picene (basti pensare alla considerazione di cui godono a Offida, città che ha una strada intitolata al Serpente Aureo). Dolce evocativo di antiche tradizioni, bene augurale, la serpe ci ricorda come il Natale, prima ancora di essere una festa cristiana, si legasse ai riti pagani delle popolazioni picene in occasione del solstizio d'inverno.

Sughetti

In ogni provincia delle Marche, durante il periodo della vendemmia, si è soliti preparare dolci con la farina nuova di granoturco e il mosto cotto di uve rosse. Anticamente, il primo posto nel menù della vendemmia era riservato al polentone condito con la sapa (mosto cotto molto concentrato) ma oggi sono rimasti nella consuetudine, come dolci tipici della raccolta dell'uva, quasi esclusivamente i sughetti, presenti ancora in tutte le quattro province marchigiane; particolarmente noti sono quelli di Corridonia e di Treia (Mc).

La ricetta, secondo il più antico procedimento di preparazione, prescrive che per ogni litro di mosto cotto si adoperino 400 grammi di farina. Il mosto, prima che inizi la fermentazione, viene ridotto alla metà da una lunga ebollizione a fuoco abbastanza vivace, quindi si lascia intiepidire nel paiolo. I sughetti, rustici e caratteristici dolci che ricordano nel colore il castagnaccio, prima di essere gustati devono essere raffreddati in modo da rassodarsi. Una volta preparati, si conservano a lungo, fino alle festività natalizie. La consistenza è quella della cotognata, il gusto è di una gelatina di frutta in cui il caramello della lunga ebollizione del mosto si mescola con la lieve acidità dell'uva.

Le pasticcerie

Centrale
Corso Matteotti, 104
Fano (Pu)
Tel. 0721 801417
Pan nociato, pizza pasquale

Da Giuditta
Via Vittorio Emanuele II, 3
Loro Piceno (Mc)
Tel. 0733 507264
Pizza pasquale

Maria Ferracuti
Frazione San Marcello
Camerino (Mc)
Tel. 0737 623304
Pizza pasquale

Gian Fornaio
Piazza Risorgimento, 13
Amandola (Ap)
Tel. 0736 847440
Calcioni, piconi

Anna Maria Giglioni
Viale Madonna della Figura, 1
Apiro (Mc)
Tel. 0733 611740
Cavallucci

Il forno di Maria Rischioni
Piazzale delle Stimmate
Monte San Pietrangeli (Ap)
Tel. 0734 960495
Serpe

Il mio forno di Silvano Rossi
Via San Biagio, 9
Monte San Pietrangeli (Ap)
Tel. 0734 969266
Serpe

La madia
Villa San Cristoforo, 12
Amandola (Ap)
Tel. 0736 847844
Calcioni, piconi

Lele
Via Roma, 40
Montemonaco (Ap)
Tel. 0736 856213
Calcioni, piconi

Monastero del Corpus Domini
Via San Liberato Brunforte, 5
Loro Piceno (Mc)
Tel. 0733 509194
Funghetti

Se.Be.Co.
Piazza della Vittoria
Muccia (Mc)
Tel. 0737 646127
Castagnole, pan nociato

Silvi
Via Circonvallazione, 43 b
Montefortino (Ap)
Tel. 0736 859459
Calcioni, piconi

Piemonte

Baci di dama

Bicciolani

Bignole e piccola pasticceria

Biscottini di Novara

Brut e bon

Canestrelli

Cresenzin

Duchesse

Eporediesi

Focaccia di Chieri

Krumiri

Lingue di gatto

Lose golose

Margheritine di Stresa

Meringhe

Nocciolini di Chivasso

Palpiton

Pampavia o pupe 'd monia

Pan d'Oropa

Pan douss 'd Malgrà

Panettone basso

Paste di meliga
del Monregalese ●

Polente

Salòt

Savoiardi

Torta 900

Torta di nocciole

Torta gianduia

Torta Zurigo

Baci di dama

Pare che questi dolcetti fragranti e delicati siano nati nella città di Tortona (Al) oltre un secolo e mezzo fa; oggi sono diffusi, oltre che nell'Alessandrino, anche nelle province di Asti, Torino e Cuneo. Sono ancora tante le pasticcerie che le producono seguendo la ricetta originale e utilizzando esclusivamente ingredienti semplici ma selezionati: mandorle, burro, zucchero, farina e cioccolato.

Per cominciare, si procede alla macinazione di mandorle e zucchero che, successivamente, vengono mescolati insieme a burro e farina. Quando l'impasto è ben amalgamato, si versa in piccole porzioni su una placca da forno e si cuoce a 160 gradi per una quindicina di minuti; terminata la cottura, le semisfere così ottenute vengono accoppiate per mezzo di una goccia di cioccolato.

La particolare cura con cui sono preparati fa sì che i baci di dama, pur senza conservanti, riescano a mantenere inalterata la loro fragranza per lungo tempo.

Bicciolani

Sono i biscotti caratteristici di Vercelli. Il nome potrebbe derivare dal *buccellatum* dei Romani, accrescitivo di *bucella*, cioè piccolo pane. L'origine potrebbe essere araba, come altri dolci speziati diffusi in Italia; alcuni ne attribuiscono l'invenzione a Carlo Provinciale, un pasticciere che aveva la bottega in piazza Cavour e che avrebbe ripreso, affinandola, la ricetta di certi "bicchiolani dati in pagamento ai monatti per i servizi resi", di cui si fa menzione in alcuni documenti del XVII secolo; altri ancora sostengono che sarebbero stati creati nel 1803 dalla panettiera e pasticciera Teresa Flecchia di Crescentino (Vc).

I bicciolani si caratterizzano per la presenza di spezie macinate all'interno di un semplice impasto di consistenza morbida, ottenuto amalgamando farina di grano tenero, burro, uova: cannella e chiodi di garofano soprattutto, ma anche una mistura variabile che può comprendere noce moscata, macis, coriandolo, vaniglia, pepe bianco. Alcuni pasticcieri, infine, aggiungono al tutto un po' di cacao. Dopo aver lasciato riposare l'impasto per qualche ora, si siringa con un *sac à poche* in forma di bastoncini striati su una placca da forno imburrata e infarinata. I bicciolani cuociono per circa 20 minuti a 180 gradi.

Una nota curiosa: da questi biscotti prende il nome anche la maschera carnevalesca di Vercelli.

Bignole e piccola pasticceria

Nelle case dei vecchi piemontesi, un "cabaret di bignole" compare sempre in tavola a conclusione del pranzo domenicale. Il vassoio di cartone, acquistato in pasticceria, contiene un grande assortimento di dolci mignon, tra cui appunto le bignole, parola di derivazione francese (*beignet*, che forse un tempo significava "gonfio") equivalente a bignè. Il termine è passato poi a indicare l'insieme della piccola pasticceria, soprattutto alla crema, vanto della gastronomia subalpina, in particolare torinese. In senso proprio, la bignola è uno scodellino di pasta per bignè (amalgama di farina bianca, acqua, burro e uova cotto in due tempi, prima sul fuoco e poi in forno) riempito di zabaione o di crema alla vaniglia o al cacao o al caffè, e ricoperto con un "cappello" di glassa anch'essa aromatizzata. La stessa pasta forma l'involucro dei caramellati, bignè bagnati nel caramello e farciti di crema chantilly. Sono invece a base di pasta sfoglia altri classici della piccola pasticceria piemontese quali i cannoncini (riempiti preferibilmente di zabaione) e i minidiplomatici (con crema o cioccolato al rum o al maraschino), mentre per le tartellette guarnite con frutta fresca si usa una pasta frolla o brisée. Altri componenti tradizionali del "cabaret di bignole" sono i funghetti farciti di cioccolato e spolverati di cacao, i tronchetti al gianduia, le palline ricoperte di granelli di zucchero e, tra i dolci secchi, i petit four decorati con nocciole, mandorle o ciliegine candite.

Biscottini di Novara

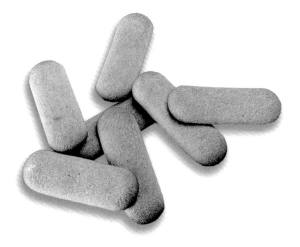

Creata nel XVI secolo in un monastero femminile cittadino, la ricetta rimase segreta fino al 1802, anno della soppressione dei conventi voluta da Napoleone Bonaparte. Parecchie suore trovarono accoglienza presso le famiglie abbienti della città, e lì trasferirono e diffusero le loro conoscenze culinarie. In breve, così, i biscottini furono imitati, "modificati" e, talvolta, migliorati, dai principali pasticcieri novaresi.

Le semplici materie prime adoperate per la produzione dei biscottini di Novara sono farina di grano tenero, zucchero e uova fresche intere. Strati di impasto, dello spessore di circa due millimetri, vengono "stampati" per mezzo di una speciale attrezzatura su fogli di carta paglia. I fogli sono quindi adagiati in forno alla temperatura di 270 gradi. Dopo una brevissima cottura (circa tre minuti), i biscottini sono estratti dal forno, staccati dalla carta con una lama e sistemati in una camera di essiccamento nella quale rimangono per 30 minuti alla temperatura di 50 gradi: qui affrontano una seconda cottura. Anticamente si procedeva a un'ulteriore tostatura che conferiva un colore dorato su entrambi i lati e un sapore ancora più gustoso.

I biscottini di Novara, molto leggeri e friabili, hanno una struttura finemente aerata e spugnosa e sono particolarmente adatti a essere intinti nel vino o nel latte.

Brut e bon

Biscotti secchi, gustosi ma dall'aspetto rustico e irregolare (da qui l'origine del nome), sono prodotti in quasi tutto il Piemonte: tra le zone d'elezione va ricordato il paese di Borgomanero, in provincia di Novara.

Gli ingredienti di base, il cui dosaggio può variare secondo la zona, sono mandorle e/o nocciole, zucchero semolato, albumi d'uovo e vaniglia. Esistono anche versioni aromatizzate alla cannella e/o ricoperte di cioccolato. Montati gli albumi a neve con lo zucchero, si aggiungono le nocciole e/o le mandorle tostate in granella (o precedentemente spezzettate con il mattarello) e, infine, l'eventuale aroma di vaniglia o cacao. Il composto così ottenuto deve cuocere in un tegame a fuoco lento. Raggiunta l'ebollizione, con un cucchiaio di legno si staccano mucchietti di impasto di forma irregolare: posti ben distanziati su una placca da forno rivestita di carta oleata, questi cuociono in forno alla temperatura di 160 gradi per circa venti minuti.

Se tenuti in luogo fresco e asciutto, i brut e bon possono essere conservati per alcuni mesi senza che perdano la loro fragranza.

Canestrelli

Diffusi un po' in tutto il Piemonte, i canestrelli risalgono addirittura all'epoca medievale. A forma di piccole cialde, erano prodotti nel camino con ferri a ganasce che conferivano un particolare disegno simile all'intreccio di un canestro, da cui si suppone derivi il loro nome. Inizialmente esistevano solo al gusto di vaniglia, assumendo così un colore chiaro; più tardi, con la scoperta dell'America, si arricchirono del sapore del cioccolato. Nel Canavese, dove erano prodotti in occasione della festa patronale e del Carnevale, soltanto la zona di Borgofranco d'Ivrea adottò la variante col cacao e ancora oggi mantiene viva questa tradizione.

L'impasto, fatto di nocciole, farina, burro, zucchero e vaniglia è ridotto a piccole biglie e poi deposto e pressato tra due piastre di ferro che incidono il canestrello come un vero e proprio conio.

A Biella, seguendo una ricetta di inizio secolo dei fratelli svizzeri Theodory, si fabbricano tuttora canestrelli costituiti da cialde di wafer con cacao amaro, nocciole e mandorle. A Crevacuore (Bi) si trovano ancora i *canestrej 'd na vira*, cialde al cioccolato cotte tra ganasce di ferri arroventati, preparate secondo una ricetta che risale al XVII secolo.

Un'ulteriore variante dei canestrelli sono i **cavagnolesi**, specialità di Cavagnolo (To) nata nel 1911 per mano del pasticciere Forno. Due i tratti distintivi della ricetta: si usano nocciole Piemonte Igp e il dolcetto è ricoperto da uno strato di cioccolato.

Cresenzin

Detto anche *crasanzin* o *crescianzin*, è una pagnotta dolce tipica della Valdossola e, in particolare, delle valli Antrona e Vigezzo. Specialità contadina, si realizzava tradizionalmente in occasione delle feste natalizie: in alcuni paesi, il pane era modellato a forma di bambino, a simboleggiare la nascita di Cristo.

La pasta-base è identica a quella del pane nero di Coimo, il cosiddetto *pansegla*, com'è ancora chiamato nel dialetto ossolano. La segale, un tempo, era l'unico cereale coltivabile in zona: maturava in minor tempo e cresceva, insieme all'orzo, anche sulle impervie pendici delle montagne, nei terrazzamenti ancora oggi caratteristici del paesaggio locale.

L'impasto è costituito da farina di segale integrale (80-90%), farina di grano tenero, acqua e lievito naturale (con una minima aggiunta di lievito di birra). La pasta è fatta lievitare tutta la notte con l'aggiunta della madre; al mattino presto si aggiungono zucchero, uvetta e noci (qualcuno unisce anche fichi secchi e, più raramente, nocciole e/o mandorle), quindi si impasta a mano e si preparano le forme. Si lasciano riposare per una-due ore e si mettono in forno, alla temperatura di 160-180 gradi, dove cuociono per circa 20 minuti. La superficie può essere ornata con gherigli di noci e zucchero.

Di forma arrotondata, il cresenzin ha un diametro di 20 centimetri; la crosta è dura, irregolare e marrone con sfumature dorate.

Duchesse

L a *duchesse*, come fa ben intendere il nome, è un pasticcino di
origine francese, rielaborato e "italianizzato" nei primi anni
del Novecento dal pasticciere Giuseppe Gallarato: tornato nella
natia Canale (Cn) dopo aver trascorso alcuni anni in Costa Azzurra, portò una ventata di novità in una zona all'epoca prettamente contadina, dove il dolce più diffuso era un umile pane
arricchito con uva passa. Dal 1920, anno in cui subentrò alla guida del laboratorio la famiglia Quadro, la preparazione subì piccole trasformazioni che resero il pasticcino ancora più fragrante
e omogeneo. Inoltre, le capacità imprenditoriali dei Quadro die-
dero una spinta decisiva alla fama di questa specialità. L'attuale
duchesse, prodotta unicamente dal giovane pasticciere Sacchero,
è preparata ancora seguendo l'antica ricetta artigianale.
Per la preparazione delle cialde si comincia con la tostatura delle
nocciole (tonda gentile delle Langhe) che, successivamente tritate, vanno incorporate a cacao, uova e burro. Una volta cotte, le
cialde devono riposare per almeno 48 ore prima di essere utilizzate. Il ripieno è costituito da mandorle tritate, cioccolato fondente, zucchero e liquori misti. Unite le cialde a due a due per
mezzo della crema, le duchesse sono confezionate singolarmente
con doppia carta e vendute in scatole e sacchetti i cui colori e il
cui logo (creato dal pittore Giuseppe Lodovico Bracco, detto
Pinòt dla bela) sono ancora quelli di inizio secolo.

Eporediesi

Ivrea è una bella cittadina posta 48 chilometri a nord di Torino, sulle rive della Dora Baltea, nel settore settentrionale dell'anfiteatro morenico cui dà il nome. Del suo antico status di colonia romana restano oggi tracce della strada militare, ruderi di un teatro, diverse iscrizioni, nonché il termine con cui sono designati i suoi cittadini: eporediesi, dall'antico nome latino *Eporedia*. Eporediesi si chiamano anche i noti biscotti a base di nocciole, secchi esteriormente ma morbidi all'interno. Prodotti soltanto in città, hanno origini ignote.

Si comincia col tritare le nocciole. Dopo averle mescolate con lo zucchero e il cacao, si aggiunge l'albume montato a neve soda e si amalgama il composto dolcemente. Servendosi di un cucchiaino da dessert, si versa la miscela sulla placca da forno dando ai futuri dolcetti una forma allungata. Spolverati con zucchero semolato, gli eporediesi cuociono per circa 15 minuti alla temperatura di 180 gradi.

Focaccia di Chieri

Chieri è una città di epoca augustea (*Carreum*) posta a 16 chilometri da Torino sul margine meridionale delle Colline del Po. La più originale specialità pasticciera locale è la sua focaccia dolce: saporita e fragrante, è consumata frequentemente dai chieresi a fine pasto. La produzione quotidiana ha un notevole incremento durante i fine settimana e in occasione delle festività. Pare che la ricetta, di probabile origine casalinga, sia stata elaborata alla fine dell'Ottocento: gli ingredienti non sono mutati nel tempo, soltanto il dosaggio ha subito qualche cambiamento per dare alla focaccia maggiore morbidezza e fragranza. La preparazione è lunga (almeno quattro-cinque ore) e laboriosa: l'impasto, costituito da acqua, farina, latte, burro, zucchero e lievito di birra, deve lievitare due volte ed essere caramellato in forno.

Fino a qualche decennio fa, col medesimo impasto si produceva anche una focaccia a forma di gallo, chiamata *galucio* (pron. *galüciu*), che risultava particolarmente gradita ai bambini: oggi è in commercio soltanto la versione tradizionale, glassata in superficie e del peso di circa mezzo chilo.

Krumiri

Simbolo dolciario di Casale Monferrato (Al), i krumiri furono creati dal pasticciere Domenico Rossi nel 1870 per alcuni amici che frequentavano il locale Caffè della Concordia.

L'origine del nome non è chiara, sembra avere a che fare con una tribù araba le cui scorrerie furono il pretesto per l'occupazione francese della Tunisia nel 1881. Krumiro significherebbe "poco di buono", inaffidabile, un'accezione dispregiativa che potrebbe essere collegata alla difficoltà di governare la pasta frolla, impasto base di questo biscotto. "Crumiro" o "Hrumiri" era anche, nell'Ottocento, il nome di un liquore dolce, oggi scomparso: è possibile che il nome dei biscotti derivi da quel liquore, nel quale probabilmente si aveva l'abitudine di inzupparli. Per quanto riguarda la forma, notoriamente ricurva, secondo alcuni avrebbe dovuto imitare i baffi di Vittorio Emanuele II.

L'impasto (burro, zucchero, farina, uova) è estruso utilizzando una particolare filiera che conferisce la tipica zigrinatura. È quindi tagliato, piegato e disposto sulle placche da forno rigorosamente a mano. Cotti per 12 minuti a 300 gradi, i krumiri sono lasciati raffreddare per essere poi confezionati, sempre a mano, in scatole di latta litografate.

Biscotti tradizionali piemontesi simili ai krumiri sono i **ciapini**, fatti a forma di ferro di cavallo, di cui compare la ricetta in un manoscritto del 1787 del notaio Lorenzo Porini, amministratore delle proprietà del conte Roero di Guarene.

Lingue di gatto

Classici biscotti da tè, usati anche per accompagnare la cioccolata calda, i gelati o i vini da dessert, le lingue di gatto sono fatte con un impasto di burro, zucchero a velo, farina di frumento 00 e albumi d'uovo. La particolarità è che il burro viene lavorato a lungo con lo zucchero, in modo da ottenere un composto spumoso, molto soffice; si unisce poi, a pioggia, la farina, aromatizzata con un pizzico di vaniglia, e si incorporano infine gli albumi, montati a neve ben soda, mescolando delicatamente. La pasta è quindi inserita in una tasca da pasticceria a bocchetta liscia (un tempo la si modellava con il mattarello) e distribuita in bastoncini lunghi 6-7 centimetri su una placca da forno imburrata e infarinata, o ricoperta con carta da forno. La cottura avviene in forno preriscaldato a 180-200 gradi per sette-otto minuti, fin quando i bordi dei biscotti (che con il calore si allargano) assumono un colore dorato. Le lingue di gatto vanno lasciate intiepidire prima di staccarle dal supporto e metterle a raffreddare completamente.

In Piemonte è usuale servirle con il Moscato naturale o, in alternativa alle paste di meliga, con lo zabaione.

Lose golose

Si tratta di un dolce che, seppure giovane ("appena" 50 anni di vita), è diventato uno dei simboli della pasticceria segusina. Nel 1958, un pasticciere di Susa (To), ispirandosi alle pesche ripiene (specialità piemontese che accosta il sapore della pesca a quello dell'amaretto e del cacao), elaborò un dolce secco che ne ricordasse gusto e profumi e la cui forma fosse simile a quella delle tegole di pietra locali (chiamate lose). Per quarant'anni, questo dolce fu venduto sfuso, con il nome generico di "tegole" o "lose". Soltanto nel 1998, la pasticceria di Susa depositaria della ricetta originaria, ha registrato il nome "lose golose", perfezionando anche le modalità di confezionamento in modo da conservare più a lungo l'aroma e la fragranza.

La preparazione inizia montando il bianco d'uovo con una parte di zucchero aromatizzato alla pesca. A questo composto vanno aggiunti il resto dello zucchero, le mandorle amare macinate, il cacao e il fumetto (farina molto fine) di mais. L'impasto, mescolato delicatamente a mano, deve rimanere soffice. Utilizzando una tasca da pasticciere, si adagiano su una teglia strisce d'impasto larghe circa cinque centimetri che cuoceranno in forno, a bassa temperatura, per 30 minuti. Terminata la cottura, si tagliano in rettangoli lunghi sette centimetri e, una volta raffreddate, si confezionano in sacchetti di carta da 100 e 150 grammi. Le lose golose mantengono la loro fragranza per circa tre mesi.

Margheritine di Stresa

Intorno alla metà dell'Ottocento, la zona del lago Maggiore era uno dei luoghi di villeggiatura preferiti dai reali di casa Savoia: nella villa ducale di Stresa (Vb) soleva trascorrere tutta l'estate Elisabetta di Sassonia, duchessa di Genova e madre di quella Margherita che, andata in sposa nel 1868 a Umberto di Savoia, divenne in seguito la prima regina d'Italia. Il pasticciere Pietro Antonio Bolongaro creò in suo onore questi dolcetti particolarmente friabili e delicati: quando il figlio prese le redini del laboratorio, le margheritine, fino ad allora appannaggio esclusivo dei reali, entrarono finalmente in commercio diventando in breve tempo la principale specialità dolciaria di Stresa.

Passati al setaccio i tuorli d'uovo sodo fino a ottenere una sorta di farina, si lavorano con burro e zucchero. Il composto ottenuto va versato al centro di un misto di fecola e farina di grano disposto a fontana, aggiungendo altro burro, vaniglia e scorza di limone grattugiata. Si impasta il tutto fino a ottenere una massa omogenea che dovrà riposare in frigorifero per circa 30 minuti. Quindi si spezzano e modellano piccole sfere sulle quali si produce col pollice una leggera pressione che oltre a conferire alla margheritina la classica forma, serve a creare un incavo per raccogliere lo zucchero a velo, spolverizzato dopo la cottura. Disposte in una teglia, le margheritine cuociono in forno per un quarto d'ora a 180 gradi.

Meringhe

Un pasticciere emigrato in Francia da Meiringen, località dell'Oberland bernese nota agli ammiratori di Sherlock Holmes, sarebbe l'inventore della meringa, dolce universalmente diffuso ma che ha avuto fortuna soprattutto in Piemonte.

Alla base c'è un impasto di zucchero e chiara d'uovo montata a neve molto soda (le proporzioni indicative sono di 50 grammi di zucchero, metà semolato e metà a velo, per ogni albume), ben amalgamato e fatto asciugare in forno a temperatura moderata, non oltre i 110 gradi. Dal composto si ricavano in genere "gusci" di forma semisferica che, uniti a due a due, sono farciti con panna montata o crema chantilly, cui talvolta si mescolano nocciole o mandorle sminuzzate, canditi, pezzetti di marron glacé, scaglie di cioccolato fondente.

Con l'impasto usato per le classiche meringhe "a nido" si possono preparare anche dolcetti di varia foggia (bastoncini, anelli, rosette, cestini…) che vanno ad arricchire il vasto assortimento della piccola pasticceria piemontese. Una variante della meringa possono considerarsi gli **spumini** (o spumiglie), di pasta più liscia (si impiega solo zucchero a velo) aromatizzata alla vaniglia, al cioccolato, al caffè, al pistacchio.

Nocciolini di Chivasso

Nocciolini e Chivasso sono un binomio quasi indissolubile: questa prelibata e minuscola specialità, infatti, fu creata nella cittadina a nordest di Torino intorno al 1810 dal pasticcere Giovanni Podio. L'artefice della loro valorizzazione e diffusione su larga scala, però, fu il genero Ernesto Nazzaro: furono numerosi gli attestati di benemerenza e le onorificenze rilasciate da enti e città nell'ambito di mostre e manifestazioni tra l'inizio del secolo scorso e gli anni Trenta. Fino all'avvento del fascismo, i nocciolini erano chiamati *noisettes*, dal nome francese dell'ingrediente principale: con l'abolizione dei termini stranieri, il nome divenne quello attuale.

La lavorazione è ancora oggi esclusivamente artigianale: le nocciole Piemonte Igp sono tostate, macinate e mescolate a zucchero e albume d'uovo. Raggiunta un'adeguata consistenza, l'impasto è inserito in un macchinario, inventato oltre mezzo secolo fa, che distribuisce la giusta quantità di composto, sotto forma di bottoncini, sulle lastre di cottura. Una volta sfornati, i nocciolini sono lasciati raffreddare, quindi sono confezionati nei classici sacchetti di colore rosa o celeste.

Un'identica ricetta, altrettanto tradizionale, è preparata anche in Lombardia: i **nocciolini di Canzo** (Co) si differenziano dai cugini piemontesi per le dimensioni leggermente superiori.

Palpiton

Un tempo era il dolce tradizionale di alcuni paesi del Biellese, preparato dai fornai soprattutto in occasione delle feste patronali: a Mongrando e in frazione Curanuova per la festa dell'Assunzione, nell'altra borgata di Ceresane per la Madonna del Carmine. Oggi è riproposto tutto l'anno in alcune pasticcerie della zona.

Si mescolano in una padella zucchero e burro fuso con la scorza di un limone tagliata a listarelle e un pizzico di sale. Si aggiungono quindi le pere già sbucciate e tagliate a fettine, che dovranno cuocere finché non appaiono ben cotte e asciutte. Al composto, una volta intiepidito, si incorporano del pane precedentemente inzuppato nel latte e sminuzzato, amaretti sbriciolati, cioccolato in polvere, la scorza grattugiata di un limone e un bicchierino di fernet. In ultimo, si aggiungono le uova e l'uva sultanina, precedentemente lavata e asciugata con cura. Quando l'impasto è sufficientemente denso e omogeneo, si versa in una teglia imburrata larga e bassa. Poste alcune noci di burro sulla superficie (alcuni pasticcieri aggiungono anche cacao in polvere), si fa cuocere in forno a fuoco lento finché la torta assume un colore bruno scuro.

Pampavia o pupe 'd monia

Ceresole d'Alba è un centro agricolo del Roero, posto 58 chilometri a nordest di Cuneo, al confine con la provincia torinese. Sono due le più rilevanti specialità gastronomiche del paese: le tinche e, per l'appunto, i biscotti pampavia. Sull'origine del nome italiano si possono solo fare delle ipotesi: pampavia potrebbe essere la contrazione di "pan di Pavia", antica specialità lombarda da cui avrebbe mutuato consistenza e semplicità degli ingredienti. Più facile risalire all'etimo dialettale: *pupe 'd monia* significa letteralmente "seno di suora" e si rifà alla classica guisa di piccole mammelle data a questi dolci.

L'impasto, estremamente semplice, è ricavato da pochi e genuini elementi: farina, uova e zucchero. Una volta modellati nella loro forma caratteristica, i pampavia cuociono in forno, disposti in teglie di alluminio.

Prodotti nei principali forni e biscottifici di Ceresole, i pampavia subiscono una particolare impennata di vendita in occasione della festa patronale di san Giovanni Battista (24 giugno).

Pan d'Oropa

Oropa, piccola frazione a 12 chilometri da Biella, è posta a 1180 metri di altitudine su un terrazzo morenico alle falde del monte Mucrone. Oltre che per le attrattive turistico-sportive, è famosa anche per il celebre santuario della Madonna Nera, fondato nel XIV secolo e meta di continui pellegrinaggi. Questo soffice pane dolce si dice sia stato ideato nel 1935 da alcune donne della zona: lo scopo era quello di inviare, ai soldati che combattevano sul fronte etiopico, un alimento energetico e nutriente la cui fragranza rimanesse inalterata nonostante il lungo viaggio e gli sbalzi climatici. Poiché i biellesi si affidavano proprio alla Madonna Nera perché preservasse i loro cari dalle insidie della guerra, il dolce prese il nome di pan d'Oropa. Ottenuto un buon gradimento, continuò a essere prodotto dopo la fine del conflitto dai principali forni e pasticcerie artigianali di Biella, dov'è possibile trovarlo ancora oggi.

La ricetta è sempre quella: l'impasto è costituito da farina, fecola, lievito, uova, zucchero e cacao. Versato in uno stampo rettangolare da plumcake, cuoce in forno.

Pan douss 'd Malgrà

La nascita di questo dolce ha origini lontane e la sua diffusione, avvolta nella leggenda, sembrerebbe risalire agli inizi del XVI secolo. In quell'epoca, diverse casate si contendevano il dominio di Rivarolo Canavese (To): una di queste era la famiglia dei San Martino, abitante il castello di Malgrà. Il *pan douss* (pan dolce) era il classico dessert che il signore della casata offriva più di sovente nei banchetti organizzati alla sua corte. Ne faceva realizzare due versioni: una "semplice", preparata tutto l'anno, e una arricchita dalla presenza delle castagne, tipica del periodo autunnale. Nel 1532 il castello fu assediato dal duca di Savoia, il cui esercito uccise tutti quelli che vi abitavano: soltanto il signore di San Martino, travestitosi da mendicante, riuscì a fuggire, non prima di aver portato via, in una bisaccia, qualche pezzo del suo pan douss. Si tratti di un fatto realmente accaduto o dell'invenzione narrativa di un antico cantastorie, il pan douss è arrivato fino ai giorni nostri, attualmente prodotto da un'unica pasticceria di Rivarolo.

La lavorazione, di stampo artigianale, richiede sempre 48 ore di tempo, 24 delle quali dedicate alla lievitazione naturale. Ne vengono realizzate tre versioni: una semplice, il cui impasto è costituito da farina, zucchero, acqua, burro, tuorli d'uovo e uova intere, lievito naturale e sale; una rustica, in cui alla farina bianca è mescolata quella integrale; una ricca, impreziosita, come vuole la tradizione, dalle castagne.

Panettone basso

Nato a Pinerolo (To) intorno al 1922 e prodotto oggi in buona parte della regione, il panettone basso si distingue dal cugino milanese (v.) oltre che per la minore altezza, anche per la presenza di glassa di copertura alle nocciole. Proprio con la preparazione della glassa inizia la lavorazione di questa specialità.
Si ottiene miscelando nocciole piemontesi della varietà tonda gentile, albume d'uovo, zucchero a velo e bacche di vaniglia, all'interno delle cosiddette "planetarie", macchine sbattitrici dal movimento ellittico. La densa crema che si ricava sarà spalmata sul panettone dopo 24 ore di riposo. Nel frattempo si prepara la biga con farina, acqua e lievito naturale, che è lasciata riposare all'aria per un periodo di tempo variabile ed è sottoposta, a intervalli regolari, a numerosi "rinfreschi" di farina e acqua. Segue una lavorazione in tre fasi nelle macchine impastatrici "a braccia tuffanti": nella prima, detta "dell'impasto bianco", la biga è amalgamata con acqua e farina e riposa per un breve intervallo di tempo; durante la seconda, chiamata "dell'impasto giallo", sono aggiunti tuorli d'uovo, altra farina, parte dello zucchero e sale; nell'ultima fase, si incorporano il resto dello zucchero, l'uva sultanina e la frutta candita. L'impasto, dopo aver riposato sei ore, è spezzato e modellato in piccoli panettoni che, terminata una lievitazione finale di otto ore, triplicheranno il loro volume originario. Cosparso di glassa, il panettone basso cuoce per circa un'ora.

Paste di meliga del Monregalese

Questi dolcetti di mais si trovano in quasi tutti i bar e le pasticcerie della regione: tuttavia sono rimasti in pochi a prepararle come si faceva un tempo. Per questo è stato istituito un Presidio Slow Food per le paste di meliga monregalesi, il cui disciplinare prevede che siano preparate secondo criteri tradizionali: zucchero, burro, uova fresche, e farina bianca e di mais integrale macinate a pietra; sono categoricamente esclusi margarina, aromi e conservanti. Otto produttori del Monregalese si sono riuniti in un consorzio, che ha a disposizione un marchio per distinguere le proprie paste di meliga. È stata inoltre ricostruita una filiera all'insegna dell'alta qualità: alcuni contadini hanno reintrodotto l'antico mais ottofile ed è stato riattivato un mulino a pietra per la sua lavorazione.

Modellate in diverse forme (rotonde, bislunghe o a mezza luna), le paste di meliga devono essere gialle, croccanti, solubili in bocca, non untuose né dolciastre; la grana della farina di mais deve essere avvertibile durante la masticazione. Nel caso in cui le paste siano arricchite da scorza di limone, vaniglia o miele, nessuno di questi aromi deve prevalere.

Un tempo, le paste di meliga erano consumate a fine pasto intinte in un bicchiere di Barolo; oggi si preferisce abbinarle a un Moscato o un Passito. Molti ristoratori, poco filologicamente, le servono anche con lo zabaione caldo che, dato l'alto valore energetico, dovrebbe invece essere consumato lontano dai pasti.

Polente

Col nome di "polenta" si definiscono parecchie torte diffuse nel Nord Italia, che hanno in comune la presenza nell'impasto di farina di granoturco. In Piemonte sono due le preparazioni più note e tradizionali.

La **polenta d'Ivrea** nacque nel 1922 a opera dei fratelli Strobbia, che ne depositarono il marchio, rappresentato da una fascetta a fondo giallo. L'impasto è costituito da fumetto di mais, fecola, burro, tuorlo d'uovo, zucchero e scorza di limone. Terminata la cottura in forno, si lascia raffreddare. Nel frattempo, si scioglie il miele con un po' di succo d'arancia, mistura che servirà a ricoprire come una pellicola sottilissima la superficie della torta; infine, si spolverizza con granella dello stesso impasto.

La **polenta del Marengo**, invece, è nata nel 1933 dalla creatività dell'alessandrino Dante Chiabrera. Questi pare si sia ispirato alla leggenda secondo cui Napoleone, dopo la vittoria di Marengo, cercò ristoro nel locale albergo del Falco e dovette accontentarsi di un'umile polenta. Mescolati un frullato di mandorle e zucchero e un composto a base di tuorli, zucchero e albumi montati a neve, si incorporano farina bianca e di mais, fecola, sale e mandorle sbattendo con dolcezza dal basso verso l'alto per mantenere l'impasto soffice e spumoso. Aggiunto per ultimo il burro fuso, si versa il tutto in una teglia imburrata e infarinata. Cotta a 160 gradi per un'ora, la polenta del Marengo è ricoperta con la glassa e mandorle tritate molto finemente.

Salòt

L'origine del nome (che in piemontese significa salotto) è ignota. Nato tra la fine dell'Ottocento e i primi del Novecento a Bra, cittadina del Roero in cui è sorto il movimento Slow Food, il salòt si prepara da sempre nell'imminenza dell'Epifania e soltanto nelle pasticcerie locali.

La ricetta originaria, ancora oggi realizzata da alcuni artigiani, prevede che la base sia una comune pasta da pane cui si aggiungono circa un 10% di lievito, un 25% di burro e un pizzico di sale. Si mescola il tutto con un po' di latte per rendere l'impasto più omogeneo ed elastico. Si tira quindi la sfoglia, tagliando due dischi di uguale diametro e spessore. Sul primo si spalma la confettura di albicocche, si dispongono fette di cedro candito tagliate molto sottilmente e si sparge l'uva sultanina. Si copre il tutto con l'altro disco e si lascia lievitare per circa un'ora e mezza. Decorato con varie incisioni e spolverizzato di zucchero a velo, il salòt cuoce "a salamandra" (cioè con il calore proveniente dall'alto) alla temperatura di 220 gradi per 20-25 minuti.

La variante oggi più comune prevede l'utilizzo della più morbida pasta per brioche invece della classica pasta da pane.

Savoiardi

La testimonianza scritta più antica riguardo a questi biscotti molto leggeri e friabili si trova in una nota di spese del 1722 per un banchetto di nozze a Venezia. La loro origine, tuttavia, sembrerebbe più remota: per alcuni risalirebbero addirittura al Medioevo, preparati per la prima volta nelle cucine dei duchi della Savoia in occasione di una delle rare visite del re di Francia. Come per le lingue di gatto (v.), alla base dell'impasto c'è un composto soffice e spumoso, ottenuto però montando con lo zucchero non il burro ma i tuorli d'uovo. Alla crema, lavorata finché diventa quasi bianca, si uniscono, a pioggia, farina tipo 00 e un pizzico di vaniglia, incorporando poi delicatamente gli albumi montati a neve ben soda. Con la tasca da pasticceria a bocchetta liscia si formano dei bastoncini lunghi una decina di centimetri, da appoggiare, ben distanziati, su una placca da forno imburrata e infarinata. Li si spolvera abbondantemente con zucchero (qualcuno li spruzza d'acqua per favorire la formazione delle caratteristiche bollicine in superficie), e si cuociono in forno preriscaldato a 160-180 gradi per 20 minuti.
I savoiardi sono serviti con il tè, la cioccolata calda, creme, macedonie di frutta o gelati, ma servono anche a preparare dolci quali zuppa inglese o charlotte.

Torta di nocciole

In tempi non troppo lontani, cioè ancora dopo la seconda guerra mondiale, le nocciole coltivate sulle colline delle Langhe e del Monferrato costituivano una fonte per il sostentamento delle famiglie, perché se ne ricavava (come dalle noci) un olio prezioso per chi non poteva permettersi di acquistare quello di oliva. La nocciola della varietà tonda gentile, oggi codificata in un apposito disciplinare e le cui caratteristiche sono note e apprezzate in tutto il mondo, è la protagonista di numerose specialità dolciarie artigianali e industriali.

Tra le preparazioni più antiche e più semplici c'è la torta di nocciole: potremmo definirla "la regina delle Langhe", non essendoci occasione festiva e conviviale nell'Albese che non termini con questo dolce simbolo dell'alta collina cuneese. Le versioni più rispettose della tradizione non prevedono farina in aggiunta alle nocciole, ma solo zucchero a velo e uova. Alcune ricette più "moderne" utilizzano invece sia la farina sia una modica quantità di cacao, che accentua il gusto finale smorzando però, inevitabilmente, la delicatezza del frutto. In tutti i casi, dopo aver aggiunto una tazzina di latte e una bustina di lievito, l'impasto va versato in una tortiera ben unta di burro e cotto in forno a 160 gradi per tre quarti d'ora.

Classico, e fin troppo energetico, l'abbinamento con lo zabaione.

Torta gianduia

Gianduia (in dialetto Giandoja, contrazione di *Gioan 'd la doja* ovvero "Giovanni del boccale") è la maschera carnevalesca di Torino, che una tradizione controversa fa nascere a Callianetto, piccolo paese dell'Astigiano. È anche il nome della crema "inventata" nel 1852 da Michele Prochet, contitolare della ditta torinese Caffarel-Prochet, che nel 1865 tenne a battesimo il gianduiotto, morbido cioccolatino arricchito con crema di nocciole tostate, di una forma che ricordava il cappello della maschera. La crema gianduia unisce appunto al cioccolato, ingrediente principe dell'arte dolciaria subalpina, le nocciole, frutto largamente coltivato nel Piemonte meridionale, soprattutto in alta Langa. Pare che la mescolanza fosse suggerita a Prochet dall'oggettiva difficoltà di reperire il cacao, i cui prezzi erano saliti alle stelle. Sta di fatto che la crema contribuì in modo determinante a rinnovare il successo di pasticcieri e cioccolatai torinesi.
Gianduia si chiama anche una torta di confezione piuttosto elaborata, fatta con un composto di nocciole tostate (le migliori sono della varietà tonda gentile delle Langhe), burro, cioccolato fondente, maraschino, cui si aggiungono una crema di uova e zucchero, cotta a bagnomaria, e una miscela di farina bianca e di fecola di patate. Si versa il tutto in una tortiera e si cuoce in forno per circa un'ora. Si lascia raffreddare, si farcisce con crema di cioccolato e liquori e si ricopre il dolce con marmellata di albicocche e cioccolato fondente.

Torta 900

Questa torta "firmata", esclusiva della pasticceria Balla di Ivrea, è da più di un secolo il dolce simbolo della città eporediese. La creò alla fine dell'Ottocento Ottavio Bertinotti, celebre pasticciere, fondatore del laboratorio-negozio ora gestito da Stefano Balla.

La ricetta era ed è rimasta segreta: Bertinotti ne era gelosissimo e così i suoi eredi. La base è formata da due dischi di una pasta tipo pan di Spagna, ma molto più soffice, cui si aggiunge del cacao; la torta è poi farcita con una delicatissima crema al cioccolato e spolverata di zucchero a velo. I dischi sono di diametro variabile (una 900 di dimensioni eccezionali è preparata ogni anno in occasione del Carnevale di Ivrea) e vengono farciti al momento dell'ordine, in modo da garantire la massima freschezza. La torta può essere personalizzata con varie decorazioni, a richiesta del cliente; nel caffè-pasticceria della famiglia Balla, lungo la Dora, la si serve a fette ricoperte di panna montata.

Torta Zurigo

Anche se la si trova in quasi tutto il Piemonte, la torta Zurigo è considerata una specialità di Pinerolo perché qui nacque, a fine Ottocento, dall'inventiva del confettiere-pasticciere Giuseppe Castino. Nella scelta del nome influirono probabilmente il prestigio dell'arte dolciaria elvetica e forse anche i rapporti intrattenuti storicamente con la Svizzera dagli abitanti delle valli valdesi del Pellice e del Chisone.

La torta consiste in un pan di Spagna al cacao imbibito di liquore Strega, farcito con una crema a base di panna e torrone, ricoperto di scaglie di cioccolato fondente e decorato con ciliegie candite. Questa almeno la versione più simile all'originale, di cui è depositaria la famiglia Latino, titolare della pasticceria pinerolese Legger, fondata nel 1864 dal cavalier Fabbre e poi appartenuta a Castino. In altre ricette, il pan di Spagna è sostituito da una pasta più consistente, sempre però aromatizzata al cacao, e la decorazione può essere costituita da mandorle.

Le pasticcerie

Agostini
Piazza Muzzone, 1
Racconigi (Cn)
Tel. 0172 86387
Amaretti, bignole e piccola pasticceria

Antica casa Faccio
Via Colla, 2
Cassinasco (At)
Tel. 0141 851132
Amaretti

Antica pasticceria Sappa
Via Roma, 54
Ormea (Cn)
Tel. 0174 393039
Bignole e piccola pasticceria

Arione
Piazza Galimberti, 14
Cuneo
Tel. 0171 692539
Bignole e piccola pasticceria, meringhe

B & C
Via Cairoli, 155
Ovada (Al)
Tel. 0143 81216
Baci di dama, splinsiugni

Bagnolese
Via Rossini, 17-19
Bagnolo Piemonte (Cn)
Tel. 0175 392092
Bignole e piccola pasticceria,
torta di nocciole, torta Zurigo

Balla
Corso Re Umberto I, 16
Ivrea (To)
Tel. 0125 641327
Bignole e piccola pasticceria,
eporediesi, polenta d'Ivrea, torta 900

Barba
Via Salussolia, 16
Cigliano (Vc)
Tel. 0161 424076
Canestrelli

Barberis dal 1895
Corso Garibaldi, 114
Valenza (Al)
Tel. 0131 941041
Amaretti, bignole e piccola pasticceria

Basiglio
Via Vittorio Emanuele II, 46
Chieri (To)
Tel. 011 9478354
Brut e bon, focaccia chierese

Bertaglia
Corso Prestinari, 127
Vercelli
Tel. 0161 217455
Bicciolani, bignole e piccola pasticceria

Bonadeo
Galleria Guerci, 5
Alessandria
Tel. 0131 251741
Polenta del Marengo

Bonfante & Ortalda
Via Torino, 29
Chivasso (To)
Tel. 011 9102157
Nocciolini di Chivasso

Bosca
Piazza Amedeo d'Aosta, 3
Canelli (At)
Tel. 0141 823329
Amaretti

Fratelli Buttiglieri
Via XX Settembre, 10
Chieri (To)
Tel. 011 9472270
Brut e bon, focaccia chierese

Caffè del Moro
Via Mameli, 41
Gavi (Al)
Tel. 0143 642648
Canestrelli

Cagna
Via Vittorio Emanuele II, 89
Garessio (Cn)
Tel. 0174 81076
Paste di meliga (Presidio)

Caldarola
Via Piave, 5 a
Novara
Tel. 0321 620077
Bignole e piccola pasticceria, biscottini di Novara, meringhe, savoiardi

Camporelli
Vico Monte Ariolo, 3
Novara
Tel. 0321 620689
Biscottini di Novara, brut e bon

Paolo Porta Canelin
Via Acqui, 53
Visone (Al)
Tel. 0144 395285
Amaretti

Giuseppe Canobbio
Piazza Molinari, 1
Cortemilia (Cn)
Tel. 0173 81262
Baci di dama, brut e bon, torta di nocciole

Caon
Viale Berrone, 28
Rivarolo Canavese (To)
Tel. 0124 29856
Pan douss 'd malgrà, paste di meliga, torcetti

Carrosio
Via Scaglioso, 14
Voltaggio (Al)
Tel. 010 9601213
Amaretti, canestrelli

Casali
Via Emilia, 52
Tortona (Al)
Tel. 0131 822488
Via Emilia, 310
Tortona (Al)
Tel. 0131 861456
Baci di dama, bignole e piccola pasticceria

Castan dei fratelli Repetto
Via Anfosso, 79
Voltaggio (Al)
Tel. 010 9601244
Amaretti, baci di dama, canestrelli

Cavo di Federico Repetto & C.
Piazza Scorza, 3
Voltaggio (Al)
Tel. 010 9601218
Amaretti, baci di dama, canestrelli

Monica Chinea
Via Santa Libera, 16
Località Valcasotto
Pamparato (Cn)
Tel. 0174 351183
Paste di meliga (Presidio)

Claudio
Corso Saracco, 67
Ovada (Al)
Tel. 0143 86160
Amaretti

Conti
Via Bonardi, 24
Località Coimo
Druogno (Vb)
Tel. 0324 93027
Cresenzin

Converso dei fratelli Boglione
Via Vittorio Emanuele II, 199
Bra (Cn)
Tel. 0172 413626
Bignole e piccola pasticceria, meringhe,
panettone basso, salòt

Daniella
Via Brofferio, 159
Asti
Tel. 0141 355650
Brut e bon, torta di nocciole

Dany
Via Spotorno, 4
Torino
Tel. 011 6670356
Bignole e piccola pasticceria

Ferraud
Piazza San Donato, 28
Pinerolo (To)
Tel. 0121 322993
Bignole, panettone basso, torta Zurigo

Ferrua
Via Italia, 42
Biella
Tel. 015 22485
Canestrelli, pane d'Oropa

Follis
Corso Libertà, 164
Vercelli
Tel. 0161 251191
Bicciolani, bignole e piccola pasticceria

Fortunio
Via Gustavo di Valdengo, 2
Biella
Tel. 015 21740
Canestrelli

Gallina
Via Vochieri, 46
Alessandria
Tel. 0131 52791
Baci di dama

Gallo
Piazza del Pallone, 1
Bubbio (At)
Tel. 0144 83443
Amaretti, bignole e piccola pasticceria

Evelina Garella
Via Oremo, 98
Pollone (Bi)
Torcetti

Gertosio di Dario Odone
Via Mazzini, 38
Torino
Tel. 011 8122512
Bignole e piccola pasticceria

Giani
Via Circonvallazione, 2
Molare (Al)
Tel. 0143 888154
Amaretti, bignole e piccola pasticceria

Giaretti
Via Roma, 2
Andezeno (To)
Tel. 011 9434297
Paste di meliga, torcetti

Giordanino
Corso Alfieri, 254
Asti
Tel. 0141 593802
Bignole e piccola pasticceria, meringhe

Giovine & Giovine
Piazza Gancia, 9-11
Canelli (At)
Tel. 0141 831635
Amaretti, torta di nocciola

Grigolon
Corso Statuto, 4
Mondovì (Cn)
Tel. 0174 43564
Meringhe, paste di meliga (Presidio),
risòle

Il bottegone di Margherita Quaglia
Via Provinciale, 57
Roburent (Cn)
Tel. 0174 228283
Paste di meliga (Presidio)

Jeantet
Piazza Vittorio Veneto, 16
Biella
Tel. 015 21415 - 015 22545
Canestrelli, palpiton

Jolly
Via Principe Tomaso, 17
Stresa (Vb)
Tel. 0323 31174
Margheritine di Stresa

L. P. M.
Via Umberto I, 10
Frazione Costa
Morbello (Al)
Tel. 0144 768136
Amaretti, baci di dama, brut e bon,
torta di nocciole

Laboratorio di resistenza dolciaria
Via Ferrero, 11
Alba (Cn)
Tel. 0173 284185
Torta di nocciole

La bottega del borgo antico
Via Forno
Cravanzana (Cn)
Tel. 0173 855176
Bignole e piccola pasticceria,
brut e bon, torta di nocciole

La bottega del canestrello
Via Marini, 30
Borgofranco d'Ivrea (To)
Tel. 0125 752529
Baci di dama, canestrelli

La Giuieri
Via Roma, 141
Cantoira (To)
Tel. 0123 585624
Brut e bon, paste di meliga

La pieve
Via Mameli, 20
Gavi (Al)
Tel. 0143 642817
Amaretti, baci di dama

Le dolcezze cavagnolesi
Via Colombo, 146
Cavagnolo (To)
Tel. 011 9151135
Cavagnolesi, torta di nocciola

Locanda del chiostro
Piazza Roma, 9
Frazione Staffarda
Revello (Cn)
Tel. 0175 273108
Paste di meliga

Maghi infarinati
Corso Botta, 30
Ivrea (To)
Tel. 0125 641112
Eporediesi, polenta d'Ivrea

Mainetti
Via Mazzini, 26
Crevacuore (Bi)
Tel. 015 768950
Canestrelli

Malò
Via IV Novembre, 10
Ponzone (Al)
Tel. 0144 78116
Amaretti, baci di dama

Marabotti
Via Carlo Alberto, 45
Nizza Monferrato (At)
Tel. 0141 721435
Amaretti, baci di dama

Gino Massera e figli
Via Regina Margherita, 9
Sala Biellese (Bi)
Tel. 015 2551326
Paste di meliga, torcetti

Mautino
Via Bernardo Vittone, 20
Torino
Tel. 011 8197366
Torcetti

Egidio Michelis
Via Vigevano, 4 b
Mondovì (Cn)
Tel. 0174 43818
Paste di meliga (Presidio)

Carlo Moriondo
Via Saracco, 7
Mombaruzzo (At)
Tel. 0141 77003
Amaretti

Virginio Moriondo
Via Saracco, 13
Mombaruzzo (At)
Tel. 0141 77004
Amaretti

Mulin 'd barot
Regione Plassa, 7
Coassolo Torinese (To)
Tel. 0123 45587
Torcetti

Nella
Via Torino, 185
Ivrea (To)
Tel. 0125 234530
Eporediesi

Francesco Nota
Via Martiri della Libertà, 59
Ceresole d'Alba (Cn)
Tel. 0172 574245
Pampavia

Panetteria della nonna
Via Oremo, 98
Pollone (Bi)
Tel. 015 61221
Torcetti

Cesare Peletto
Via Italia, 7
Cisterna d'Asti (At)
Tel. 0141 979297
Torcetti, torta di nocciole

Pestarino
Via Andrea Doria, 5
Mornese (Al)
Tel. 0143 887949
Canestrelli

Aldo Pietrini
Piazza De Bartolomei, 10
Susa (To)
Tel. 0122 622303
Lose golose, paste di meliga

Poggini
Via Cavalli, 17
Santa Maria Maggiore (Vb)
Tel. 0324 95129
Cresenzin

Carlo Porro
Corso Italia, 43
Acqui Terme (Al)
Tel. 0144 322690
Amaretti, baci di dama

Portici
Piazza C. Emanuele, 55
Vicoforte (Cn)
Tel. 0174 563193
Paste di meliga (Presidio)

Portinaro
Via Lanza, 17-19
Casale Monferrato (Al)
Tel. 0142 453030
Krumiri

Primopan
Via Chiossa, 18
Battifollo (Cn)
Tel. 0174 783322
Paste di meliga (Presidio)

Margherita Quaglia
Via Corsagliola, 34
Montaldo di Mondovì (Cn)
Tel. 0174 227076
Paste di meliga (Presidio)

Quilico
Via Umberto I, 76
Murisengo (Al)
Tel. 0141 993182
Baci di dama, bignole e piccola
pasticceria, brut e bon,
torta alla nocciola

Reviglio
Via Roma, 27
Lanzo Torinese (To)
Tel. 0123 29217
Paste di meliga, torcetti

Roberto
Piazza Craveri, 9
Pont Canavese (To)
Tel. 0124 84639
Paste di meliga

Roletti
Via Carlo Alberto, 26-28
San Giorgio Canavese (To)
Tel. 0124 32123
Paste di meliga, torcetti

Aurelio Rosso
Via Frassati, 10
Pollone (Bi)
Tel. 015 61232
Anicini, paste di meliga, torcetti

Ruffatto
Corso Torino, 94
Rivarolo Canavese (To)
Tel. 0124 29083
Torcetti, torta di nocciole

Sacchero
Via Roma, 29
Canale (Cn)
Tel. 0173 95617
Bignole e piccola pasticceria, duchesse

Salati
Via ai Monti, 12
Malesco (Vb)
Tel. 0324 92493
Cresenzin

Savoini
Via Brunelli Maioni, 82
Borgomanero (No)
Tel. 0322 81855
Brut e bon, ossi da mordere

Scaraffia
Piazza Santorre di Santarosa, 50
Savigliano (Cn)
Tel. 0172 712397
Torta Zurigo

Stratta
Piazza San Carlo, 191
Torino
Tel. 011 547920 - 011 2304058
Bignole e piccola pasticceria

Taverna e Tarnuzzer
Piazza Cavour, 27
Vercelli
Tel. 0161 253139
Amaretti morbidi, bicciolani

G. B. Traverso
Via Bertelli, 5
Gavi (Al)
Tel. 0143 642713
Amaretti, baci di dama, canestrelli,
savoiardi

Tre re
Largo Talentino, 16
Castellamonte (To)
Tel. 0124 513918
Amaretti, paste di meliga, torcetti

Ugetti
Via Medail, 80
Bardonecchia (To)
Tel. 0122 99036
Paste di meliga

Vercesi
Via Emilia, 178
Tortona (Al)
Tel. 0131 861822
Baci di dama

Vittorio
Corso Umberto I, 60
Cigliano (Vc)
Tel. 0161 423128
Bicciolani, brut e bon, torta alla nocciola

Vittorio
Via Goito, 2
Vercelli
Tel. 0161 215775
Bicciolani

Zanardi
Via Mazzini, 42
Omegna (Vb)
Tel. 0323 61289
Amaretti

Zanotti
Via Marsala, 12
Tortona (Al)
Tel. 0131 861387
Baci di dama, bignole e piccola
pasticceria

Zucco
Via San Bernardo, 25
Borgo Ferrone
Mondovì (Cn)
Tel. 0174 552639
Paste di meliga, risòle

Puglia

Biscotto cegliese

Chiamato localmente *pescuettele*, si produce esclusivamente a Ceglie Messapica (Br). Legato inizialmente a particolari festività, oggi si trova tutto l'anno nei principali forni del paese. Pare sia nato nel Settecento; la leggenda racconta che un tal Domenico, mandato a Napoli dai genitori per frequentare la scuola di pasticceria, per dimostrare al suo ritorno quello che aveva appreso, inventò questo biscotto utilizzando unicamente materie prime locali.

Per cominciare, occorre preparare le mandorle: scottarle, scolarle, pelarle e farle asciugare per un paio di giorni all'ombra. Dopo averne tostata una parte, si tritano tutte e si impastano con zucchero, uova, liquore al caffè o vin cotto. Dall'impasto così ottenuto, si ricavano lunghe strisce di pasta larghe 4-5 centimetri e alte circa 1,5. Le strisce vanno quindi sovrapposte a due a due, dopo aver spalmato in mezzo uno strato di marmellata d'uva o di ciliegie. Il dolce ottenuto è quindi tagliato in tanti quadratini che cuociono in forno a legna (già caldo) per 10 minuti. In attesa che si raffreddino, si prepara la glassa che servirà da copertura, cuocendo a fuoco lento acqua e zucchero in una padella di rame: quando il composto avrà raggiunto una consistenza sciropposa, si aggiunge il cacao amaro e si mescola finché è ben amalgamato.

Bocconotto

I bocconotti sono dolci di pasta frolla comuni a tutto il Meridione, specialmente presenti nelle gastronomie molisana e calabrese (v.). In Puglia, però, si differenziano essenzialmente per il ripieno: le monache benedettine di Bitonto farciscono l'involucro con ricotta e frutta candita, a Bari e in provincia si usano creme e marmellata di amarene, nel Salento e in Valle d'Itria – a Martina Franca, in particolare – la crema pasticciera o, in alternativa, la marmellata di cotogne.

Per la pasta frolla, gli ingredienti sono farina di frumento, uova intere, tuorli, burro, zucchero, scorza di limone e un pizzico di sale. La crema, a base di farina, uova, zucchero e latte, è fatta addensare e lasciata raffreddare prima di versarla nella pasta frolla con cui si sarà foderata una teglia imburrata. Chiuso il bocconotto con un altro disco di pasta frolla dello spessore di cinque millimetri, verrà cotto a temperatura media per 30 minuti.

Cartellate

In una terra, come quella pugliese, che vanta il più alto numero di nomi ed espressioni dialettali per i vari tipi di pane, pizze e focacce, anche i dolci popolari hanno numerose varianti gergali. Per le cartellate, ad esempio, *scartagghiate*, *frìnzele*, *cròstoli* sono solo alcune delle altre espressioni ricorrenti. Nella provincia di Bari, comunque, le cartellate sono il dolce popolare, natalizio per antonomasia, realizzato con ingredienti tipici quali il mosto cotto (in luogo del miele) e il "cotto di fichi". Quest'ultimo è un'eccellente base per preparare e/o condire vari dolci: si ricava dell'ebollizione lenta, con successiva filtrazione, dei fichi; ottenuto un concentrato di circa la metà del volume originario, si fa bollire ulteriormente e, una volta addensato, si imbottiglia e si chiude ermeticamente (può conservarsi a lungo).

Le cartellate si ottengono dall'impasto di farina, olio d'oliva, vino bianco secco; impasto che sarà modellato in conchette da arrotolare su se stesse a mo' di corolle (da questa forma, un altro nome dei dolcetti: dalie di san Nicola). Dopo averle lasciate riposare, sono fritte e quindi calate ripetutamente in un recipiente caldo con mosto cotto o cotto di fichi. Un'aggiunta finale, facoltativa, è quella di cannella e chiodi di garofano tritati finemente.

Dita degli apostoli

È un dolce che un tempo si preparava durante il periodo pasquale perché si pensava che la ricotta, in quei giorni, fosse particolarmente dolce e non avesse odori particolari. Il nome deriva probabilmente dalla forma che ricorda appunto tante dita affusolate. Si tratta fondamentalmente di crêpes arrotolate che racchiudono un impasto a base di ricotta.

Le crêpes si preparano con uova intere e acqua, per renderle il più possibile sottili e leggere, e si friggono nella classica padella antiaderente leggermente unta con olio extravergine o strutto. La farcitura si prepara a freddo con ricotta morbida spurgata perfettamente dal siero (si può aggiungere qualche cucchiaio di panna per renderla cremosa), zucchero, scagliette di cioccolato fondente o cubetti di cedro candito, liquore all'anice o maraschino. Le crêpes sono farcite con questo composto e arrotolate come tanti cannoli sottili, facendo attenzione a non lacerarle. Disposte in un piatto e cosparse di cannella in polvere e zucchero a velo, sono pronte per essere servite: meglio però lasciarle riposare per un po' per renderle più buone.

Mandorlaccio e tozzetti

Derivato da un'antica tradizione contadina che affonda le sue origini nell'epoca che precede la conquista romana, il mandorlaccio (chiamato ad Altamura anche mandorlato) col passare del tempo era caduto nell'oblio. L'antica ricetta che si tramandava nelle campagne pugliesi prevedeva come ingredienti principali mandorle tritate, miele, uova e zucchero. Il merito della riscoperta va al pasticciere Giuseppe Berardi di Ruvo di Puglia (Ba), che ritrovò la ricetta originale in un quaderno appartenuto alla bisnonna. Il Consorzio Pasticcieri Artigiani di Puglia, fondato alcuni anni fa, si pone lo scopo di recuperare l'antico dolce e di valorizzarlo promuovendone il consumo.

Altri dolcetti a base di mandorle, semplici da realizzare e molto popolari nel Brindisino, sono i tozzetti di mandorle, fatti con impasto di farina, mandorle, uova intere e qualche tuorlo (in rapporto di 10 a 2), lievito, olio d'oliva, zucchero. Con l'impasto si formano delle corde da spennellare con i tuorli e infornare; successivamente le corde sono tagliate trasversalmente formando i tozzetti, da infornare per altri 15 minuti sino a raggiungere consistenza croccante e colore dorato.

Nel Salento, a Lecce in particolare, si realizzano **pesci natalizi** e **agnelli pasquali** ripieni di *faldacchiera*, vale a dire un impasto di mandorle, uovo, zucchero, farina, scorzette di arancia, liquore: depositarie della ricetta originale sono le benedettine del convento di clausura di San Giovanni Evangelista.

Prupate

La prupate sono un dolce molto semplice, popolare in diverse aree del territorio pugliese, specialmente in quella garganica. Anticamente, le prupate suggellavano fidanzamenti o matrimoni: ciascun invitato riceveva *na cocche de prupete*, cioè due grosse ciambelle da conservare in un ampio fazzoletto. La preparazione notturna era occasione di canti augurali e di grandi bevute. Le prupate, che oggi, durante il Carnevale, si infilano al braccio destro di amici e parenti, devono il loro nome a un'espressione dialettale albanese: la grande influenza degli Skanderberg nel Gargano, del resto, è probabilmente all'origine di questa come di altre ricette. Dicevamo dell'origine, con ogni probabilità legata ai rituali matrimoniali: depone a favore di questa ipotesi, naturalmente, la forma che ricorda il simbolo della fede.

Gli ingredienti per questi dolcetti sono uova, farina di frumento, lievito naturale, qualche bicchierino di rum, cannella, miele, zucchero e chiodi di garofano, con i quali realizzare un impasto da far lievitare per almeno 24 ore. Si formeranno poi dei bastoni intrecciati – le cui estremità saranno unite – come si fa per i taralli, da infornare per circa un'ora.

Scarcella

Recita una popolare filastrocca locale: *Pasque, Pasque, vìine cherrenne/Le peceninne vonne chiangenne/Vonne chiangenne che ttutte u core: Scarcedde che ll'ove, scarcedde che ll'ove!* (Pasqua, Pasqua vieni presto. I bambini vanno implorando di tutto cuore: scarcelle con l'uovo, scarcelle con l'uovo!). Sono infatti soprattutto i bambini, i destinatari di questo dolce a forma di colomba, cestino, paniere, ciambella o agnello che si consuma durante la colazione di Pasqua.

La farina, l'olio o lo strutto, lo zucchero, le uova, la scorza del limone, il liquore all'anice (o altro liquore secco), il latte e un pizzico di sale sono mescolati per ottenere un impasto compatto da far riposare per circa un'ora. Trascorso questo periodo, si dà alla pasta una forma di ciambella al cui centro si appoggia un uovo sodo col guscio fermato con due strisce della medesima pasta messe in croce. La ciambella è poi cotta al forno per mezz'ora, successivamente ricoperta con una glassa di zucchero e confettini colorati all'anice.

A volte la scarcella può essere arricchita da un ripieno di pasta di mandorle, mandorle, zucchero e limone.

Taralli

Cibo di strada e immancabile presenza nelle feste, acquistabili in ogni forno oltre che nelle pasticcerie, i taralli sono uno dei simboli gastronomici dell'intera regione. Le varianti sono minime ma infinite, anche per quanto riguarda il grado di dolcezza. La ricetta base prevede un impasto a base di ingredienti molto semplici: acqua, farina, uova ed eventualmente un po' di strutto (oggi sostituito da olio d'oliva o burro).

I taralli possono avere dimensioni più o meno grandi, si presentano sempre in forma di ciambella e, a volte, sono attraversati, lungo tutta la circonferenza esterna, da un taglio che ne facilita la cottura e ne alleggerisce forma e consistenza. Si va dai tarallini impastati col vino ai vari taralli, più o meno morbidi, localmente aromatizzati con ingredienti diversi, fino ai taralli decisamente dolci, coperti da una glassa composta di zucchero, bianco d'uovo e qualche goccia di limone.

Le pasticcerie

Bar della cotognata leccese
Via Marconi, 51
Lecce
Tel. 0832 302800
Mostaccioli

Ciangularie
Corso Matino, 56
Mattinata (Fg)
Tel. 0884 559966
Cartellate, taralli

Franco Ciuffreda
Via Garibaldi, 15
Monte Sant'Angelo (Fg)
Tel. 0884 564680
Prupate

Cupo
Via Arpi, 82
Foggia
Tel. 0881 724056
Taralli

Da Bernabotto
Via Manfredi, 75
Monte Sant'Angelo (Fg)
Tel. 0884 561257
Mostaccioli, prupate

Dolce bontà
Via Amendola, 18
San Marco in Lamis (Fg)
Tel. 0882 832203
Mostaccioli, prupate

Derna
Piazza XX Settembre
Martina Franca (Ta)
Tel. 080 4805786
Bocconotto, mostaccioli

Esmeralda
Via De Leo, 42
Brindisi
Tel. 0831 523842
Cartellate, mostaccioli, scarcella, taralli

Fantasy
Viale Venezia Giulia, 109-111
Andria (Ba)
Tel. 0883 594065
Mandorlaccio

Florio
Via Manzoni, 20
Altamura (Ba)
Tel. 080 3114506
Cartellate, scarcella

Fratelli Fraccalvieri
Via Piccinni, 7 b
Altamura (Ba)
Tel. 080 3117918
Cartellate, mandorlato

Gloutonnerie
Corso Cavour, 145
Andria (Ba)
Tel. 0883 593975
Mandorlaccio

Grasso
Via San Lorenzo, 27
Manfredonia (Fg)
Tel. 0884 535536
Cartellate

Monastero di Santa Maria delle Vergini
Via Robustina, 33
Bitonto (Ba)
Tel. 080 3751245
Bocconotto

Rafanelli e Panunzio
Via Felice Cavallotti, 15
Molfetta (Ba)
Tel. 080 3971747
Scarcella

San Francesco
Via Pizzetti, 5
San Giovanni Rotondo (Fg)
Tel. 0882 413142 - 0882 457821
Mostaccioli, prupate, taralli

Sapori del Gargano di Rosa Falcone
Viale Aldo Moro, 77 a
San Giovanni Rotondo (Fg)
Tel. 0882 413048
Mostaccioli

Stoppani
Via Roberto da Bari, 79
Bari
Tel. 080 5213563
Taralli

Tarallificio Nella
Via della Croce, 47
Manfredonia (Fg)
Tel. 0884 581447
Bocconotto, taralli

Tripoli
Piazza Garibaldi, 25
Martina Franca (Ta)
Tel. 080 4805260
Mostaccioli

Giovanni Turi
Via De Nittis, 59
San Giovanni Rotondo (Fg)
Tel. 0882 456410
Prupate

Voglia di dolci
Via Nardone, 8
Putignano (Ba)
Tel. 080 4058069
Taralli

Sardegna

Acciuleddhi e sos pinos

Biscotto di Fonni

Brugnolusu de arrescottu

Buffulitu

Caschettas

Ciambellas

Copuleta di Ozieri

Corigheddos

Gallettinas

Meligheddas

Mustazzolus di Oristano

Pani 'e saba

Papassinos

Pardulas

Pirikitos

Pistiddu

Pistoccus tostaus
    o de Serrenti

Rosa de mendula

Seadas

Turta de arrescottu

Turta de mendula

Zippulas e frisjoli longhi

Acciuleddhi e sos pinos

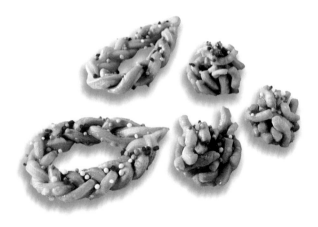

L'immersione nel miele caldo, preceduta da una frittura in olio bollente, è la caratteristica che unisce queste due artistiche e gustose preparazioni.

Sos pinos, i pinoli, sono così chiamati perché l'impasto a base di semola e uova è ridotto prima in strisce strette e sottili e poi, con le mani, in pezzetti lunghi non più di un centimetro leggermente schiacciati da una parte: ciò li rende molto simili all'edule seme del pino. Fritti nell'olio d'oliva (in passato si preferiva utilizzare *s'ozu casu*, ossia il burro), sono poi "ripassati" in padella, senza grassi ma solo col miele, unendoli e modellandoli in forme fantasiose durante questa seconda cottura. Dolce piuttosto antico, fa parte delle tradizionali portate nuziali nel Goceano, area montana del Sassarese a sud di Ozieri (Ss).

Per fare gli *acciuleddhi* (o *mandagadas* o *trizzas*), si aggiunge all'amalgama un po' di strutto. Sempre manualmente, dopo averlo reso liscio e omogeneo, si ricavano degli spaghetti lunghi 30 centimetri. Ogni spaghetto è poi piegato a metà, intrecciato, ripiegato su se stesso e intrecciato una seconda volta. Posti ad asciugare ricoperti da un telo, gli *acciuleddhi* sono quindi fritti e tuffati nel miele caldissimo. A volte cosparsi di zucchero semolato, raggiungono l'apice produttivo durante il Carnevale.

Biscotto di Fonni

Detto anche *pistoccu*, questo biscotto – una sorta di savoiardo gigante, visto che raggiunge anche i 13 centimetri di lunghezza – ha diffusione regionale. Legato a Fonni, piccolo centro della Barbagia ollolaese, da una produzione che qui pare essere pluricentenaria, spicca per morbidezza e fragranza.

Albumi che diventano neve vaporosa, tuorli e zucchero trasformati in crema vellutata, sono un soffice insieme da miscelare, con mano delicata, a farina e nient'altro, se si esclude giusto un pizzico di sale. Il semplice impasto è poi versato in un apposito macchinario, detto colatrice (ma può essere usata, con uguale risultato, anche una normale sacca da pasticciere), la quale, mediante particolari siringhe, baderà a dimensionare e sagomare i futuri dolcetti. Sistemati su una teglia, gli stessi vanno spolverizzati con zucchero a velo e, dopo qualche minuto utile all'amalgama per metabolizzare il dolcificante, introdotti in forno già caldo a 200 gradi. Basteranno circa 15 minuti per far assumere ai biscotti il classico colore giallo paglierino che sancirà l'inizio del periodo di raffreddamento, da effettuare o in una camera apposita o, più semplicemente, nello stesso forno spento.

Brugnolusu de arrescottu

Il dolce fritto rappresenta, per i golosi – e non solo – una tentazione alla quale spesso diventa difficile resistere. Allettante preparazione che i sardi interpretano utilizzando gli ingredienti e le forme più svariate. Ne sono un bell'esempio i *brugnolusu de arrescottu*, sorta di bomboloni grossi come una noce, dall'intenso colore bruno-rossastro imbiancato da una spolverata di zucchero semolato, normalmente consumati freddi.

Si ricavano facendo friggere, in abbondante olio caldo, delle palline di morbida crema ottenuta amalgamando con cura ricotta di pecora, zucchero, uova, scorza d'arancia grattugiata, *filo e ferru* (l'acquavite sarda), vaniglia, zafferano e semola di grano duro. Una volta preparato l'impasto, lo stesso si lascia riposare per circa 30 minuti e, quindi, si procede alla frittura. Una versione un po' più saporita sostituisce la morbida ricotta con formaggio fresco grattugiato, mantenendo inalterati gli altri ingredienti. Mentre, nel primo caso, le palline da friggere sono formate e versate nel liquido di cottura servendosi di un cucchiaino, nel secondo, trattandosi di un impasto più consistente, sono lavorate direttamente con le mani.

Uguali nella sostanza, gli *arrubiòlus* differiscono dai *brugnolusu* soltanto nella forma: sono piccoli cilindri che, uniti alle estremità, diventano ciambelle.

Buffulitu

Si pensa alla Sardegna e nella mente scorrono le incredibili trasparenze marine, l'intensità e la luminosità dei colori, l'eterogeneità costiera, gli intensi profumi della macchia mediterranea. Una varietà paesaggistica che sembra riflettersi nel disparato universo dei dolci regionali, un vasto assortimento di golosità che si deve alla straordinaria abilità di massaie capaci di coniugare, con fantasia e giusto pragmatismo, fragranze e sapori.

Peculiarità che si possono apprezzare assaggiando *su buffulitu*, una sorta di piccolo e squisito panforte (v.), dalla forma tonda o triangolare, fatto con farina, zucchero, noci, nocciole, scorza d'arancia, semi di finocchietto, uva passa, latte, miele di castagno o millefiori, lievito e vaniglia. Il tutto viene amalgamato formando un impasto che, cotto a bassa temperatura, è poi impreziosito da noci, nocciole e confettini colorati disposti sopra un sottile velo di miele.

A Teti, piccolo centro della Barbagia di Ollolai, questi dolci contribuiscono a rendere più golosi i coreografici festeggiamenti che accompagnano, il 16 e il 17 gennaio, le celebrazioni in onore di sant'Antonio.

Caschettas

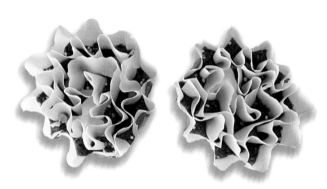

Il culto di sant'Antonio Abate, protettore di animali, fornai e fucilieri, è molto diffuso in Italia, soprattutto tra le comunità che vivono di economia agricola. Nel cuore barbaricino della Sardegna, proprio durante il periodo celebrativo del santo, era uso omaggiare le famiglie in lutto, forse per rendere meno amaro il momento, con un'offerta di dolci. Nel cesto che si donava non potevano mancare le antichissime *caschettas*, assimilabili alle *tiliccas*. Questi preparati rientrano nella numerosa schiera dei dolci farciti e sono confezionati a forma di mezzaluna, di cuore, di ellisse, di otto o di ferro di cavallo.

Di consistenza friabile, hanno nel ripieno una vera esplosione di aromi e di sapori. Miele, mandorle tritate, buccia di limone o d'arancia, zucchero e zafferano sono fatti sobbollire a fuoco lento in un tegame fino a ottenere un composto sufficientemente cremoso che, in un secondo tempo, è diviso in cilindri lunghi una decina di centimetri e spessi quasi quanto un dito. Questi piccoli bastoncini di farcia sono quindi avvolti per due terzi (deve vedersi un po' di ripieno) in sottilissimi fogli di pasta dal bordo smerlato, e sono quindi modellati nella forma desiderata.

La cottura, per circa mezz'ora in forno moderatamente caldo (160 gradi), porterà a dorati dolcetti contraddistinti da profumi intensi e inconfondibili.

Ciambellas

È compito alquanto arduo asserire, con indubbia certezza, quale sia l'origine di un dolce comune come le ciambelle. Presenti un po' in tutto il territorio nazionale, quelle confezionate in Sardegna prendono il nome di *ciambellas* e, oltre ad essere preparate almeno in tre maniere diverse, non sempre sono foggiate nella forma classica.

Nella versione meno elaborata, sono ottenute da un semplice impasto (farina, zucchero, scorza di limone, strutto fuso, uova) che dopo una breve lievitazione – circa un'ora – è trasformato in una sfoglia spessa, grosso modo, mezzo centimetro. Con stampi di varie forme si tagliano le ciambelle, si dispongono su una teglia da forno né unta, né infarinata, si spennellano con tuorlo d'uovo appena allungato con latte e si cuociono a calore moderato fino a quando assumono un color oro.

Le tipologie un po' più raffinate partono dagli stessi ingredienti, cui si aggiunge un bicchierino di liquore o di Marsala, e cambiano nella forma: possono ricordare vagamente una margherita con al centro un frutto candito, oppure diventare un dolce costituito da due ciambelle sovrapposte, unite da uno strato di marmellata e imbiancate da una generosa spolverata di zucchero a velo.

Gustose e leggere, sono tra le preparazioni dolciarie più consumate e, non di rado, si trovano sui banchi delle feste paesane.

Copuleta di Ozieri

Ozieri si trova al centro della Sardegna settentrionale, baricentrica rispetto alle due coste. Un tempo rinomata per i formaggi, oggi è nota soprattutto per il pane fine, o spianata di Ozieri, e per i dolci: tra questi, la copuleta testimonia una raffinatezza culinaria antica e diffusa.

Preparata in occasione di ricorrenze importanti e feste religiose, richiede tempo e cura nell'elaborazione e va consumata freschissima. Si tratta di una barchetta di pasta sottilissima, appoggiata su stampi rotondi e ovali, che è riempita di pan di spagna, pasta di mandorle, una goccia di limone e, solitamente, una spruzzata di liquore. Dopo la cottura in forno viene sigillata con un velo di glassa. La copuleta di Ozieri si distingue da dolci simili di altre zone dell'isola (nel Campidano, una preparazione praticamente identica è chiamata *pastissus*) per la presenza delle mandorle: queste sostituiscono la sapa nel ripieno, conferendo maggior eleganza a questo dolce delicatissimo.

Il Presidio Slow Food intende far conoscere questa specialità e sollecitare gli artigiani che la preparano a utilizzare materie prime locali. Ad Ozieri esistono limonaie e mandorli e la piana a ovest della città già ai tempi dei Romani era completamente coltivata a grano: è quindi relativamente semplice ricostruire una filiera di territorio.

Corigheddos

La provincia di Nuoro è nel cuore della Sardegna: qui sono i monti più alti e le valli più profonde, ambienti "chiusi" dove le tradizioni erano (e in parte ancora sono) particolarmente radicate. Momenti festosi in cui sacro e profano si confondono, non in maniera impura, ma come un unico insieme di diverse esigenze alle quali non è quasi mai estranea una componente gastronomica. Un tempo, ad esempio, in occasione dei matrimoni, madre, suocera e madrina della sposa s'impegnavano nel preparare questo dolce "gioiello" con il quale omaggiavano, in segno augurale di fortuna e prosperità, la futura moglie. In linea di massima il dono era formato da nove cuori (*coros*) con disposti, tutto intorno, altri piccoli cuoricini il cui numero era direttamente proporzionale al prestigio della famiglia festeggiata.

Sta tutta nel ripieno, al quale viene data la classica forma, la bontà dei *corigheddos* (o *corikeddos*): si prepara macinando della scorza d'arancia (solo la parte colorata), mandorle e miele fino a ottenere un composto sufficientemente omogeneo. A questo punto, servendosi di una normale sfoglia di pasta piuttosto sottile, si avvolge la gustosa farcia, si decora con motivi geometrici o floreali, si cuoce e, volendo, si decora la superficie con un po' di momperiglia colorata.

Gallettinas

Ancora oggi, in Sardegna, è difficile immaginare una colazione, tè o latte poco importa, senza la rassicurante presenza sul tavolo delle tradizionali *gallettinas* o *pistoccheddus grussus*.
Lunghi una decina di centimetri e di forma ovale, questi friabili biscotti derivano da un impasto fatto con uova, zucchero semolato, farina, carbonato di ammonio, strutto e scorza di limone grattugiata. Una volta amalgamati a dovere tutti gli ingredienti, il lavorato deve essere lasciato riposare in luogo fresco per almeno un'ora. Trascorso questo tempo, l'intero amalgama è sistemato su una superficie di acciaio inossidabile (o altro materiale adeguato) precedentemente cosparsa di farina. A questo punto si formano delle grosse palle di pasta che vengono tirate prima con la sfogliatrice e dopo con il tradizionale mattarello in legno, fino a formare una sfoglia spessa circa un centimetro. Si procede quindi al taglio della pasta per formare i biscotti che, prima di essere infornati, sono spolverati con zucchero semolato, a volte leggermente inumiditi con liquore e riposti, giustamente distanziati, nelle apposite teglie: 15 minuti, o fin quando non assumono la tipica colorazione dorata, a 220 gradi.

Meligheddas

Il termine Barbagia vale a dire "terra dei barbari" fu coniato dalle legioni romane che, durante le loro manovre di conquista, si trovarono a combattere contro queste agguerrite popolazioni. Porzione di Sardegna tra le più incontaminate, la Barbagia si divide in tre sottozone: Ollolai, Belvì e Seulo. Ognuna racchiude e custodisce al proprio interno usi, costumi e tradizioni spesso rimaste immutate nei secoli. Ben collegata a questo filo conduttore, la cucina barbaricina è rimasta spesso inalterata subendo, forse solo ultimamente, alcune modifiche che l'hanno portata ad adattarsi a una gastronomia per certi versi "foresta", portatrice di ingredienti inconsueti come l'alchermes con cui si imbevono le tradizionali *meligheddas*.

È un dolce di forma tonda, ripieno di marmellata e coperto con zucchero semolato sul quale possono essere sistemati, a mo' di decoro, dei chiodi di garofano. Tuorli d'uovo e zucchero sono lavorati fino a diventare un unico composto di consistenza vaporosa cui, a poco a poco, si aggiunge prima la farina e, dopo, gli albumi montati a neve. L'impasto così ottenuto è quindi inserito in un *sac à poche* a bocchetta liscia e diviso in piccole palline, sistemate su una placca da forno e cotte a circa 200 gradi. Sono pronte per essere farcite quando diventano gonfie e dorate.

Mustazzolus di Oristano

Gli ampi fianchi sproporzionati rispetto al resto del corpo, a rilevarne la gran prolificità, danno alle statuette raffiguranti la mediterranea Dea Madre una figura simile a un rombo. Ne è un esempio significativo la Venere di Willendorf (Austria), piccola scultura dell'età della pietra e, con tutta probabilità, prima raffigurazione della *Mater Matuta*. Anche la "veneretta" di Macomer ne rispetta i canoni tradizionali testimoniando, inoltre, come pure in Sardegna esistesse questo culto: venerazione verso una dea che alcuni studiosi vogliono leggere, stilizzandone la forma, anche attraverso l'aspetto romboidale dei *mustazzolus*.

Dolce semplice ma di lunga preparazione, il mostacciolo oristanese un po' si dispiace di essere spesso accomunato ai suoi omonimi di altre regioni (v.). Esso si differenzia sia per gli ingredienti (non prevede, ad esempio, l'uso di mosto cotto o di qualsiasi liquore), sia per la foggia, che qui rimane quadrangolare. Si prepara impastando semola fine, acqua, lievito naturale e, dopo 24 ore, anche zucchero, cannella, buccia di limone grattugiata; quindi si pone il tutto a riposare, stando alla tradizione più vera, per 15-20 giorni. Trascorso questo periodo, la pasta è stesa con un mattarello fino a raggiungere uno spessore non superiore al mezzo centimetro. Tagliati nella forma tipica (o modellati in antichi stampi di legno) e sistemati su teglie unte e spolverate con un po' di farina, sono cotti a bassa temperatura. Si decorano coprendoli parzialmente con glassa.

Pani 'e saba

Un tempo, le donne usavano prepararlo in gruppo per festeggiare il Natale e Ognissanti. È di piccola pezzatura e, in genere, differisce per ingredienti e forma (romboidale, rettangolare o circolare) da un paese all'altro. Di origine rurale antichissima, è caratterizzato dal colore scuro apportato dalla sapa, un liquido denso ottenuto facendo cuocere, a calore moderato per una giornata, del mosto d'uva. Questo sciroppo può essere conservato molto a lungo e, a volte, è aromatizzato con scorze d'arancia, pezzi di mela cotogna, chiodi di garofano e cannella.

Pasta acida, semola e acqua sono impastati e fatti lievitare per almeno otto ore. Trascorso questo tempo, alla massa lievitata si aggiunge altro sfarinato di grano duro, sapa, buccia d'arancia candita, uva passa, miele, uova, finocchietto, pinoli, noci e mandorle tritate grossolanamente. Il tutto è lavorato fino a ottenere un amalgama non troppo morbido che, dopo un'ora di riposo, è diviso in piccoli pani i quali, prima di essere infornati per 30-40 minuti a 180-200 gradi, dovranno lievitare almeno 24 ore. Una volta cotti, sono spennellati nuovamente con un po' di sapa e talvolta guarniti con *traggera* (confetti colorati).

Ampio e intenso nei profumi, il pane di sapa è consistente ma umido all'interno, intrigante e originale nelle piacevoli e persistenti sensazioni gustative. Ne esiste anche una versione meno lievitata, proposta in occasione della Pasqua e denominata *fattu e cottu*, fatto e cotto.

Papassinos

Il termine *papassinos* o *pabassinas* è alquanto generico e, in tutta l'isola, identifica un biscotto – o un pasticcino – al cui interno è presente, in maniera più o meno importante, l'uvetta. Ciò è giustificato dall'etimologia del nome: deriva dall'espressione sarda *papassa*, vale a dire appunto uva passa. Preparazione antichissima dalla data di nascita imprecisata, così come oscuro rimane il motivo per cui siano associati al culto dei Santi, questi dolci hanno, in genere, una forma romboidale leggermente bombata.

Seguendo la ricetta più semplice, si ottengono impastando semola o semolato, uova, mandorle tritate, uva passa fatta rinvenire in acqua tiepida, zucchero, strutto e un pizzico di lievito chimico. Quando l'intera massa è omogenea, si divide in piccoli pezzi (circa sette-otto centimetri) e si procede alla sagomatura, a mano o meccanica, che porterà alla forma tradizionale. I papassinos sono poi sistemati su apposite teglie leggermente unte dove lievitano un poco prima di essere infornati. La cottura avviene a 180-200 gradi per 10-15 minuti. Una volta raffreddati si possono spennellare semplicemente con sapa (mosto cotto) o ricoprire con la classica *ghiaccia* (glassa) e decorare con una generosa manciata di minuscole palline colorate (*traggera*).

Versioni più "nobili" contemplano anche l'aggiunta, nell'impasto, di pezzi d'arancia candita, di noci e pinoli, di semi d'anice, di cannella e chiodi di garofano, di sapa e miele.

Pardulas

Idolci sardi si dividono in due categorie: i preparati che utilizzano prodotti freschi e stagionali e la pletora di golosità confezionate con ingredienti facilmente conservabili (e per questo presenti un po' tutto l'anno) quali mandorle o uva passa.

Nella prima famiglia rientrano le primaverili *pardulas* o *formagelle* che, nel Sassarese e nel Nuorese, diventano *casgiatini* (o *casadinas* secondo la zona). Un tempo motivo di sfida fra le massaie che gareggiavano tra loro sfoderando originalità e fantasia, tanto nelle decorazioni quanto nelle fogge, oggi questo dolce assume, per lo più, una forma caratterizzata da originali sporgenze lungo la circonferenza.

L'impasto che funge da contenitore si ottiene mescolando sfarinato di grano duro, acqua tiepida, sale e strutto. Una volta ricavato un amalgama omogeneo, lo si lascia lievitare e, successivamente, si tira fino a formare delle sfoglie sottili da dividere in piccole forme circolari (10-15 centimetri di diametro). Su questi dischi va distribuito il ripieno (ricotta o altro formaggio fresco, uova, semola, zucchero, zafferano, limone, arancia, sale, il tutto ridotto in crema) lasciando un po' di spazio dal bordo in modo che gli stessi possano essere ripiegati a guisa di contenitore. Cuociono per circa 30 minuti a 180-200 gradi.

Le *pardulas* devono essere croccanti all'esterno, morbide nel ripieno, con la parte aromatica tesa a contrastare il sapore deciso del formaggio.

Pirikitos

Di origine spagnola, i *pirikitos* (o *piricchittus*) sono dei dolci piuttosto consistenti, completamente ricoperti di glassa e contraddistinti da una forma vagamente tondeggiante. Preparazione presente un po' su tutto il territorio regionale, durante i festeggiamenti dedicati a san Biagio era tradizionalmente benedetta in chiesa prima di essere offerta ai fedeli.

Dolce ipercalorico ed energetico, è preparato con farina di grano duro, due uova per ogni etto di sfarinato, zucchero, olio d'oliva (ma alcune ricette contemplano l'uso dello strutto), limone e, più raramente, uva passa e latte. Come spesso accade quando i confini di produzione comprendono territori piuttosto vasti, la procedura di miscelamento tra i vari ingredienti non segue canoni rigidi ma racchiude in sé una certa elasticità. Ecco allora che in alcuni paesi l'impasto si prepara mescolando la farina con acqua calda precedentemente aromatizzata con succo di limone; in altri il macinato si unisce semplicemente alle uova sbattute o, terza versione, allo sfarinato si amalgamano uova e olio ben emulsionati. L'unità di vedute si ritrova nella forma finale che il dolce deve assumere, nelle operazioni di cottura (in forno a circa 180 gradi) e nella glassatura conclusiva, eseguita immergendo i pirikitos in uno sciroppo, ancora caldo, preparato con acqua, zucchero e buccia grattugiata di limone.

Pistiddu

Molti paesi della Sardegna, piccoli o grandi che siano, usano festeggiare sant'Antonio preparando il proprio dolce tradizionale. *Su pistiddu*, dolci ripieni di sapa (mosto cotto) spesso decorati con figure e motivi popolareschi impressi con speciali timbri di legno detti *pinta-pane*, sono un'apprezzata leccornia di Dorgali (Nu). Qui sono offerti mentre nell'aria si diffonde l'intenso afrore del rosmarino bruciato nel falò appiccato nella piazza di fronte alla chiesa. Fuoco che, benedetto dal sacerdote durante il rito del *su pesperu*, a Orgosolo è centro di un ritmico girotondo durante il quale s'intonano canti augurali di buon auspicio prima di gustare, con tutti gli abitanti del rione, gli immancabili dolcetti sopra citati.

Di forma tonda non molto grande, i pistiddu sono preparati facendo bollire per circa due ore acqua, zucchero, miele e un po' di semola fatta cadere a pioggia per evitare la formazione di grumi. Quindi si aggiungono sapa, scorza grattugiata di limone e d'arancia, chiodi di garofano e cannella in polvere; si procede quindi con la cottura per altri 30 minuti. Quando il composto assume la consistenza di una marmellata, si divide in piccole porzioni e si lascia raffreddare. Il gustoso ripieno è poi sistemato al centro di sottili dischetti di pasta ottenuti tirando un impasto fatto con farina, strutto, lievito di birra e zucchero. Ripiegati su se stessi e saldati i bordi con la pressione delle dita appena umettate, si cuociono a 180 gradi per circa 10-15 minuti.

Pistoccus tostaus o de Serrenti

P*ippias de zuccuru, pistoccheddus* (o *pistoccus*) *de cappa, pistoccus incappausu* o *tostaus,* sono i molti nomi che identificano lo stesso prodotto: i tradizionali biscotti campidanesi di pasta compatta, duri ma piacevolmente friabili al palato e ricoperti dalla tipica *ghiaccia* sarda (albume e zucchero cotti fino a ottenere un composto candido e filante).

Detti anche di Serrenti, forse con riferimento alla roccia che forma le colline circostanti l'omonimo paese in provincia di Cagliari, derivano da un impasto formato, per lo più, da uova (con prevalenza di tuorli), buccia di limone grattugiata, vanillina e tanta farina (può essere utilizzato un mix di grano duro e tenero in uguale quantità) quanta ne necessita per dare al composto una consistenza simile a quella della pasta da pane. In alcune ricette possono entrare pure latte, strutto e succo di limone. Dopo aver reso l'amalgama giustamente coeso, lo si divide formando, manualmente, dei cilindri larghi un dito e lunghi circa 10 centimetri. L'ispirazione artistica che i sardi mettono in molte preparazioni da forno influenza anche i *pistoccus*: con un coltellino molto tagliente, s'incidono e si trasformano i biscotti in movimentate sinusoidi, in lineari semicerchi, in buffi animaletti domestici, in piccole mani o in singolari bamboline. La cottura a temperatura moderata dura pressappoco un'ora. Una volta raffreddati, si spennellano con la classica copertura prima di impreziosirli con *sa traggera*, minuscoli confettini multicolori.

Rosa de mendula

Diceva Escoffier che saper friggere è un'arte e come tale va imparata e coltivata con passione. Con la *rosa de mendula* (rosa di mandorle) i sardi sembrano averlo preso alla lettera e, con grande fantasia e abilità, sono riusciti a coniugare aspetto e sapore, omaggiando il popolare detto "anche l'occhio vuole la sua parte".

Farina, uova, strutto, zucchero, vino (in genere Malvasia), sale, uno spruzzo di alchermes e una goccia di colorante rosso per dolci sono lavorati come se si dovessero preparare delle tagliatelle. Una volta ottenuta una pasta giustamente soffice e omogenea, la stessa è coperta con un telo umido e lasciata riposare per almeno 30 minuti. Successivamente l'amalgama, ridotto in sfoglia molto sottile, è ritagliato formando vari quadrifogli larghi sei-sette centimetri; sistemati una sopra l'altro avendo cura di pigiarli bene con le dita e di disporli in modo che i petali rimangano alternati, formeranno la base della rosa. Al centro del fiore, prima di mettere l'ultimo strato di pasta, va adagiata una pallina ricavata da un composto di mandorle pelate e tritate, zucchero vanigliato, alchermes e colorante rosso. L'ultimo strato di pasta è sistemato sopra il dolce bocciolo, alternando i petali rispetto a quelli sottostanti e pigiandoli senza schiacciare il centro.

I fiori così ultimati sono fritti in una miscela di olio e strutto. Appena cotti, si ripuliscono dal grasso in eccesso con carta paglia e si cospargono di zucchero a velo.

Seadas

Quella sarda è una cucina dalla duplice identità. Sulla costa dominano i richiami marini; di contro, il ricettario dell'interno, meno attento alle mode, è fatto di sapori netti, franchi, diretti. Qui diventano protagoniste le carni d'agnello o di porcetto e i formaggi che, da freschi, costituiscono il ripieno delle *seadas*, barbaricine o *sebadas* come le identificano nel Cagliaritano, tradizionale dolce fritto da gustare caldissimo e "condito" con il miele.

Caratteristico del Nuorese, e in special modo di Oliena, in genere è di forma circolare; il formaggio, prima di essere aromatizzato con scorza di limone o di arancia grattugiata, è fatto cuocere a fuoco lento fino a ottenere una massa compatta e filante. Questo composto è quindi sagomato in forme circolari, alte circa mezzo centimetro e larghe sei, da far asciugare per qualche ora, periodo durante il quale devono essere girate con regolarità. L'impasto per la sfoglia, di consistenza morbida, si ottiene miscelando semola, acqua tiepida e strutto. L'amalgama, tirato in sfoglia sottile, è trasformato in dischi sufficientemente grandi da poter contenere, ognuno, una forma di ripieno. Si richiude la pasta formando così delle mezzelune (o dei dischi) i cui bordi devono essere ben pressati e, quindi, si friggono in olio d'oliva caldissimo. Quando raggiungono un bel colore dorato, si scolano velocemente e si ricoprono con miele preferibilmente amaro o, se si preferisce, con zucchero semolato.

Turta de arrescottu

La Sardegna è una regione dall'antichissima tradizione casearia. Vocazione leggibile anche attraverso le tipiche lavorazioni dolciarie prodotte utilizzando pecorino fresco o ricotta. *Arrescottu a timballu* o *cun meli*, *seadas* o *flan de arrescottu* sono solo alcuni esempi, insieme alla *turta de arrescottu*, buoni per dimostrare la capacità messa in campo dalle popolazioni sarde nel manipolare, in vari modi, un ingrediente di cui disponevano con relativa abbondanza.

Per preparare questa torta, la ricotta, di pecora o vaccina, è lavorata, insieme a poco latte, con un cucchiaio di legno o una frusta fino a formare una crema liscia e spumosa. A poco a poco, si aggiungono tuorli, farina, zucchero, scorza di limone grattugiata (a volte sostituita da zafferano, tostato e sfarinato), lievito da dolci e, in ultimo, albumi montati a neve ben soda. L'impasto, sistemato in una teglia a bordi alti appena unta di burro e cosparsa da un lieve strato di farina, cuoce a temperatura moderata per circa 40 minuti.

Una spolverata di zucchero a velo costituisce l'unica decorazione da apportare a una torta semplice ma d'indubbia piacevolezza.

Turta de mendula

Sono le chiazze bianche dei mandorleti in fiore a colorare, dalla metà di gennaio a tutto febbraio, le campagne centro-meridionali della Sardegna. Le piante, quasi fossero ammantate di zucchero, sembrano voler rilevare la frequenza con la quale i loro frutti entrano negli ingredienti di tanti dolci sardi, prelibate dolcezze di cui la *turta de mendula* (torta di mandorle) è una degna rappresentante.

La preparazione è piuttosto semplice e si rifà alle fasi lavorative proprie di molte torte: si mescolano i tuorli con lo zucchero fino a ottenere un composto gonfio e soffice cui si unisce, poco per volta, la pasta di mandorle, la parte gialla della buccia di limone, la giusta dose di lievito per dolci, un po' di cannella e vaniglia. Quando tutto è ben amalgamato, si aggiungono, incorporandole bene, le chiare montate a neve ben ferma. Dopo aver unto con lo strutto una tortiera dai bordi alti, vi si sistema l'impasto e si cuoce a 180 gradi per circa 60 minuti. Bisogna aspettare che la torta diventi fredda prima di decorarla, eventualmente, con glassa, piccole palline colorate e qualche candito.

Zippulas e frisjoli longhi

Acaratterizzare le feste carnevalesche, un po' in tutta Italia e per la gioia di grandi e piccini, sono le fritture. *Zippulas*, *frisjoli longhi* e *meraviglias* arrivano così a occupare la tavola sarda ma, mentre queste ultime non differiscono molto da quanto si frigge nel resto del Paese, le prime due, o per forma o per ingredienti, sono tipiche preparazioni che solo in Sardegna il *Carrasegàre* (Carnevale) porta con sé.

Preparazione dai molti ingredienti (l'impasto è costituito da uova, farina, strutto, zucchero, sale, succo e buccia grattugiata d'arancia, acquavite, acqua di fiori d'arancio, latte, lievito di birra e zafferano), le *zippulas* sono lunghe frittelle dal gusto alquanto particolare. In alcune zone è tradizione inserire, nella pasta da far friggere, anche pecorino fresco grattugiato e patate lesse. Sostituendo le arance con mandarini ed eliminando lo zafferano, si preparano le **cattas**.

Originali per dimensioni, i *frisjoli longhi* sono il classico dolce del Carnevale gallurese. Di diametro variabile fra i tre e i quattro centimetri, possono raggiungere, in lunghezza, anche i due metri. Soffici e appena croccanti in superficie, si preparano amalgamando a mano farina, zucchero, uova, scorza d'agrumi grattugiata, lievito, acqua e sale. Vanno consumati ben caldi e "conditi" con miele amaro fuso. Sempre per lo stesso periodo, si preparano le **orilletas**, strisce di pasta fritte e completamente ricoperte di miele caldo.

Le pasticcerie

Acciaro
Corso Vittorio Emanuele, 38
Porto Torres (Ss)
Tel. 079 514605
Papassinos

Antica fabbrica del dolce nuorese
Vico Santa Croce, 4
Nuoro
Tel. 0784 31014
Corigheddos

Fiorenzo Atzori
Via Sardegna, 18
Ales (Or)
Tel. 0783 91702
Pani 'e saba, papassinos, pirikitos

Antonio e Mario Casula
Corso Umberto, 1
Cabras (Or)
Tel. 0783 290518
Mustazzolus di Oristano, papassinos

Ciro
Via Sassari, 35 b
Alghero (Ss)
Tel. 079 979960
Papassinos

Crem rose
Via Cagliari, 422
Oristano
Tel. 0783 74186
Papassinos

Durke
Via Napoli, 66
Cagliari
Tel. 070 666782
Ossus de mortu, papassinos, pardulas

Giuseppe Facella
Via Tharros, 21
Cabras (Or)
Tel. 0783 290818
Papassinos

Antonina Garau
Via Roma, 103
Tresnuraghes (Or)
Tel. 0785 35120
Papassinos

Il nuovo mandorlo
Via Roma, 96
Settimo San Pietro (Ca)
Tel. 070 780932
Papassinos, pastissus, pirikitos

La bavarese
Via Manzoni, 63
Alghero (Ss)
Tel. 079 976008
Papassinos, pirikitos

La copuleta
Via Alagon, 26
Ozieri (Ss)
Tel. 079 770810
Copuleta di Ozieri

La delizia
Località Gidilau
Aritzo (Nu)
Tel. 0784 629836
Caschettas, papassinos

Roberto Mele
Via Canepa (Palazzo Cier)
Oristano
Tel. 0783 211962
Amarettus de Aristani, papassinos,
pardulas, pirikitos, zippulas

Luisa Monne
Via Tola, 22
Nuoro
Tel. 0784 35542
Papassinos

Nanni
Via Nazionale, 214
Orosei (Nu)
Tel. 0784 98591
Papassinos, pistiddu, seadas

Palmerio
Regione San Nicola
Ozieri (Ss)
Tel. 079 780506
Copuleta di Ozieri

Sorelle Piccioni
Via Marconi, 312
Quartu Sant'Elena (Ca)
Tel. 070 810112
Pani 'e saba, pastissus, pardulas

Progen
Via Pastorino, 35
Ozieri (Ss)
Tel. 079 759022
Copuleta di Ozieri

S'antiga bontade
Via Campania, 61
Oristano
Tel. 0783 211756
Papassinos, pirikitos, zippulas

Sicilia

Algerini

Biancomangiare

Biscotti di Monreale

Biscotti di san Martino

Biscotti regina

Buccellato

Cannoli

Cassata al forno
e cassatelle

Cassata siciliana

Cassatele

Cosi chini

Cuccìa

Cuddrireddra di Delia 🔵

Dolci di riposto

Facciuni di santa Chiara

Gelo

'Mpanatigghi

Nucatuli e ciascuna

Pasta reale

Paste di mandorle,
nocciole, pistacchi

Pignolata o pignoccata

Pupi cu l'ova

Quaresimali

Savoiardi

Sfinci di san Giuseppe

Sfoglio

Taralli

Tatù

Testa di turco

Algerini

Insieme alle reginelle (v.) sono forse i biscotti più diffusi nel capoluogo siciliano e nella sua provincia: in pratica, quasi tutti i forni palermitani, grandi o piccoli che siano, li producono in ogni periodo dell'anno. Nonostante la grande popolarità, non si sa però nulla né delle loro origini né del motivo che ha spinto l'inventore ad attribuire loro il nome di algerini: la popolazione africana in questione, infatti, non ha mai sviluppato particolari relazioni con la Sicilia; e, per quanto storicamente rilevanti, sono di difficile correlazione le tante incursioni piratesche avvenute nei mari dell'isola fino all'Ottocento.

La ricetta è di facile esecuzione: l'impasto è costituito da farina, zucchero, uova, strutto, carbonato di ammonio. Lavorato bene il tutto, si stende la pasta dandole uno spessore di tre-cinque millimetri. Utilizzando stampini rotondi, si dà la forma classica ai biscotti che sono quindi pronti per essere infornati. Posti a raffreddare, sono infine spolverizzati con zucchero a velo.

Biancomangiare

In gastronomia, il termine biancomangiare compare già nei ricettari medievali, ma indica una pietanza ben diversa da quella che stiamo per descrivere. Nel *Libro della cocina*, della seconda metà del Trecento, il *blanmangieri* è un piatto a base di petti di gallina lessi, farina di riso stemperata con latte di capra o di pecora o di mandorle, zenzero, lardo e zucchero: tutti rigorosamente bianchi.

In Sicilia, *'u biancumanciari* ha sempre indicato una crema bianca a base di latte di mandorle e, successivamente, anche un budino con latte ovino o bovino. Quello classico è comunque il dolce, un tempo molto diffuso a livello familiare, preparato pestando le mandorle nel mortaio di marmo, chiudendo quindi la granella dentro un panno di lino da immergere nell'acqua, spremendo più volte con forza fino a ottenere un'emulsione densa. Si aggiungono quindi zucchero e amido e si pone il tutto sul fuoco fino a ebollizione. La crema ottenuta è versata negli stampi e tenuta in frigorifero per qualche ora. Tirati fuori gli stampi, si capovolge la crema sui piattini e si guarnisce con pezzetti di mandorla.

Tra le versioni casalinghe, frequente l'aggiunta della buccia di limone mentre il composto si addensa sul fuoco, buccia da eliminare prima di versare la crema negli stampi. E, a proposito di stampi, quelli tipici per il biancomangiare e per altri dolci al cucchiaio siciliani erano le formelle di terracotta, variamente decorate, fabbricate a Caltagirone (Ct).

Biscotti di Monreale

Il monastero benedettino di San Castrenze, a Monreale (Pa), per diversi secoli e fino al 1866, anno dell'esproprio degli ordini religiosi, si trovò a gestire una notevole quantità di beni: acque biviere, taverne, mulini, torrenti e una grande farmacia che serviva tutto il comprensorio. Proprio all'interno di quest'importante struttura monastica, al posto della quale oggi sorge la caserma della polizia municipale, nacquero questi rinomati biscotti a forma di esse, caratterizzati da ghirigori di glassa bianca in superficie. La diffusione di questa specialità al di fuori del convento si ebbe grazie alla famiglia di una suora che aprì in paese un grande biscottificio.

Per la loro preparazione, si impastano farina, tuorli d'uovo, latte e vaniglia (talvolta si aggiunge un pizzico di carbonato di ammonio). Amalgamato il tutto, si spezza in bastoncini da sagomare a forma di esse. Disposti in una teglia ben unta con lo strutto, i biscotti cuociono in forno, per 10 minuti alla temperatura di 200 gradi, dopo essere stati decorati con una glassa ottenuta mescolando zucchero, albume e alcune gocce di limone.

Biscotti di san Martino

Recita un antico proverbio siciliano: *A San Martinu ogni mustu è vinu* (A San Martino ogni mosto è vino). In passato, per festeggiare l'avvenimento, intorno all'11 novembre, durante la cosiddetta estate di san Martino, si organizzavano feste che coinvolgevano tutte le classi sociali e durante le quali il vino novello scorreva a fiumi. Per i ceti meno abbienti, degna conclusione di questi bagordi era *u viscottu 'i san Martinu abbagnatu nn'o muscatu* (il biscotto di san Martino intinto nel Moscato): il Moscato, infatti, era generalmente offerto per l'occasione dal vinaio. Oggi, questi biscotti molto croccanti e friabili, chiamati anche sammartinelli, sono preparati tutto l'anno presso forni e pasticcerie di gran parte dell'isola.

L'impasto si ottiene mescolando zucchero, farina, semi di finocchio, burro, una presa di cannella, lievito in polvere e poca acqua tiepida (la pasta deve essere consistente). Tagliata la pasta a pezzetti, si formano dei cilindretti da allungare e avvolgere in spirale (pare però che la forma originaria fosse vagamente fallica). I sammartinelli cuociono quindi in forno a 180 gradi per circa 10 minuti.

Molti pasticcieri sono soliti impreziosire i biscotti rivestendoli di glassa e decorandoli con cioccolatini, confettini, addobbi floreali di pasta reale, ripieni di crema o marmellata. Celebre, poi, la versione svuotata, inzuppata nel rum e farcita di crema di ricotta con canditi e scaglie di cioccolato.

Biscotti regina

Col medesimo nome si indicano due biscotti piuttosto diversi, uno tipico del Palermitano, l'altro del Catanese, entrambi noti anche col pittoresco nome di *strunzi d'ancilu*.

I biscotti regina del capoluogo siciliano sono chiamati anche reginelle o *'nciminati* (da *cimino*, nome dialettale del sesamo). Dopo aver mescolato farina, zucchero, strutto, lievito chimico e cannella in un ampio recipiente, si aggiungono i tuorli d'uovo, la vaniglia e una quantità di latte sufficiente a rendere omogeneo l'impasto. Lavorato bene il tutto, staccando pezzetti di pasta si ricavano biscotti di forma affusolata della lunghezza di un pollice. Bagnati nell'albume, sono fatti rotolare nei semi di sesamo in modo da esserne totalmente ricoperti. I biscotti regina cuociono quindi in forno preriscaldato a circa 180 gradi per una trentina di minuti.

A Catania, e più in generale nella Sicilia orientale, i biscotti regina si distinguono dagli omonimi palermitani per due differenze sostanziali: l'assenza di uova nell'impasto e la mancanza della copertura di *cimino*. Questi *viscotta rigina*, infatti, subito dopo la cottura sono immersi in una glassa di zucchero e limone. Se la glassa è al cioccolato, prendono il curioso nome di *bersaglieri*.

Buccellato

Non è difficile vedere ancora oggi, in qualche paese siciliano, i fichi *incannati*, cioè infilzati in spiedi di canne, e posti ad asciugare al sole. Molti di questi saranno destinati, in inverno, a far parte del ripieno di uno dei più popolari dolci natalizi di questa regione: *'u cucciddatu*. Sebbene l'origine sia comune alle due omonime specialità liguri e toscane (v.), le analogie sono poche.

La sfoglia che farà da involucro si ottiene tirando col mattarello un impasto a base di farina di grano duro, burro, zucchero, uova, latte e un pizzico di sale. Il ripieno è invece ricavato "legando" con le uova i fichi secchi ammorbiditi e macinati, un trito grossolano di noci, pistacchi e mandorle tostate, scaglie di cioccolato, uva passa, zuccata a dadini, scorza d'arancia grattugiata, cannella e chiodi di garofano in polvere, poco zucchero. Avvolto il ripieno nella pasta, si praticano sopra piccole incisioni. Spennellato con tuorlo d'uovo, il buccellato cuoce in forno per 20 minuti. Prima di essere servito, è spesso decorato con pezzetti di pistacchio e frutta candita.

Anche se la forma più comune è quella di un ciambellone, il buccellato è preparato nelle più diverse fogge e pezzature. Se ne fanno anche di molto piccoli, simili a biscotti di pasta frolla: in alcune zone della Sicilia prendono il nome di *cosi chini*. Particolarmente bello, oltre che buono, è il buccellato di Salaparuta (Tp): detto *cucciddata di Natali*, si distingue dagli altri per le finissime decorazioni incise in superficie.

Cannoli

Oggi si fanno tutto l'anno, ma un tempo era tradizione prepararli a Carnevale: farciti con ricotta, canditi, cacao, caffè e Marsala nella Sicilia occidentale; con crema pasticciera, chiara o al cioccolato, a Messina e a Catania. A Palermo erano famosi i cannoli giganteschi confezionati dalle monache del convento di Santa Caterina: prassi soggetta a ipotesi maliziose, specie se collegata alla leggenda secondo cui a inventarli sarebbero state le signore dell'harem di Qual'a Nissa (Caltanissetta). Cannoli di grandi dimensioni si preparano tuttora a Piana degli Albanesi (Pa), la popolosa enclave arbëreshe fondata nel 1488 da profughi dell'invasione turca.

Disposta la farina a fontana sulla spianatoia, si versano al centro olio, uova intere e tuorli, zucchero e vino rosso. Ottenuta una pasta ben soda, si stende col mattarello, ricavandone una sfoglia sottile. Da questa si ritagliano dischi di circa 10 centimetri di diametro, che vanno avvolti negli appositi stampi cilindrici (di canna o latta) precedentemente unti con olio, avendo cura di spennellare dell'albume d'uovo nel punto di congiunzione. Due i possibili procedimenti di cottura: in forno caldo (220 gradi) o per immersione in olio abbondante. Per la farcia, si rimestano energicamente ricotta fresca di pecora (sgocciolata dal giorno precedente), zucchero, cannella; volendo, si aggiungono anche canditi e/o schegge di cioccolato. I cannoli, raffreddati e sfilati dagli stampi, possono essere così riempiti.

Cassata al forno e cassatelle

La cassata al forno è diffusa nelle province di Palermo, Ragusa e Siracusa. Preparata una pasta frolla con farina, uova, zucchero, strutto, Marsala e un pizzico di sale, si fa riposare per qualche ora. Nel frattempo si monta una crema a base di ricotta, zucchero, scaglie di cioccolato fondente e dadini di zuccata. La pasta è quindi spianata in due sfoglie rotonde non troppo sottili. Con una si foderano il fondo e i bordi di una teglia unta di burro e spolverata di farina. Si riempie quindi fino al bordo con la crema di ricotta e si copre con la seconda sfoglia. Dopo la cottura in forno a calore moderato per mezz'ora, si serve fredda, spolverata di zucchero a velo.

Dolci da forno sono anche le cassatelle, carnevalesche o pasquali, preparate nella Sicilia orientale. Molte le varianti: le **cassateddi ri Pasqua** ragusane sono dischi di pasta sfoglia ripieni di ricotta, miele, zucchero, cannella; le cassatelle di Ferla (Sr), invece, sono canestrini di pasta frolla farciti con una crema a base di ricotta, zucchero, uova e cannella. Un tipo di cassatelle sono anche le palermitane **minni 'i vergini** (dette *minni* di Sant'Agata a Catania – in ricordo del martirio della patrona – e *minni chini* a Sciacca e Modica): la forma dell'involucro di pasta frolla è quella di una piccola mammella (*minna* in dialetto), il ripieno può essere di zuccata o crema di ricotta. Coperte da una glassa al limone dopo la cottura, le *minni* sono decorate in cima con una ciliegia candita a mo' di capezzolo.

Cassata siciliana

Il nome deriva dall'arabo *quas'at*, cioè "ciotola rotonda", poiché quella, un tempo, era la sua forma. Pare sia stata inventata intorno all'anno Mille nelle cucine del palazzo dell'emiro, sito nell'odierno quartiere palermitano della Kalsa. In seguito, anche questa ricetta divenne una specialità conventuale: come recita un documento approvato durante il sinodo di Mazara del 1575, era considerato un "dolce indispensabile nelle feste pasquali". Oggi si prepara tutto l'anno, tranne che nei mesi più caldi.

Per farla, occorre uno stampo svasato di circa sei centimetri di altezza, un pan di Spagna e della pasta reale tradizionalmente colorata di verde. Spianata col mattarello in sfoglie dello spessore di circa mezzo centimetro, la pasta reale è tagliata in rettangoli dell'altezza dello stampo. Dopo aver alternato lungo tutto il bordo rettangoli di pasta reale e di pan di Spagna, si pone un disco di pan di Spagna sul fondo e vi si spalma sopra un consistente strato di crema a base di ricotta, zucchero, vaniglia, pezzetti di cioccolato e dadini di frutta candita. Coperto il tutto con un secondo disco di pan di Spagna, si fa asciugare, quindi si capovolge su un piatto di portata, si ricopre con glassa di zucchero e si decora con frutta candita e zuccata (i pasticcieri della Sicilia orientale spesso omettono la copertura e le grandi decorazioni finali).

A Palermo si preparano anche delle cassate minuscole, dette per l'appunto cassatelle o cassatine.

Cassatele

Come abbiamo già visto nelle schede precedenti, con i termini cassata e cassatella nella pasticceria siciliana si indicano dolci a volte molto diversi per composizione e luogo d'origine. A Trapani e provincia, per esempio, le *cassatele* (o cassatelle) sono una sorta di gustosi e diffusissimi ravioloni fritti.

Dopo averla passata al setaccio, si pone la ricotta in una terrina insieme a zucchero, scaglie di cioccolato, vanillina e un pizzico di cannella, e si mescola fino a che tutti gli ingredienti siano bene amalgamati. A parte s'impasta la farina di grano duro con mezzo bicchierino di olio d'oliva in modo da formare dei piccoli grumi; a questi si aggiungono zucchero, cannella e mezzo bicchiere di Marsala ad alta gradazione. Si lavora il tutto fino a ottenere una pasta elastica da stendere col mattarello o con la macchina per la pasta. Le strisce così ottenute, larghe come grandi lasagne, sono riempite con la crema di ricotta. Richiusa ciascuna cassatela come fosse un grosso raviolo, si ritaglia la pasta con una rotella dentata avendo cura di lasciare un po' di spazio tra il margine del ripieno e il bordo della pasta stessa. Fritte in abbondante olio bollente, le cassatele si servono cosparse di zucchero (a velo e/o semolato) misto a cannella.

Una variante tipica della zona bagnata dall'Alcantara, in provincia di Messina, è costituita dagli ***sciauni*** o ***ravijo***: preparati con lo stesso ripieno e la stessa sfoglia (tagliata a mo' di raviolo) dei cannoli (v.), si friggono e si servono proprio come le cassatele.

Cuccìa

Le preparazioni, dolci o salate, a base di grano cotto, sono tipiche di diverse zone del bacino del Mediterraneo. La cuccìa siciliana (dal dialettale *cuocci*, chicchi), nonostante la probabile radice araba, è tradizionalmente legata alla festa di santa Lucia e a una leggenda di cui esistono svariate versioni. Quella che si tramanda a Siracusa narra che, durante una terribile carestia, navi apparse come dal nulla sbarcarono nel porto un carico di grano; i siracusani erano così affamati che lo mangiarono semplicemente bollito, senza aspettare di macinarlo per farne farina. Per ringraziare la santa, ritenuta artefice del miracolo, il 13 dicembre, giorno della festa a lei dedicata, in molti comuni siciliani si suole ancor oggi mangiare la cuccìa; un rituale di carattere propiziatorio esteso anche ad altre ricorrenze religiose in vari paesi dell'isola.

Si mette a bagno il grano per almeno due giorni, avendo cura di cambiare l'acqua ogni 12 ore; dopodiché si fa bollire in una terrina o una pentola. A cottura avvenuta, controllando che la consistenza dei chicchi sia al dente, si scola e si lascia raffreddare. Si mescolano lo zucchero e la ricotta setacciata fino a ottenere un impasto omogeneo. Si aggiungono quindi i chicchi di grano, scorze d'arancia candita, scaglie di cioccolato fondente, gocce di olio di cannella e un pizzico di vaniglia. Mescolato il tutto, si serve in piattini o coppette di vetro come un dolce al cucchiaio.

Cuddrireddra di Delia

Il suo nome deriva dal greco *kollura* (pane biscottato di forma soli-tamente anulare). In Sicilia, e un po' in tutto il Sud Italia, si pro-ducono molti tipi di ciambelline fritte, ma solo a Delia (Cl) si realiz-zano in questa forma complicata. Pare che la forma a corona sia nata quale omaggio alle castellane che, durante la guerra dei Vespri Siciliani (1282-1302), vivevano nella locale fortezza medioevale. Un tempo tipica del carnevale, oggi, salvaguardata nella sua ricetta più tradizionale da un Presidio Slow Food, si prepara tutto l'anno.

La farina di grano duro è impastata con uova fresche, zucchero, poco strutto, vino rosso, cannella e scorzette d'arancia. La massa è lavorata su un'asse di legno (*scanaturi*): quando raggiunge la giusta compattezza, è divisa in piccoli rotolini. Segue la fase più compli-cata, che richiede notevole manualità e esperienza: si avvolgono i rotolini intorno a un bastoncino che poi viene sfilato. Per acquista-re la caratteristica rigatura, la spirale di pasta è appoggiata su un attrezzo chiamato pettine, costituito da due asticelle di legno unite da una serie di striscioline di canna di bambù levigata. Unite le due estremità della spirale a formare una corona, si procede alla frittura in abbondante olio extravergine d'oliva.

I pettini, la cui funzione originaria era diversa (si tratta infatti di un pezzo del banco di tessitura), sono conservati con grande cura perché nessuno è più in grado di costruirli: alcuni hanno persino più di 150 anni.

Dolci di riposto

Il nome non tragga in inganno: il "riposto" in questione non ha niente a che vedere con l'omonimo paese in provincia di Catania, ma è da intendere nell'arcaico significato di ripostiglio, credenza. Questi dolcetti a lunga conservazione, infatti, erano destinati agli ospiti nelle occasioni speciali. Di origine conventuale (vari monasteri se ne contendono la paternità), si preparano ancora oggi in gran parte della Sicilia. I nomi assunti di paese in paese sono innumerevoli: particolarmente famosi gli ericini (da Erice, pittoresca cittadina in provincia di Trapani), i *muccunedda* (bocconcini) di Mazara del Vallo (Tp), le conchiglie di Noto (Sr). Inizialmente la preparazione non è molto complessa: si impastano a freddo farina di mandorle (cui talvolta si aggiunge farina di maiorca), zucchero, acqua e vaniglia. Ottenuto un composto morbido e omogeneo, si stende a sfoglia e si dispone nei vari stampini. Versato uno strato di farcia (solitamente conserva di cedro o zuccata, ma anche marmellata), si ricopre con un "cappuccio" di pasta. Seguono la decorazione e la merlettatura dei pasticcini, da cui emergono la creatività e la capacità manuale del pasticciere. Per concludere, si prepara una glassa a base di acqua, zucchero e coloranti vegetali da versare sulle formine. Quando si sono asciugate, le paste possono essere tolte dagli stampi e servite.

Facciuni di santa Chiara

Creato dalle abili mani delle suore del monastero di Santa Chiara nella bella cittadina barocca di Noto (Sr), deve il suo curioso nome al "faccione" rubicondo di un angelo, riprodotto su carta colorata, che si poneva sopra il dolce: un tipo di decorazione particolarmente povera, forse nato dalla devozione delle monache nei confronti degli angeli custodi. Diffuso tra le province di Ragusa e Siracusa, *'u facciuni* è confezionato in diverse pezzature: il più grande può raggiunge i 30 centimetri di diametro.
Preparata una semplice pasta reale (v.), se ne ricava una sfoglia piuttosto sottile con cui foderare il fondo e i bordi di uno stampo a cupoletta. Si spalma quindi sopra uno strato di marmellata di cedro e si copre con un disco di pan di Spagna; dopo un'ulteriore farcitura con marmellata di arance, si copre ancora con pan di Spagna e si capovolge su un disco di cartone di diametro leggermente superiore. Si versa quindi sopra della glassa bianca, colorata o al cioccolato; quando si è intiepidita, è possibile decorare ulteriormente il *facciuni* con diavolina, vari disegni ottenuti con glassa di colore diverso e, infine, col classico "faccione".

Gelo

È una sorta di budino preparato, secondo le zone, in gusti diversi. Il più popolare è il gelo di "mellone" o *muluni* (cocomero, anguria). Consumato il 15 luglio in occasione del *Fistinu* di santa Rosalia (la manifestazione dedicata alla patrona di Palermo), accompagna più in generale l'estate di tanti siciliani. Privata di buccia e semi, l'anguria è tagliata a pezzi e passata al passapomodoro. Il succo si fa cuocere a fuoco basso in una casseruola, mescolando sempre e aggiungendo amido, zucchero (100 grammi per litro), cannella e infuso di gelsomino. Quando si sarà addensato, si versa in stampini o coppette, si lascia raffreddare per un'ora, e si decora con scaglie di cioccolato fondente, fiori di gelsomino, granella di pistacchio e/o capelli d'angelo (striscioline di zuccata). Tipico delle province di Ragusa e Siracusa è il gelo di carrube: i frutti, maturi e secchi, sono spezzettati, schiacciati e immersi in acqua. Trascorse 24 ore, si fanno bollire nella loro acqua a fuoco basso per 20 minuti. Filtrato il brodo, si aggiungono 100 grammi di amido per litro e, mescolando, si cuoce per pochi minuti fino a che si addensa. Versato negli stampi, si raffredda in frigo. Non molto dissimile la preparazione del gelo di cannella.
Per un buon gelo di caffè, invece, si mescolano in parti uguali acqua e caffè forte e amaro, si aggiungono zucchero e amido e si cuoce a fuoco lento fino a che si addensa.
Resta solo un ricordo il gelo di mosto, preparato un tempo in periodo di vendemmia.

'Mpanatigghi

Come attesta il vocabolario etimologico siciliano del 1785, il termine 'mpanatigghia, derivato dallo spagnolo *empanadilla*, entrò nel comune lessico locale a metà del XVIII secolo: è quasi certo, però, che questo dolce particolarissimo fosse già stato inventato tempo addietro. Probabile rielaborazione di un'antica ricetta araba, nacque nella contea di Modica (Rg) e conobbe diverse varianti in altre zone della Sicilia nel corso del XIX secolo (celebri i dolci di carne del monastero dell'Origlione di Palermo e i *pasticciotti di carni ca ciculatti* dei conventi di Enna e di Mazzarino in provincia di Caltanissetta); oggi si prepara quasi esclusivamente nel Ragusano.

La pasta che servirà da involucro si ottiene impastando farina tipo 00, tuorli d'uovo, zucchero e strutto fuso. Amalgamato bene il tutto, si tira col mattarello una sfoglia sottile da cui si ritaglieranno dischi del diametro di 10-12 centimetri. Per il ripieno, si fa cuocere in un tegame per un paio di minuti la carne trita di vitello, cui poi si aggiungono a freddo zucchero, mandorle tostate e macinate, cioccolato fondente, chiare d'uovo, cannella e chiodi di garofano. Dopo aver fatto riposare il composto per un giorno in luogo freddo, lo si versa sui dischi di pasta, richiusi in modo che il dolce assuma la forma di una mezza luna. Incise in superficie, le 'mpanatigghi cuociono per 15 minuti in forno a 180 gradi. Si servono fredde, guarnite eventualmente con zucchero a velo.

Nucatuli e ciascuna

Molti i nomi di questa specialità diffusa in varie zone della Sicilia: oltre che con l'appellativo di *nucatuli*, *nucatili* o *nucatula*, questi dolcetti ripieni di frutta secca (con molteplici e inevitabili varianti nelle forme e negli ingredienti) sono chiamati anche *mucatuli* a Modica (Rg), *ciascuna* (dal dialettale *ciascu*, ovvero fiasco, recipiente) nel Siracusano, *saschitedda* o *sciaschitedda* a Buscemi (Sr). Un tempo erano famosi i *nucatili* di Natale, preparati nel monastero di Santa Elisabetta a Palermo, città in cui questi dolcetti sono conosciuti fin dal XV secolo. Del resto, già in un ricettario italiano del Trecento compare un dolce con questo nome: l'etimo, dall'antico verbo *nucare*, ossia lavorare le noci, è di probabile derivazione araba (*nagal*). La forma più comune data loro è quella di un tubo; esiste qualche eccezione dovuta all'estro dei pasticcieri: sono ormai tradizionali, ad esempio, i *ciascuna* a forma di fiocco della pasticceria Corsino di Palazzolo Acreide (Sr).

La pasta si ottiene impastando farina di grano duro, zucchero e sugna. Tirata una sfoglia sottile, se ne ritagliano riquadri di circa 10 centimetri per lato. A parte si tritano fichi secchi, noci, mandorle, buccia d'arancia e cannella, che vanno mescolati insieme al miele. Piccole porzioni di questo composto sono poste al centro dei quadrati di sfoglia che sono quindi arrotolati e cotti in forno a 200 gradi.

Pasta reale

È il nome con cui in Sicilia si chiama il marzapane. A differenza, però, dell'omonima preparazione conosciuta e apprezzata nella Mitteleuropa, le mandorle, in terra di Trinacria e, più in
generale, nel Sud Italia, sono lavorate a crudo. Poiché la maggior
parte dei dolci di pasta reale sono modellati in forma di frutta e
poiché le suore del monastero palermitano della Martorana
eccellevano nella loro preparazione, la pasta reale è anche detta
frutta martorana: un tempo preparata in occasione del 2 novembre, rappresentava il dono dei defunti ai bambini; oggi si prepara
in ogni periodo dell'anno. Sempre con la pasta reale, ma esclusivamente nel periodo pasquale, si preparano *i picureddi* (le peco-
relle) e gli agnelli, classicamente sdraiati su un fianco e attorniati
da confettini multicolori, con uno stendardo rosso infilzato sul
dorso, simile a quello che nell'iconografia sacra è in mano a san
Giovanni Battista.
Questa la ricetta: si scioglie a fuoco molto basso lo zucchero in
acqua fino a che non comincia a filare. Tolto il tegame dal fuoco,
si versano dentro la farina di mandorle (cui spesso si aggiunge un
po' di quella di maiorca), la vaniglia, e si mescola il tutto fino a
quando la pasta si stacca facilmente dai bordi. Appena si sarà
raffreddata, la pasta va lavorata a lungo con le mani fino a farla
diventare compatta e liscia: a quel punto può essere modellata,
decorata, colorata e, per finire, lucidata con gomma arabica.

Paste di mandorle, nocciole, pistacchi

Nella piccola pasticceria siciliana troviamo spesso, come ingrediente principe, la frutta secca. Zona d'elezione per le paste a base di mandorle è da sempre il Trapanese; nelle province del versante ionico raggiungono livelli di eccellenza le paste di pistacchi, mentre quelle di nocciole sono più diffuse nei Nebrodi e in territorio etneo.

La preparazione di questi dolcetti è molto semplice, trasposizione diretta delle tradizionali ricette domestiche: mandorle, nocciole o pistacchi sono pelati e tritati più o meno finemente e sono amalgamati a zucchero, miele e albumi d'uovo. All'impasto base si possono aggiungere diverse aromatizzazioni, dalle più classiche alle più fantasiose. Modellate nelle forme più varie (rotonde, ovali, a forma di esse…) in base alla tradizione locale e all'estro creativo del pasticciere, le pastine, terminata la cottura in forno, possono essere spolverizzate con zucchero a velo o decorate con piccoli canditi e/o mandorle, nocciole, pistacchi interi.

Particolari paste a base di pistacchi sono i **mazaresi**, dolcetti che prendono il nome da Mazara del Vallo (Tp), località in cui sono prodotti in occasione di qualsiasi festività. Ai pistacchi spellati e tritati finemente, si aggiungono lentamente zucchero, tuorli d'uovo, fecola e un pizzico di sale. Dopo aver mescolato bene, si aggiungono gli albumi e la scorza d'arancia grattugiata. Ottenuto un composto omogeneo, si versa negli stampini e si cuoce in forno per 30 minuti a calore moderato.

Pignolata o pignoccata

Non si tratta di una preparazione a base di pinoli ma di un dolce la cui forma piramidale ricorda quella di una pigna. Simile alla cicerchiata (v.) diffusa in buona parte del centro-sud, pare abbia avuto origine nell'ex contea di Modica (Rg), dov'era preparata durante il Carnevale; da lì si diffuse in quasi tutta la Sicilia. Oggi si prepara in occasione di tutte le principali festività. L'impasto è ottenuto mescolando uova, zucchero, strutto ammorbidito, farina (di maiorca o tipo 00) e scorza di limone grattugiata. Dopo aver lasciato riposare per mezz'ora, se ne staccano piccoli pezzi da cui ricavare bastoncini della grossezza di un mignolo che saranno poi tagliati in tocchetti di due centimetri e vagamente appallottolati. Fritte in abbondante olio caldo, le palline sono quindi sgrondate e "accorpate" utilizzando del miele precedentemente diluito a caldo con pochissima acqua. La pignolata è quindi sistemata in un vassoio dandole una vaga forma di pigna; solitamente si spolverizzano sopra cannella e pistacchi macinati grossolanamente.

Una celebre variante è quella messinese: i tocchetti di pasta non sono fritti ma passati brevemente in forno; inoltre, non sono legati col miele ma sono immersi alcuni in una glassa di zucchero bianca al limone, altri in una glassa di cioccolato, per essere poi serviti insieme.

Identica alla pignolata, ma decorata con cubetti di cedro candito e disposta a forma di ciambella, è la pizzicata.

Pupi cu l'ova

È una tradizione tanto antica quanto viva e diffusa in tutta la Sicilia, quella di preparare, in occasione delle festività pasquali, pani contenenti uova intere. Del resto, fin dagli albori dell'umanità l'uovo ha avuto una forte valenza simbolica presso le più diverse popolazioni.

L'impasto è costituito da semola di grano duro, lievito (o bicarbonato e cremortartaro), acqua, uova, zucchero e strutto. Quando il tutto è ben amalgamato, si lascia riposare finché non raddoppia di volume. A questo punto, dall'impasto si staccano tanti pezzi ai quali sono date forme antropomorfe, zoomorfe, fitomorfe ma anche di oggetti di uso quotidiano. Quindi si applicano, solitamente al centro e fissati con una strisciolina di pasta, uno o più uova crude che cuoceranno in forno insieme al pane. Prima della cottura, i pupi sono ancora intagliati, decorati e incisi nei modi più vari e complessi.

In base alla forma e alla zona di produzione, *u pupu cu l'ovu* assume i nomi più diversi: tra questi, *panarinu*, *panarina* o *panaredda* (nel Ragusano e nel Siracusano), *aceddu cu l'ova* o *cuffitedda* (Siracusano), *ciciliu* (Catanese), *vaccaredda* (Trapanese), *cuddura* o *cudduredda* (Messinese).

Quaresimali

Sono preparati in diverse zone della Sicilia (Palermo, Trapani, Catania, Siracusa), con qualche variante sia per gli ingredienti sia per le modalità di esecuzione. Il nome sembrerebbe far rientrare questo dolce tra i cibi consentiti nel periodo di Quaresima, secondo i rigorosi canoni stabiliti dalla Chiesa cattolica in epoche passate. Nel Trapanese, sono conosciuti anche come *tagliancozzi*.
Disposte a fontana le mandorle tostate e tritate, si incorporano scorze d'arancia candite e macinate, zucchero, farina tipo 00, carbonato di ammonio, cannella e noce moscata; si ammorbidisce il tutto con le chiare d'uovo e si mescola fino a ottenere una pasta omogenea e compatta. Tagliato l'impasto in tocchetti di circa 100-150 grammi, si dà a ciascuno la forma di filoncino, lungo una decina di centimetri e dal diametro di due-tre. Posti su una teglia oleata, i quaresimali sono incisi perpendicolarmente con la punta di un coltello e cotti in forno a circa 180 gradi per una dozzina di minuti. Una volta sfornati, possono essere spennellati con gomma arabica e cosparsi con pezzettini di pistacchio.
Di dimensioni maggiori e di più semplice composizione sono le *stozze* lucane e campane: l'impasto, simile a quello dei quaresimali d'un tempo, è a base di sole mandorle, zucchero, farina, bianchi d'uovo.

Savoiardi

Il nome tradisce l'origine piemontese, ma si tratta di una riela-borazione che ha davvero poco a che vedere con gli omonimi biscotti subalpini (v.): la forma è solitamente più grezza, le dimensioni sono maggiori e, soprattutto, l'impasto è quello di un rustico pan di Spagna ricco di uova.

Montati a neve soda gli albumi in una terrina molto capiente, si aggiungono i tuorli e dello zucchero sciolto in mezzo bicchiere d'acqua tiepida; si versa quindi molto lentamente la farina. L'impasto ottenuto, non molto consistente, è adagiato a cuc-chiaiate su una teglia già unta, dando ai biscotti una forma allun-gata e avendo cura di mantenere la giusta distanza tra un savoiar-do e l'altro. La cottura avviene in forno molto caldo.

Una variante più rustica è rappresentata dagli ***zuccarini***, biscotti tipici di Nicosia, piccolo centro dell'Ennese alla sinistra del fiume Salso: la loro caratteristica principale è quella di essere cosparsi di zucchero semolato.

Stessi ingredienti dei savoiardi ma diversa modalità di cottura, invece, per i ***firrincozza*** (o *firringozza*) del Ragusano, chiamati anche ***biscuttina*** a Enna: l'impasto è versato in una teglia rettan-golare dai bordi alti ed è cotto finché diventa gonfio e dorato. Tagliato in fette lunghe e larghe, subisce una seconda cottura di pochi minuti. Firrincozza il cui impasto è arricchito dai pistacchi prendono il nome di ***fellette*** o *fillette* a Bronte (Ct).

Sfinci di san Giuseppe

Il nome generico di *sfinci* indica in dialetto le frittelle. La parola deriverebbe dal latino *spongia*, cioè spugna, a sottolineare la morbidezza e l'asimmetricità di questi dolci; secondo altri, l'etimo sarebbe invece arabo: col termine *sfang*, infatti, si indica una frittella addolcita col miele. *I sfinci ri san Giuseppi*, tipiche del Palermitano, hanno una probabile origine conventuale ed erano preparate in prossimità del 19 marzo, giorno in cui si festeggia il santo protettore dei poveri e dei derelitti. Oggi si preparano quasi tutto l'anno.

Si comincia facendo bollire l'acqua con sale, buccia di limone e zucchero. Spento il fuoco dopo qualche minuto, si uniscono la farina, lo strutto e le uova. Il tutto va mescolato finché non si staccherà dai bordi della pentola. Quando il composto diventa freddo, si immerge a cucchiaiate, per circa cinque minuti, in un recipiente profondo pieno d'olio di semi e strutto bollenti, avendo cura di creare una fenditura in ciascun bignè per mezzo di una forchetta. Quando le sfinci sono pronte, si fanno sgrondare a lungo su fogli di carta paglia, quindi si ricoprono in superficie con una crema di ricotta mescolata a pezzettini di zuccata e cioccolato. Per finire, le sfinci sono guarnite con striscioline di arancia candita, zucchero in polvere e pistacchi tritati.

Sfoglio

U sfogghiu (o *sfuagghiu*) è il più antico e celebre dolce delle Madonie, zona montuosa della Sicilia settentrionale a ovest dei Nebrodi. Pare sia stato inventato nel Seicento dalle monache benedettine del convento di Badia Vecchia, a Polizzi Generosa (Pa). Simile nell'aspetto alla cassata al forno (v.), se ne differenzia sostanzialmente per la presenza di formaggio fresco nel ripieno: oggi si usa la cosiddetta *tuma* al posto del più raro e più delicato *scauratu* o *scaudatu*.

La pasta frolla si ricava impastando farina, strutto, zucchero, uova e mezzo bicchiere di Marsala (o di vino bianco). Si lascia quindi riposare per qualche ora o, meglio ancora, per un'intera giornata. Nel frattempo si prepara il ripieno incorporando ai bianchi d'uovo montati a neve la tuma grattugiata, lo zucchero, scorza di limone grattugiata, scaglie di cioccolato e dadini di zuccata. Divisa in due pezzi, la pasta frolla è spianata col mattarello. Con la prima sfoglia si foderano il fondo e i bordi di una teglia bene imburrata. Si versa quindi la farcia e si copre con l'altra sfoglia avendo cura di saldare i bordi. Lo sfoglio cuoce quindi in forno per circa 45 minuti. Si serve freddo.

Taralli

A differenza di quelli pugliesi (v.), i taralli siciliani non sono sempre delle ciambelle, sebbene quella anulare sia la forma più diffusa. Sono preparati in quasi tutta la Sicilia: tra le zone d'eccellenza, Cerda e Monreale nel Palermitano, Racalmuto in provincia di Agrigento.

Ne esistono fondamentalmente tre varianti. La prima si caratterizza per la presenza nell'impasto di uova, cui si uniscono farina, zucchero, anice e un po' d'acqua tiepida. Si lavora il tutto fino a ottenere una pasta soffice ma consistente. Se ne ricavano filoncini che, tagliati in pezzi di uguale misura, sono lasciati riposare per 20-30 minuti. Si immergono quindi in un pentolone d'acqua: appena salgono a galla, si mettono a scolare, si dà loro la forma voluta e si infornano per 45-50 minuti. Trascorso questo tempo, sono spennellati con una glassa a base di acqua e zucchero e si rimettono in forno finché non saranno asciutti.

La tipologia senza uova si ottiene da un consistente impasto di zucchero, farina, latte o acqua, carbonato di ammonio. Ricavate delle sferette, si fanno cuocere in forno, quindi si immergono in una glassa bianca aromatizzata da abbondante limone.

Ancora diversa la preparazione dei tarallucci: da un impasto molliccio ottenuto mescolando farina, zucchero, latte, uova, strutto, essenze di limone e di vaniglia, si modellano delle ciambelline che cuoceranno a fuoco moderato. Tolti dal forno, sono tuffati nella glassa bianca e lasciati asciugare.

Tatù

L'origine del buffo nome di questi biscottini alle mandorle è ignota. Presenti in varie zone dell'isola, diffusi soprattutto sul versante ionico, sono chiamati anche *totò* (tra Messina e Catania) o *tutù* (nel Palermitano).

Dopo aver ridotto quasi in polvere le mandorle già spellate, si uniscono zucchero e farina e s'impasta con poca acqua tiepida fino a che il composto assume una discreta consistenza. Si modellano quindi sferette o cubetti che, sistemati su una teglia unta, cuociono in forno a calore moderato per 15-20 minuti. Nel frattempo, si prepara la glassa sciogliendo in un pentolino zucchero e cioccolato fondente in acqua; ottenuto uno sciroppo omogeneo, vi si immergono pian piano i biscottini per tre minuti, quindi si mettono ad asciugare fino a che la glassa si solidifica. In provincia di Palermo si usa immergere i tutù anche nella glassa bianca. A Collesano, centro agricolo 73 chilometri a sudest del capoluogo, se ne prepara anche una variante piatta e ovale: in questo caso, i biscotti prendono il nome di **catalani**.

Testa di turco

Mangiare una "testa di turco" è stato probabilmente, nei secoli passati, un modo incruento per esorcizzare i sentimenti di paura e vendetta suscitati nel popolo siciliano dall'invasore saraceno. Questa specialità, insomma, ha simboleggiato un po' quello che rappresentano ancora oggi per gli ebrei le simili e rare **orecchie di Amman**. Amman era il consigliere del re persiano Assuero: gli chiese l'impiccagione dei giudei, ma il sovrano destinò lui al patibolo.

L'impasto base, costituito da farina rimacinata e uova, va fatto riposare per circa un'ora. Nel frattempo, si mettono a bollire i tre quarti del latte con zucchero, scorze di limone e una stecca di cannella, cui si unisce infine l'amido stemperato a freddo nel resto del latte, mescolando bene con una frusta. Tirata la pasta in lunghe strisce a mo' di lasagna, si frigge brevemente in olio ben caldo e si asciuga con cura nella carta assorbente. Si alternano quindi in una pirofila strati di sfoglia e di crema (in cima va collocato uno strato di crema) e, per finire, si spolverizza con codette e cannella in polvere.

Le varianti sono numerose e presenti in parecchie zone della Sicilia, ma la ricetta sopra indicata, tipica di Castelbuono (Pa), è la più comune.

Le pasticcerie

Alaimo & Strazzeri
Viale Luigi La Verde, 83 a
Delia (Cl)
Tel. 0922 826825 - 333 9873454
Cuddrireddra

Alba
Piazza Don Bosco, 7 d
Palermo
Tel. 091 309016
Buccellato, cannoli, cassata,
cassata al forno, frutta martorana,
minni 'i vergini, sfinci di san Giuseppe

Angelino
Via Ammiraglio Staiti, 87
Trapani
Tel. 0923 26922
Cannoli, cassata, cassatelle,
frutta martorana, sfinci di san Giuseppe

Antica dolceria Bonajuto
Corso Umberto I, 159
Modica (Rg)
Tel. 0932 941225
'Mpanatigghi, nucatoli

Antica pasticceria Corsino
Via Nazionale, 2
Palazzolo Acreide (Sr)
Tel. 0931 875533
Ciascuna, facciuna

Antica pasticceria Fiorino
Piazzetta dei Sette Dolori, 3
Trapani
Tel. 0923 29878
Paste di mandorle

Artale
Via Landolina, 32
Siracusa
Tel. 0931 21829
Cassata, cuccìa, frutta martorana,
paste di mandorle, quaresimali

Arturo di Giovanni Facondo
Via Umberto, 73
Randazzo (Ct)
Tel. 095 921068
Paste di nocciole

Gabriele Bracco
Corso Paolo Agliata, 107
Petralia Sottana (Pa)
Tel. 0921 641107
Sfoglio

Brancato
Via Grottasanta, 219
Siracusa
Tel. 0931 442702
Cannoli

Caffè Calì
Via Vittorio Emanuele, 19
Piedimonte Etneo (Ct)
Tel. 095 644134
Mustazzuoli

Caffè Finocchiaro
Piazza Umberto I, 1
Avola (Sr)
Tel. 0931 831062
Cannoli, cassatine, frutta martorana,
paste di mandorle, paste di nocciole

Caffè Sicilia dal 1892
Corso Vittorio Emanuele, 125
Noto (Sr)
Tel. 0931 835013
Biancomangiare, cannoli, cassata

Caprice
Via Iudica, 1
Palazzolo Acreide (Sr)
Tel. 0931 882846
Cannoli, facciuna, pignoccata

Colicchia
Via Asti, 6
Trapani
Tel. 0923 547612
Cannoli, cassata, frutta martorana

Conti
Via Umberto, 275
Bronte (Ct)
Tel. 095 691165
Paste di pistacchi

Costanzo
Via Spaventa, 7
Noto (Sr)
Tel. 0931 835243
Cannoli, cassata, facciuna,
frutta martorana, paste di mandorle

Da Gino
Viale Regina Margherita, 46
Bronte (Ct)
Tel. 095 692138
Paste di pistacchio, fillette

Di Pasquale
Strada Statale 115
Ragusa
Tel. 0932 252212
Cannoli, cassata, frutta martorana,
nucatoli

Donna Peppina
Via Roma, 220
Zafferana Etnea (Ct)
Tel. 095 7081410
Cassatelle, paste di nocciole

Extra Bar Fiasconaro
Piazza Margherita, 10
Castelbuono (Pa)
Tel. 0921 671231
Cosi chini, testa di turco

Nino Genco
Via Mannone, 97
Castelvetrano (Tp)
Tel. 0924 81112
Cannoli, cassata, paste di mandorle

Golden
Viale De Gasperi, 16
Palermo
Tel. 091 515248
Cassata siciliana

Maria Grammatico
Via Vittorio Emanuele, 14
Erice (Tp)
Tel. 0923 869390
Ericini, frutta martorana,
minni 'i vergini

Salvatore Graziano
Via del Granatiere, 11-13
Palermo
Tel.091 6251921
Algerini, biscotti di san Martino,
biscotti regina, taralli

Il castello di Pino Agliata
Piazza Castello, 10
Polizzi Generosa (Pa)
Tel. 0921 688528
Sfoglio

Il parco che produce
Via Pietro Ilardi, 12
Palermo
Tel. 091 301680
Sfoglio

In di Nino Insinga
Via Brindisi "o puzzu", 2
Mistretta (Me)
Tel. 0921 383011
Frutta martorana

Salvatore Irrera
Piazza Cairoli, 12
Messina
Tel. 090 673823
Cannoli, cassata, frutta martorana,
pignolata

L'Alhambra
Via Marconi, 76
Linguaglossa (Ct)
Tel. 095 643156
Paste di nocciole

La bottega del dolce
di Nicolò Bontempo
Via Cesare Battisti, 3
Isnello (Pa)
Tel. 0921 662526
Buccellato, savoiardi

La rinascente
Via Gatti, 3
Trapani
Tel. 0923 23767
Buccellato, cannoli, cassate,
frutta martorana

Carmelo La Spina
Via Vittorio Emanuele, 8
Sant'Alfio (Ct)
Tel. 095 968128
Cannoli, paste di mandorle,
paste di nocciole, paste di pistacchi

Malandrino
Via Palazzeschi
Contrada Annunziata
Ragusa
Tel. 0932 621134
Buccellato, cannoli, cassata,
frutta martorana, nucatoli

Fratelli Marciante
Via Landolina, 9
Siracusa
Tel. 0931 67384
Paste di mandorle

Fratelli Mazzurco
Via Conceria
Strada Statale 120
Cesarò (Me)
Tel. 095 7732100
Paste di pistacchi

Fratelli Meli
Corso Umberto, 278
Bronte (Ct)
Tel. 095 691440
Paste di pistacchi

Navarria
Via Conte Alaimo, 12
Lentini (Sr)
Tel. 095 941045
Cannoli, cassata

Palazzolo
Strada Statale 113, 123
Cinisi (Pa)
Tel. 091 8665265
Aeroporto Falcone e Borsellino
Cinisi (Pa)
Tel. 091 591221
Buccellato, cannoli, cassata al forno,
cassata siciliana, pasta reale,
paste di mandorle, quaresimali

Vittorio Papotto
Piazza Duomo, 12
Sant'Alfio (Ct)
Tel. 095 968153
Paste di nocciola

Paradiso
Via Garibaldi, 50
Polizzi Generosa (Pa)
Tel. 0921 688690
Sfoglio

**Pasticceria svizzera siciliana
di Vittorio Bartolotta**
Via Petrarca, 41
Palermo
Tel. 091 303032
Sfinci di san Giuseppe, tatù

Peccatucci di mamma Andrea
Via Principe di Scordia, 67
Palermo
Tel. 091 334835
Paste di mandorle, paste di pistacchi

Puccio
Via Imperatore Federico, 15
Piazza Don Bosco, 12
Palermo
Tel. 091 362076
Algerini, biscotti di san Martino,
biscotti regina, taralli

Ragusa
Via Lombardo Pellegrino, 90
Messina
Tel. 090 673375
Cannoli, pignolata

Russo
Via Vittorio Emanuele, 106
Santa Venerina (Ct)
Tel. 095 953202
Frutta martorana, paste di mandorle,
quaresimali

Sala Ausilia
Via Provinciale, 2
Marina di Itala (Me)
Tel. 090 951055
Cannoli, frutta martorana,
paste di mandorle, pignolata

San Carlo
Via San Domenico, 18
Via Guarnotti, 52
Erice (Tp)
Tel. 0923 869235
Frutta martorana

Sapori madoniti
Contrada Acqua Nuova
Gangi (Pa)
Tel. 0921 502021
Cassata

Scimone
Via Vincenzo Miceli, 18 b
Palermo
Tel. 091 584448 - 091 6113451
Cannoli, cassata, cassata al forno,
sfinci di san Giuseppe

Spinella
Via Etnea, 300
Catania
Tel. 095 327247
Cannoli, cassata, frutta martorana,
paste di mandorle, minni di sant'Agata

Antonino Testa
Via Monte, 2
Mistretta (Me)
Tel. 0921 382580
Buccellato, frutta martorana

Tumasella
Piazza Gramsci, 4
Polizzi Generosa (Pa)
Tel. 0921 649037
Sfoglio

Toscana

Befanini

Berlingozzo

Biscotti di Prato

Bollo ⬤ SLOW FOOD · PRESIDIO

Brigidini di Lamporecchio

Brutti boni

Buccellato

Castagnaccio

Cavallucci

Cialde di Montecatini

Frittatine di castagne

Frittelle di riso
    o sommommoli

Mantovana di Prato

Pan co' santi

Pan di ramerino

Pan ficato

Panforte

Panpepato

Pasimata

Peschine all'alchermes

Quaresimali

Ricciarelli

Schiaccia alla campigliese

Schiaccia briaca

Schiacciata alla fiorentina

Schiacciata con l'uva

Sfratto ⬤ SLOW FOOD · PRESIDIO

Torta co' bischeri

Tortelli dolci di Pitigliano

Zuccherini

Befanini

Come lascia intendere il nome, questi biscotti si preparano durante il periodo natalizio e si consumano soprattutto in occasione dell'Epifania. Prodotti tradizionalmente in Versilia e Lucchesia, sono presenti anche in altre zone della Toscana.

Il semplice impasto è costituito da farina, burro ammorbidito, zucchero, uova, lievito, scorza grattugiata d'arancia o di limone, liquore (anisetta o rum) e un pizzico di sale.

Per ottenere un composto liscio, l'impasto può essere bagnato con un po' di latte. Dopo una rapida lavorazione, si forma una palla che deve riposare in frigo per circa mezz'ora. Si stende quindi col mattarello, nello spessore di circa mezzo centimetro. La sfoglia così ottenuta è tagliata nelle forme più varie: animali, cuori, stelle, semi delle carte e, naturalmente, befane. I biscotti sono quindi posti a giusta distanza l'uno dall'altro su una teglia imburrata, spennellati con uovo sbattuto e decorati con confettini colorati. Cuociono in forno caldo per circa 20 minuti, finché non assumono un colore tra il dorato e il nocciola.

Particolarmente belli, oltre che buoni, i befanini prodotti a Barga (Lu): "pizzettati" a mano (operazione tradizionalmente riservata alle donne del paese), sono arricchiti in superficie dalla presenza del marzapane.

Berlingozzo

Forse nato in provincia di Pistoia, è diffuso anche nel Pratese. Si produce tutto l'anno in oltre un centinaio di forni: tuttavia, oggi quasi nessuno prepara il berlingozzo con regolarità e molti lo fanno solo su ordinazione.

Poiché si tratta di un dolce originariamente legato al Carnevale, il nome deriva probabilmente da Berlingaccio, antico nome toscano del Giovedì Santo nonché di una popolare maschera locale. La ricetta pare risalga al XV secolo: alla corte medicea era servito come antipasto e fu persino immortalato in una lirica di Lorenzo il Magnifico. Oggi si consuma perlopiù inzuppato nel caffelatte a colazione, a merenda o, ancora meglio, a fine pasto, accompagnato da un bicchierino di Vin Santo.

La farina è impastata con uova, zucchero, Vin Santo, buccia grattugiata di arancia o limone, olio d'oliva, vaniglia, lievito e, a volte, semi d'anice. Per la cottura, si usa la classica teglia da forno per ciambelle.

Il berlingozzo, di colore ambrato, ha consistenza morbida e friabile; il sapore e il profumo prevalenti sono quelli della vaniglia e dell'arancia. Le pezzature si aggirano attorno ai 400 grammi.

Biscotti di Prato

Chiamati anche cantucci, sono prodotti da quasi tutti i panifici e le pasticcerie artigianali della Toscana. Particolarmente rinomati sono quelli sfornati in provincia di Prato e nel comune di Massa Marittima.

L'impasto è realizzato amalgamando uova e zucchero, cui si incorpora successivamente la farina. Quando il composto diventa omogeneo, si aggiungono le mandorle (20% circa); i cantucci di Massa Marittima si differenziano da quelli pratesi per l'ulteriore aggiunta di scorza di limone. La pasta è quindi lavorata manualmente fino a ottenere filoncini della lunghezza di 30-50 centimetri e larghi circa tre. Posti su una teglia, questi sono spennellati con uovo sbattuto e cotti in forno per circa 20 minuti. Ancora caldi, sono tagliati in strisce trasversali e un po' oblique. Croccanti e dorati in superficie, i biscotti di Prato mostrano ai lati, nella parte corrispondente al taglio, la caratteristica sezione delle mandorle di cui sono farciti. Poiché sono molto secchi, questi biscotti mantengono la loro fragranza a lungo.

Solitamente si consumano inzuppati nel Vin Santo toscano ma, più in generale, si accompagnano bene a ogni vino da dessert.

Bollo

Il bollo, termine spagnolo che significa focaccia, è un dolce della tradizione ebraica. Si produce tuttora, come lo sfratto (v.), a Pitigliano e Sorano, nella Maremma grossetana, sede dal XVI secolo di importanti comunità israelite: qui si rifugiarono gli ebrei dell'Italia centrale che volevano sfuggire all'obbligo di risiedere nei ghetti. Tra i prodotti dei cosiddetti "forni delle azzime" c'era anche il bollo, arrivato al seguito dei sefarditi cacciati dalla Spagna nel XV secolo e diffuso sia tra gli ebrei europei sia tra quelli nordafricani. È un pane dolce, compatto, dalla crosta color marrone: gli osservanti lo offrono in occasione del Sukkot (la festa delle Capanne, che ricorda la permanenza nel deserto durante la fuga dall'Egitto) e lo consumano anche per rompere il digiuno di Kippur, intingendolo in acqua zuccherata e limone. Oggi, dopo secoli di contaminazioni con la cucina dei *goym* (non ebrei), il bollo è fatto con pasta lievitata, arricchita con uova (sei ogni chilo di farina), zucchero, anice e scorza di limone; si dà all'impasto la forma di una ciambella, si spennella la superficie con tuorlo d'uovo e si cuoce in forno per circa un'ora.
A Pitigliano e Sorano (Gr) è tradizione consumare questa focaccia il giorno di Ferragosto. Il Presidio Slow Food "Cucina dei goym nelle città del tufo" intende salvaguardare i dolci simbolo della tradizione ebraica: il disciplinare di produzione del bollo prevede l'uso di materie prime locali e di lievito madre.

Brigidini di Lamporecchio

Oggi i brigidini sono una specialità di Lamporecchio, cittadina alle falde pistoiesi del Montalbano, sulla strada che un tempo collegava Pistoia alla Val d'Arno: tuttavia pare che queste piccole cialde abbiano avuto origine a Pistoia, nel convento di Santa Brigida (da cui il nome), in periodo rinascimentale.

L'impasto è costituito da farina, uova, essenza liquida di anice (in passato si usavano i semi) e zucchero. La lavorazione può essere manuale o meccanica, per mezzo della cosiddetta "giostra". Nel primo caso, dopo aver ottenuto una piccola palla di impasto, la si taglia in tanti bocconcini che vanno stesi su una piastra a pinza calda, di ferro, dove cuociono 50 secondi per lato. La giostra è invece una macchina che ruota durante la cottura, dotata di una tramoggia fatta a imbuto, di un dosatore e di due piastre tra le quali i brigidini cuociono per un minuto a 200 gradi.

Cialde rotonde, del diametro di circa sette centimetri, i brigidini sono sottili come ostie e arricciati ai bordi; il colore è giallo-arancio, la consistenza è molto friabile e croccante, il sapore è quello della pasta frolla e dell'anice. Si trovano nei negozi di tutta la Toscana, confezionati in buste trasparenti alte e strette o in scatole di cartone, ma soltanto un produttore di Lamporecchio realizza i brigidini con gli ingredienti tradizionali.

Brutti boni

Diffusi un po' in tutta la regione, ma tipici di Prato e del Pistoiese, sarebbero giunti dal Piemonte (v. *brut e bon*) tramite i pasticcieri scesi al seguito della burocrazia sabauda, quando, nel 1865, la capitale d'Italia fu trasferita sull'Arno.
Dopo aver amalgamato farina, mandorle tritate, uova, zucchero, si modellano sfere del diametro di tre-cinque centimetri. Un tempo, al posto delle mandorle si utilizzava il nocciolo delle pesche o delle susine. Disposti nelle teglie e infornati, i brutti boni sono pronti quando la loro superficie si spacca diventando rugosa. I brutti boni sono di color nocciola chiaro; la consistenza è dura, il profumo e il sapore prevalenti sono quelli della mandorla. È usanza locale acquistarli sempre insieme ad altri biscotti. Tipici della provincia di Pisa e di Fucecchio (Fi), i brutti boni ai pinoli (detti *kinzica* dal nome di una principessa pisana di origine ebrea che avrebbe salvato la città dai Turchi) sono invece molto morbidi e spugnosi. La materia prima proviene dai pini domestici del Parco di Migliarino San Rossore Massaciuccoli. La pasta di pinoli riposa per più di 40 giorni con aggiunta di miele di sulla e zucchero. Con la pasta si formano palline che cuociono in forno a circa 200 gradi per pochi minuti. Tolte dal forno, si cospargono di zucchero a velo e di pinoli interi sulla superficie.
Una variante laziale dei brutti boni classici è costituita dai **brutti ma buoni**, il cui impasto è costituito da uova, zucchero e un trito di nocciole tostate e mandorle amare.

Buccellato

Dolce fortemente radicato nella provincia di Lucca (recita un vecchio proverbio locale: *Chi viene a Lucca e 'un mangia il buccellato è come se 'un ci fosse stato*), si produce tutto l'anno. Di antica tradizione, era il tipico dessert da preparare in occasione della Cresima dei figli. L'etimo è comune a quello degli omonimi dolci liguri e siciliani (v.) ma la ricetta è ben diversa.

L'impasto si ottiene mescolando farina, acqua o latte, zucchero, burro (un tempo si utilizzava lo strutto), semi di anice, uva zibibbo, lievito naturale; talvolta si aggiungono scorza grattugiata d'arancia o di limone, cedro candito, Marsala. Modellato manualmente, è posto a lievitare per una cinquantina di minuti. Spennellato con tuorlo d'uovo in superficie, cuoce in forno a calore medio per circa un'ora.

Il buccellato si presenta solitamente di forma allungata, ma è possibile trovarlo anche a guisa di ciambella. Di colore bronzeo e pezzatura variabile (solitamente 300-600-900 grammi, ma se ne preparano anche di dimensioni maggiori), ha consistenza morbida e fragrante. È venduto fresco, lo stesso giorno in cui si produce, ma è possibile conservarlo anche per due settimane: quand'è raffermo, può essere tagliato a fette e biscottato in forno oppure inzuppato nel latte.

Castagnaccio

Piatto povero, le cui antiche origini affondano nella cultura alimentare contadina, si prepara in tutta la Toscana, soprattutto nei mesi freddi, a partire dalla metà di novembre, quando entra in commercio la cosiddetta "farina dolce" di castagne. Secondo la zona, assume nomi diversi: nella provincia di Firenze è chiamato migliaccio (da non confondere con l'omonimo sanguinaccio toscano, v.), nel Casentino è detto baldino, a Livorno, dov'è più alto e denso, si chiama toppone.

L'impasto si compone di farina di castagne (*neccio* sull'Appennino toscano), acqua, olio d'oliva, sale. Travasato il tutto in una teglia larga e bassa, si cosparge con altri ingredienti che variano di zona in zona: pinoli, gherigli di noci triturati, pezzetti di scorza d'arancia, rosmarino, uvetta rinvenuta. Cuoce in forno per 30-40 minuti a 200 gradi.

Il castagnaccio è pronto quando la sua superficie è diffusamente screpolata e assume un colore marrone più o meno intenso. Lo spessore è di circa un dito, la consistenza è compatta ma morbida. Deve essere consumato fresco, non oltre i tre giorni dopo la produzione. Solitamente si serve tiepido, ma c'è chi lo consuma freddo, accompagnato da panna o ricotta.

Cavallucci

Versione dolce, più nobile e meno rustica, degli antichi pepatelli, nacquero probabilmente intorno al XVI secolo. Il
nome di cavallucci pare derivi dal fatto che questi biscotti erano
molto diffusi nelle stazioni di posta, dove un tempo avveniva il
cambio dei cavalli. Chiamati anche morsetti o morselletti, sono
presenti in provincia di Siena e, con leggere varianti, nel
Grossetano: a Massa Marittima la loro produzione caratterizza
tutte le festività.
Per la loro preparazione, si sciolgono sul fuoco acqua, miele e
zucchero: il caramello ottenuto è quindi impastato con farina
tipo 0, frutta candita (arancia, cedro), miele, anice (o coriandolo), lievito. Con il composto si modellano filoncini di circa due
centimetri di diametro da dividere in pezzetti che, posti nelle
teglie, saranno infornati per circa 30 minuti a 200 gradi. Esiste
una variante arricchita dalle noci e una contenente noci, mandorle e spezie: in quest'ultimo caso, i cavallucci assumono il
curioso nome di *bericuocoli* o *berriquoccoli*.
Grossolani, bitorzoluti, di forma irregolare, i cavallucci sono di
colore biancastro; la consistenza è spugnosa e compatta, odori e
sapori prevalenti sono quelli delle noci, dell'anice e della frutta
candita. Se ben conservati, mantengono a lungo la loro fragranza. Poiché sono piuttosto duri, si mangiano spesso intinti in un
vino dolce: Aleatico, Passito o Vin Santo.

Cialde di Montecatini

Sono nate negli anni Venti, a Montecatini Bagni (ora Montecatini Terme), nella pasticceria gestita da una famiglia di ebrei cecoslovacchi. Ancora oggi, questo laboratorio è l'unico a produrre le cialde seguendo la ricetta tradizionale. Confezionate in fini pergamene gialle, oltre a essere vendute in zona, sono distribuite anche nel resto d'Italia e all'estero (soprattutto Stati Uniti, Germania e Svezia). È inoltre molto facile trovarle durante feste e fiere paesane locali.

Gli ingredienti dell'impasto sono latte, tuorli d'uova e farina tipo 00. Quando il composto è ben amalgamato, si tirano due sfoglie tra le quali si dispone un ripieno di mandorle e zucchero. Le cialde così preparate cuociono in forno.

Di forma discoidale, hanno una consistenza compatta ma friabile. Il colore è nocciola pallido; il profumo è di mandorla, il sapore, molto dolce, ricorda quello del wafer. Consumate solitamente col gelato, le cialde di Montecatini si caratterizzano per l'alto valore energetico e la mancanza di grassi.

Frittatine di castagne

Piatto povero della tradizione contadina, è caratteristico delle montagne pistoiesi.

Per prima cosa, le castagne sono bollite, sbucciate e infine sminuzzate e insaporite nel burro. Si aggiungono quindi le uova sbattute leggermente zuccherate e si frigge il tutto. Le frittatine possono essere servite semplicemente spolverate con zucchero vanigliato oppure *flambé*, dopo essere state cosparse con abbondante zucchero cristallino e spruzzate di grappa. Di questa specialità esiste anche una meno comune versione salata.

Non troppo dissimili dalle frittatine di castagne sono i **migliaccini pistoiesi**. A dispetto della quasi omonimia, non hanno alcuna parentela con il migliaccio (v.). Ne esistono due versioni: la prima, quella povera, si ottiene con la frittura di una semplice pastella molto fluida di acqua e farina di castagne; nell'impasto della seconda versione, fritto in olio d'oliva, entrano anche uva passa rinvenuta in acqua tiepida, zucchero e pinoli spezzettati.

Frittelle di riso o sommommoli

Tradizionalmente sono preparate a Siena in occasione della festa di san Giuseppe (non a caso sono dette anche "giuseppine") e a Firenze durante il Carnevale. Tipico del capoluogo toscano è il curioso nome di *sommommolo*, parola la cui etimologia appare oscura: di certo è sinonimo del valdarnese e casentinese "sergozzone", cioè il pugno dato sotto il mento.

Per la preparazione delle frittelle occorre innanzitutto cuocere a lungo del riso per minestra in acqua bollente o, preferibilmente, nel latte, fino a che non si trasformi in una sorta di pappa. Dopo aver lasciato riposare per circa 12 ore, si aggiunge un paio di cucchiai di farina tipo 0 o 00 ogni 300 grammi di riso, si mescola bene e si attende che il tutto raddoppi di volume (occorrono circa quattro ore). Si incorporano quindi le uova e si profuma il composto con un po' di zucchero a velo vanigliato e con la scorza grattugiata di un limone. Aiutandosi con un cucchiaio da minestra si tagliano piccole porzioni d'impasto e si friggono, immerse in olio bollente, in un tegame di medie dimensioni e con i bordi alti. Scolate con la schiumarola, vanno asciugate nella carta assorbente e rotolate in una mistura di zucchero a velo e semolato prima di essere servite.

Mantovana di Prato

Secondo una storia che sa di leggenda, la mantovana sarebbe stata "importata" in Toscana durante uno dei viaggi di Isabella d'Este, di passaggio verso Roma. Isabella, lo ricordiamo, era diventata marchesa di Mantova nel 1490, a soli 16 anni, sposando Francesco Gonzaga: ecco dunque spiegato l'apparente ossimoro contenuto nel nome di questa torta leggera e spugnosa. Più verosimile la storia secondo cui, nella seconda metà dell'Ottocento, due suore mantovane confidarono la ricetta al pasticciere pratese Antonio Mattei in segno di gratitudine per l'ospitalità loro concessa.

Si comincia col montare i tuorli delle uova, cui si aggiungono, continuando a montare, le chiare e lo zucchero; quando si è formata una crema morbida e compatta, si incorporano il burro, precedentemente fuso a fuoco lento, e la farina. Per profumare il tutto, si unisce una presa di vanillina o la scorza grattugiata di agrumi (arancia o limone). A quel punto, si imburra abbondantemente una tortiera e la si cosparge, sul fondo e sui bordi, con un trito di mandorle. Si versa il composto, denso ma scorrevole, e si ricopre con pinoli e altre mandorle tritate. Cuoce a 180 gradi per circa 35 minuti. Si serve dopo aver cosparso la superficie con zucchero a velo.

Pan co' santi

Chiamato anche pan dei morti o pan dei santi, è il dolce tradizionale della festa di Ognissanti e della commemorazione dei Defunti. Tipico dell'antica cucina povera senese (ma si trova, con qualche variante, anche nella provincia di Grosseto), si prepara tra ottobre e novembre.

Secondo la ricetta più classica, alla comune pasta da pane vanno aggiunti gherigli di noce tritati precedentemente soffritti nello strutto, uvetta rinvenuta in acqua tiepida o vino caldo, zucchero o miele, pepe nero. Oggi lo strutto è quasi sempre sostituito dall'olio e, accanto alle noci, sono comparsi mandorle, nocciole e pinoli. Le pagnotte, di forma rotondeggiante e pezzatura di 500 grammi o un chilo, cuociono in forno ben caldo.

Di colore marrone scuro, il pan co' santi ha un aroma molto fragrante, sapore dolciastro, consistenza piuttosto morbida e spugnosa. Tradizionalmente si consuma accompagnandolo a un bicchiere di Vin Santo o di vino novello.

Variante desueta del pan co' santi è il pane dicembrino o di Natale, nel cui impasto entravano anche canditi e una ricca mistura di spezie.

Pan di ramerino

Panino dolce di consistenza morbida, è di colore dorato-marroncino lucido. Diffuso nelle province di Prato e Firenze, si produce sin dal Medioevo. È disponibile tutto l'anno ma è preparato in quantità più copiose, come vuole la tradizione, durante il periodo pasquale: un tempo, infatti, per i contadini che assistevano ai riti religiosi del Giovedì e Venerdì Santo, il pan di ramerino rappresentava un pane devozionale.

La lavorazione è rimasta pressoché invariata nel tempo. La farina di grano tenero è impastata col lievito naturale sciolto in acqua e sale. Dopo aver lasciato fermentare per alcune ore, si aggiungono le foglie di rosmarino (in dialetto *ramerino*) già leggermente soffritte in olio d'oliva, e l'uva sultanina o zibibbo. Dopo aver lavorato bene l'impasto, amalgamando gli ingredienti con l'aggiunta di un po' d'olio, si spezza in porzioni grandi la metà di un pugno, modellate poi in forme varie. Incisi in superficie in modo da favorirne la lievitazione, i pani sono spennellati con olio d'oliva o rosso d'uovo e cotti preferibilmente in forno a legna.

Pan ficato

È l'evoluzione di un antico pasto, pane e fichi, che per millenni è servito da nutrimento alla plebe di tutto il bacino del Mediterraneo. Rustica focaccia dolce di tradizione contadina, è diffuso soprattutto nel Chianti. Oltre che col nome di pan ficato (o panficato), è chiamato più raramente ficattola, proprio come l'omonima frittella salata.

Nei mesi in cui sono disponibili i fichi freschi (preferibilmente i dottati), questi sono spellati e schiacciati (*sbiagginati*) con le mani su una focaccia da cuocere in forno, fatta con comune pasta da pane addolcita da poco miele. Una versione senza pasta da pane si ottiene appallottolando e poi schiacciando su una teglia infarinata i fichi precedentemente puliti e sbucciati.

Una tradizionale variante "fuori stagione", infine, è il pan ficato preparato coi fichi secchi: in questo caso, sulla pasta da pane, rotonda e con i bordi un po' rialzati, si dispongono i fichi insieme ad alcuni cucchiai di miele e, talvolta, alle mandorle tritate. Il miele, caramellando in fase di cottura, rende il pan ficato particolarmente gustoso.

Panforte

Tipico della provincia di Siena, dov'è prodotto soprattutto da ottobre a dicembre sia artigianalmente sia industrialmente, si prepara in misura minore anche nel Grossetano. L'origine di questa specialità risale all'alto Medioevo: in quell'epoca si preparava il cosiddetto melatello, una focaccia di farina di grano e acqua, addolcita con miele e arricchita con pezzetti di frutta di stagione. Cuoceva a fuoco moderato in modo che la pasta non seccasse troppo e la frutta non si disidratasse completamente. Ciò, con un clima caldo e umido, poteva dare al dolce un sapore acidulo: da qui il nome di "pan forte", pane acido. Due le tipologie di panforte: bianco e nero. "Panforte margherita" è un altro nome del bianco, dato nel 1879 in onore di Margherita di Savoia, giunta a Siena insieme al re in occasione del Palio.

L'impasto del panforte bianco comprende farina, zucchero, arancia e cedro canditi, miele, vaniglia e cannella; per il nero si aggiungono cacao e peperoncino, mentre il cedro è sostituito dal melone candito. Effettuate la pressatura e la pezzatura (ancora oggi manuali nella preparazione artigianale), si cosparge il bianco di zucchero vanigliato, il nero di cacao. La cottura avviene in forno a 200 gradi.

Preparato in diverse pezzature, il panforte presenta una superficie rugosa; il sapore è forte di spezie e frutta candita, la consistenza è leggermente gommosa. Si consuma accompagnato da Vin Santo o Moscadello di Montalcino.

Panpepato

Probabilmente non conosceremo mai la vera storia del panpepato toscano: la tradizione più popolare vuole che sia stato
inventato da Nicolò de' Salimbeni nella seconda metà del XIII
secolo. Questi, perdigiorno pentito, durante un pellegrinaggio al
monastero senese di Montecelso, confidò la ricetta ai frati. Le
modalità di preparazione di questa "offella speziata" cominicia-
rono così a circolare negli ambienti ecclesiastici e, conseguente-
mente, in quelli nobiliari, subendo, nel corso dei secoli, inevitabili modifiche: la più curiosa riguarda il numero degli ingredienti, che, dalla fine del Seicento, per tradizione, è stabilito in 17,
proprio come le contrade del Palio; la più sostanziale, invece,
concerne l'uso delle spezie, meno smodato nei tempi più recenti.
Questa è una delle ricette più comuni: dopo aver spellato e trita-
to grossolanamente nocciole tostate, mandorle e noci, si mescolano con scorze candite di cedro e arancia tagliate a dadini, pinoli e uvetta fatta rinvenire in acqua tiepida. Si aggiungono quindi
il cacao amaro e una mistura di spezie che solitamente comprende cannella, noce moscata, coriandolo e pepe. Per amalgamare il
tutto, si mescolano quindi la farina e del miele intiepidito. Si
lavora il composto finché appare sufficientemente omogeneo,
quindi si versa in una teglia imburrata e si cuoce in forno già
caldo a 160 gradi per mezz'ora.

Pasimata

Questo caratteristico dolce garfagnino, di esecuzione lunga e laboriosa, si fa per tutto il periodo pasquale e si può mantenere anche per sei-otto giorni se tenuto in un sacchetto chiuso.

La preparazione si divide in tre fasi intervallate da lunghi tempi di lievitazione, che occupano praticamente l'intera giornata. È necessario che, per tutta la durata del procedimento, la temperatura dell'ambiente si mantenga sui 18-20 gradi, senza sbalzi o correnti d'aria che pregiudicherebbero la riuscita del dolce, facendolo afflosciare o spaccandolo. Sciolto il lievito di birra in poca acqua tiepida, si aggiungono farina di frumento tipo 00, sale, semi d'anice, le scorze grattugiate di un limone e di un'arancia, e si impasta con acqua tiepida fino a ottenere una palla morbida che dovrà lievitare per circa due ore. Trascorso questo tempo, si incorporano la metà delle uova, altra farina, una parte dello zucchero e un cucchiaio di vermut, quindi si lascia riposare ancora per circa due ore. Ripreso l'impasto, si aggiungono le uova, lo zucchero e la farina rimasti, l'uva passa, quindi si lavora la massa fino a che diventa morbida e appiccicosa. Si versa in una teglia imburrata e si lascia lievitare fino a raggiungere i tre quarti del bordo; a quel punto si inforna a 150-160 gradi per circa 50 minuti.

Peschine all'alchermes

Si tratta di dolcetti vagamente cilindrici, morbidi e molto dolci, che per colore e dimensioni ricordano appunto le piccole pesche. Ricetta non antichissima (risale ad alcuni decenni fa) è preparata tutto l'anno, ma in modo saltuario, da forni, pasticcerie e ristoranti, soprattutto nelle province di Prato e Firenze.

L'impasto si compone di farina, zucchero, lievito, burro, uova. Si lavora il tutto manualmente su una tavola di legno: quando il composto è ben amalgamato, si ricavano tante piccole sfere che si lasciano lievitare su assi di legno, avvolte in panni di cotone umidi. Cotte in forno e raffreddate, le peschine sono divise a metà e lasciate seccare. Terminata questa fase, sono inzuppate nell'alchermes, il liquore rosso e intensamente speziato la cui invenzione è attribuita a un abate domenicano di Santa Maria Novella e che deve il suo nome al termine arabo *qirmiz* (scarlatto). Fatte talvolta rotolare nello zucchero, le "metà" sono quindi farcite con crema pasticcera e riunite a due a due. Prive di conservanti, le peschine hanno una conservazione limitata.

Quaresimali

Come si può facilmente comprendere, sono i biscotti tipici della Quaresima. Un tempo erano gli unici dolci che potevano essere consumati in questo periodo: il loro colore marrone scuro, quasi nero, simboleggiava il lutto della Chiesa per la morte di Cristo.

La ricetta di un tempo prevedeva un impasto di farina, miele e zucchero, cui si aggiungeva qualche chiara d'uovo in modo da aumentarne la consistenza. Il colore scuro era poi dato dallo zucchero caramellato. Tirata una sfoglia spessa un dito, si ritagliavano e modellavano i biscotti, a mano o con l'aiuto di stampi, in modo da far assumere loro la forma di lettere dell'alfabeto: le tre forme più comuni erano la A (alfa), la O (omega) e la M di "memento". L'impasto degli odierni quaresimali comprende farina, uova sbattute, zucchero a velo e, in sostituzione del caramello, il cacao. Se l'impasto è troppo duro, si aggiunge una goccia di latte. Data loro la classica forma di lettere (i pasticceri più esperti invece degli stampi utilizzano il *sac à poche*), i quaresimali cuociono in forno a fuoco medio, disposti su una teglia leggermente imburrata.

Ricciarelli

Si producono, artigianalmente e industrialmente, in provincia di Siena; in misura minore e con leggere varianti, si preparano anche nel Pisano (specie a Pomarance) e nel Grossetano. Leggenda vuole sia stato un certo Ricciardetto della Gherardesca, senese, a portare dall'Oriente, intorno al XV secolo, questi dolci arricciati come le calzature dei sultani. Dolcetti di forma ovale, allungata, abbastanza regolare, erano chiamati anticamente marzapanetti alla senese o morselletti; il nome attuale sembra invece sia nato nell'Ottocento. Della stessa epoca è anche la nascita dei ricciarelli al cioccolato, chiamati inizialmente "ricciarelli rozzi" per il loro aspetto irregolare.

L'impasto comprende mandorle macinate, albume, miele, zucchero, lievito e aromi. Una volta amalgamato il tutto, si modellano i ricciarelli con appositi stampi di legno e si "teglionano" sopra una cialda di farina di grano molto sottile. Spolverati in superficie con zucchero a velo (o ricoperti con cioccolato fondente, nel caso dei "rozzi"), cuociono a 160 gradi per circa 15-20 minuti.

Molto morbidi, spugnosi e dolci, i ricciarelli si caratterizzano anche per la superficie screpolata e rugosa. Si consumano con vini da dessert, specie col Vin Santo toscano.

Schiaccia alla campigliese

Campiglia Marittima, 70 chilometri da Livorno, è posta su un colle ai margini della Maremma: qui è nata una delle tante schiacce toscane. Oggi sono una quindicina i produttori di questa specialità, sparsi tra i comuni di Campiglia Marittima, Castagneto Carducci, Donoratico, Piombino, Suvereto e Venturina.

Per la sua preparazione occorrono farina, uova, strutto, zucchero e pinoli. Quando l'impasto è ben amalgamato, si stende e si adagia su una teglia circolare. Cuoce in forno a 180 gradi per circa mezz'ora. L'unica differenza tra la ricetta odierna e quella originaria sta nel fatto che, un tempo, l'impasto era arricchito, oltre che dai pinoli, anche da altra frutta secca: ciò permetteva di ricavare una pasta più spessa e saporita.

Dolce croccante, di colore giallo chiaro e forma rotonda, la schiaccia alla campigliese si consuma di solito a fine pasto, accompagnata da un bicchiere di vino bianco o di Vin Santo.

Prodotta tutto l'anno, è una delle immancabili pietanze della festa di Campiglia (nel mese di maggio), della Sagra del fungo (in ottobre) e della manifestazione "Castagneto a tavola", che si svolge a Castagneto Carducci tra fine aprile e inizio maggio.

Schiaccia briaca

Dolce tipico della tradizione pasticciera elbana, deve il suo nome all'aggiunta di diversi vini liquorosi nell'impasto. Anticamente era una delle pietanze che i marinai portavano con sé in occasione di lunghe battute di pesca. Dopo un lungo oblio, l'antica ricetta è stata recuperata molti anni fa da alcuni forni e pasticcerie dell'isola: oggi i produttori sono una decina, sparsi nei comuni di Capoliveri, Marina di Campo, Portoferraio, Porto Azzurro e Rio Marina.

La farina è impastata con olio extravergine d'oliva, zucchero, noci, pinoli, mandorle e uvetta. Il tutto è amalgamato con Moscato e versato in una tortiera. Cuoce in forno a 180 gradi per 45 minuti. Trascorsa la prima mezz'ora di cottura, la schiaccia è spolverata con zucchero semolato e bagnata con alchermes.

Morbida e rotonda, la schiaccia briaca si caratterizza per la superficie bianca chiazzata di rosso. In tavola, si abbina bene con l'Aleatico di Portoferraio. Preparata soprattutto nel periodo natalizio, è protagonista delle sagre stagionali dell'isola d'Elba.

Schiacciata alla fiorentina

Tipico dolce carnevalesco, è un'immancabile presenza sulle tavole fiorentine il giorno del Berlingaccio (il Giovedì Santo). Fino all'inizio del XX secolo si preparava ancora in forma di pagnotta; l'altrettanto tradizionale versione *stiacciata* è di poco più recente.

Dopo aver preparato una normale pasta da pane con farina, acqua e lievito di birra, si lascia riposare, coperta con un panno, in luogo caldo per un paio d'ore. Completata la lievitazione, si aggiungono uova sbattute, strutto, succo e buccia grattugiata d'arancia. Facoltativa l'aggiunta di un pizzico di vanillina e degli *scriccioli*, cioè i residui carnei ottenuti dalla fusione del grasso di maiale. Dopo aver lavorato la pasta in modo da amalgamare tutti gli ingredienti, si stende su una teglia dai bordi alti almeno due centimetri e unta di strutto. Lieviterà per ulteriori due ore, in luogo caldo e coperta con un panno. La schiacciata cuoce infine in forno a 170 gradi per 35-40 minuti. Tolta dal forno quando la superficie assume un bel colore nocciola, si lascia raffreddare e, prima di servirla, si cosparge in superficie con abbondante zucchero a velo: utilizzando apposite maschere traforate è possibile creare simpatici disegni.

Schiacciata con l'uva

Sono più di cento i forni della provincia di Firenze che la producono. Dolce povero della tradizione contadina, era tipico del periodo della vendemmia: ancora oggi, la produzione è particolarmente concentrata nei mesi di settembre e ottobre.

Per la sua preparazione si impastano farina tipo 0, olio extravergine d'oliva, lievito di birra e acqua. Ottenuta una pasta sufficientemente morbida ed elastica, si stende con le mani e si cosparge con acini d'uva (solitamente sangiovese o altre varietà autoctone) e zucchero. Si copre quindi con un identico strato di pasta e un nuovo strato di acini e zucchero. Cuoce così in forno per 40-50 minuti: non appena lo zucchero comincia a caramellare, la schiacciata è pronta. Di forma rettangolare e colore brunastro dato dalla copertura di acini, la schiacciata con l'uva ha consistenza morbida e sapore di pane e di uva dolce.

Lontano parente più ricco, nato nella zona del Chianti, è il **pane pazzo** (o panepazzo). In origine era fatto con normale pasta da pane arricchita da generose dosi di pepe: il risultato era un pane dal colore grigiastro. Col tempo, la quantità di pepe è diminuita e sono stati aggiunti all'impasto il miele e l'uva fresca. Dopo la lievitazione, si segna con una croce, si spennella con l'uovo sbattuto e si cuoce in forno a 160 gradi. A Radicofani (Si), si suole aggiungere agli ingredienti del pane pazzo anche una buona dose delle spezie che caratterizzano il panforte (v.).

Sfratto

Uno dei Presìdi Slow Food, denominato "Cucina dei goym nelle città del tufo", intende salvaguardare i dolci simbolo della tradizione ebraica: il bollo (v.) e lo sfratto. Nei primi anni del Seicento, gli ebrei che abitavano nel Grossetano furono confinati in un ghetto, in seguito a un editto del Granduca di Toscana Cosimo II de' Medici. Lo sfratto era intimato dall'ufficiale giudiziario e dal messo notificatore picchiando sulla porta delle case con un bastone. Un secolo più tardi, gli ebrei di Pitigliano e Sorano (Gr) vollero ricordare le imposizioni subite creando questo dolce. Si produce ancora oggi nelle stesse zone, soprattutto nel periodo natalizio.

Per prepararlo, si cuoce per cominciare del miele cui, dopo mezz'ora, si aggiungono noci tritate, dadini di buccia d'arancia, noce moscata grattugiata e semi di anice, mescolando con cura fino a ottenere un perfetto amalgama. Tolto l'impasto dal fuoco, si lascia raffreddare. Nel frattempo si prepara l'involucro di sfoglia impastando zucchero, farina, vino bianco, vaniglia e olio d'oliva. Una volta stesa e tagliata la pasta in lunghe strisce, vi si adagia l'impasto lasciando ai lati spazio sufficiente per chiudere il tutto. Si lucida la superficie con tuorlo d'uovo e si cuoce in forno per 20-25 minuti alla temperatura di 150 gradi.

Lo sfratto esternamente ha il colore del pane, all'interno invece è ambra brunito. Si serve tagliato in fette dello spessore di tre-quattro centimetri.

Torta co' bischeri

L'origine di questa torta di pasta frolla, dall'apparenza piuttosto povera ma dal ripieno notevolmente ricco, si fa risalire all'XI secolo. Tipica della festività dell'Ascensione, è diffusa in provincia di Pisa (particolarmente a Marina di Pisa, Nodica, Pontasserchio, San Piero a Grado, Vecchiano) e in quella di Lucca (Torre del Lago). I *bischeri* del nome sono quei merli decorativi ottenuti premendo coi polpastrelli sul bordo prima d'infornare la torta.

Per preparare la pasta frolla, si impastano farina, burro, zucchero semolato e vanigliato, lievito, scorza grattugiata di limone e liquore (solitamente all'anice). L'impasto così ottenuto dovrà lievitare per 12 ore. Per il ripieno, si mescolano inizialmente poco riso cotto e schegge di cioccolato. Quando il composto si è raffreddato, si aggiungono cacao in polvere, uvetta, canditi, pinoli (possibilmente quelli prodotti nel Parco di Migliarino San Rossore Massaciuccoli), uova sbattute, zucchero e un misto di spezie (di solito cannella, coriandolo, chiodi di garofano). Una volta spianata la pasta col mattarello, si adagia su una teglia da forno e si ricopre col ripieno; pizzicando tutt'intorno la pasta che deborda, si ottengono i cosiddetti bischeri. Cuoce in forno a fuoco medio per 20-30 minuti.

Una variante lucchese e garfagnina è rappresentata dalla torta *co' becchi*: il significato del nome è analogo, il ripieno varia invece da pasticciere a pasticciere.

Tortelli dolci di Pitigliano

Prodotti da un ristretto numero di artigiani nell'omonima cittadina in provincia di Grosseto, sono dolcetti di pasta sfoglia ripieni: il nome si deve alla forma, che richiama quella dei classici tortelli salati.

Il ripieno si ottiene mescolando con una frusta zucchero, ricotta e rosolio di cannella. L'impasto della sfoglia è invece a base di farina, uova, vino bianco e zucchero. Quando il composto è ben amalgamato, si stende la pasta su un piano con il mattarello. Si taglia in strisce lunghe dove, con un cucchiaio, a intervalli regolari, si pongono piccole porzioni di ripieno; si ripiega quindi la pasta nel senso della larghezza e si procede al taglio dei tortelli in corrispondenza degli intervalli di ripieno. I riquadri così tagliati vanno chiusi accuratamente, esercitando un'adeguata pressione ai lati con la forchetta. Dorati in superficie con uovo sbattuto, possono essere infornati per 25-30 minuti a 180 gradi o fritti in padella con olio bollente. Terminata la cottura, si spruzzano con alchermes e si spolverano con zucchero vanigliato.

Zuccherini

Queste piccole ciambelle si producono con modalità legger-
mente differenti in due zone ben definite della Toscana:
Vernio (Po) e la valle del Bisenzio, tra le province di Prato e di
Firenze, e la Maremma grossetana.

Gli **zuccherini di Vernio** un tempo erano preparati in occasione
dei matrimoni, oggi si producono tutto l'anno. L'impasto si otti-
ne mescolando farina, uova, burro, zucchero, anice e lievito. Una
volta lievitata la pasta, si modellano manualmente le ciambelline
e si cuociono in forno. Terminata la cottura, si immergono nello
zucchero fuso: secondo la ricetta tradizionale, per ottenere un
liquido uniforme bisognerebbe utilizzare un paiolo di rame.
Grossi eppure leggeri (segno di buona lievitazione), gli zuccherini di Vernio, essendo molto secchi, si conservano a lungo nonostante l'assenza di stabilizzanti. Data la loro consistenza, si inzup-
pano comunemente nel Vin Santo, nel latte, nel caffè o nel vino.
Diversa la lavorazione degli **zuccherini di Maremma**. L'impasto è
composto da farina, uova sbattute, zucchero, limone, lievito
naturale e un po' di latte. Terminata la lievitazione, si staccano
pezzetti di pasta coi quali formare le ciambelline. Disposti in una
teglia oliata e infarinata, gli zuccherini cuociono per circa
mezz'ora a 180 gradi. Cosparsi di zucchero a velo sono pronti
per il consumo.

Le pasticcerie

3P di Nicola e Daniele Magrini
Via Ugolini, 161
Pitigliano (Gr)
Tel. 0564 616402
Bollo, sfratto

Aichta
Piazza della Repubblica, 21-22
Pontremoli (Ms)
Tel. 0187 830160
Spungata

Baldassini
Via Don Corsini, 106
Albiano Magra (Ms)
Tel. 0187 415506
Spungata

Bargilli
Viale Grocco, 2
Montecatini Terme (Pt)
Tel. 0572 79459
Brigidini, cialde di Montecatini

Bernardini
Via Galileo Galilei, 12
Fucecchio (Fi)
Tel. 0571 261339
Cavallucci, kinzica, panforte, ricciarelli

Celata di Maurizio Manzini
Via Unità d'Italia, 48
Pitigliano (Gr)
Tel. 0564 616468
Bollo, pan co' santi, sfratto

Da Pioppino
Piazza Berni, 20
Lamporecchio (Pt)
Tel. 0573 82177
Berlingozzi, brigidini

Diversi
Piazza Umberto I, 2
Località San Piero
Campo nell'Elba
Isola d'Elba (Li)
Tel. 0565 983245
Schiaccia briaca

Duomo
Piazza Duomo, 4
Pontremoli (Ms)
Tel. 0187 830115
Spungata

Elvetico
Piazza Medicea
Fivizzano (Ms)
Tel. 0585 926657
Spungata

Fattoria Toscana
Via di Città, 51
Siena
Tel. 0577 42255
Ossi da morto

Gabardina
Via Milano, 49
Montemurlo (Po)
Tel. 0574 683311
Frittelle di riso, pan con l'uva,
pan ficato, pesche di Prato

Gagnesi
Via Cavour, 4 a
Campiglia Marittima (Li)
Tel. 0565 838754
Schiaccia campigliese

Gori
Via Milazzo, 34
Marina di Pisa (Pi)
Tel. 050 36716
Torta co' bischeri

L'orchidea
Viale Australia, 6
Capoliveri (Li)
Isola d'Elba
Tel. 0565 968030
Schiaccia briaca

Franco Lambardi
Via Saloni, 54
Montalcino (Si)
Tel. 0577 848084
Brutti boni, cantucci, morselletti,
ossi di morto, panpepato, ricciarelli

Biscottificio Lazzeri
Via Provinciale, 224
Località Martinetto
Pontestazzemese
Stazzema (Lu)
Tel. 0584 777200 - 0584 777194
Befanini

Le campane
Via Caduti di Vicobello, 37
Siena
Tel. 0577 282290
Cantucci, pan co' santi, panforte,
ricciarelli

Mariuccia
Piazza del Popolo, 29
Montalcino (Si)
Tel. 0577 849319
Ricciarelli

Biscottificio Antonio Mattei
Via Ricasoli, 20
Prato
Tel. 0574 25756
Biscotti di Prato, brutti boni,
mantovana di Prato, schiacciata
fiorentina

Muti & Lupi
Via Palestro, 14
Rio Marina
Isola d'Elba (Li)
Tel. 0565 962304
Schiaccia briaca

Panificio del Ghetto
Via Zuccarelli, 167
Pitigliano (Gr)
Tel. 0564 614182
Bollo, sfratto

Emanuela Pedreschi
Vicolo al Serchio, 1
Castelnuovo Garfagnana (Lu)
Tel. 0583 62709
Pasimata

Taddeucci
Piazza San Michele, 34
Lucca
Tel. 0583 494933
Buccellato, cantucci, panforte

Tarantola
Via Roma, 18
Pontremoli (Ms)
Tel. 0187 833560
Spungata

Ulivieri
Via Maddalena Ciacci, 248
Pitigliano (Gr)
Tel. 0564 616358
Bollo, sfratto, tortelli dolci di Pitigliano

Volpicelli
Via Don Minzoni, 10
Pitigliano (Gr)
Tel. 0564 616136
Bollo, sfratto

Trentino Alto Adige

Canederli dolci
o gnocchi boemi

Fiadone

Fortaie, strabòi
o strauben

Krapfen

Minglen

Pinza de lat

Strudel di mele

Torta beca

Torta de erbe

Torta de fregolòti

Torta di carote

Torta di grano saraceno

Zelten

Canederli dolci o gnocchi boemi

Canederli è il termine italiano con cui si indicano i *knödel*, grossi gnocchi di pane raffermo variamente aromatizzati diffusi in una vasta area centroeuropea, che comprende la Germania meridionale, l'Austria, le repubbliche ceca e slovacca e, a sud del Brennero, Alto Adige e Trentino. A questa preparazione salata (servita in brodo, come minestra, o asciutta, come contorno a carni in umido) si affiancano i dolci "gnocchi boemi", originari di quella parte dell'ex impero asburgico, chiamati canederli per analogia ma diversi nella composizione, oltre che nel sapore. La base è un impasto di patate lesse, farina, tuorli d'uovo e una presa di sale: lo si taglia a pezzi e su ognuno si poggia una susina o un'albicocca intera, snocciolata (talvolta il nocciolo è sostituito con un cubetto di zucchero). Si avvolge la pasta intorno al frutto formando una pallina e si lessano brevemente i canederli in acqua bollente salata. Appena scolati, si cospargono con pangrattato rosolato nel burro, si spolverano con zucchero e cannella e si servono caldi. Per quanto oggi si usino spesso le albicocche, il ripieno tradizionale degli gnocchi boemi è la susina (prugna), frutto di largo impiego nella cucina, anche salata, di matrice slava: le varietà più adatte hanno forma sferica, colore rosso e nocciolo che si stacca facilmente dalla polpa. In Trentino è rinomato per la produzione di susine Dro, paese posto pochi chilometri a nord del lago di Garda.

Fiadone

Questo dolce, derivato dalla tradizionale preparazione dolce o salata abruzzese (v.), mantiene – come unico legame con la ricetta originaria – solamente la forma. Il classico e saporito ripieno di formaggio è qui sostituito da una golosa farcitura a base di mandorle.

La lavorazione inizia con la formazione di un impasto fatto di farina bianca, burro, zucchero e panna da montare che, una volta ben amalgamato, è diviso in vari dischi larghi circa 11 centimetri e spessi qualche millimetro. Al centro d'ogni tondo viene sistemata una giusta quantità di farcia ottenuta mescolando mandorle tritate, rum e sciroppo d'amarene. Si ripiega la pasta a mezzaluna avendo l'accortezza di sigillare bene le due parti mediante una leggera pressione esercitata con le dita. I fiadoni così ottenuti sono quindi disposti in una teglia imburrata e infarinata, e si fanno cuocere infornandoli a 220 gradi per circa 30 minuti. A cottura ultimata, cioè quando i fiadoni avranno raggiunto una colorazione scura, si spennellano con bianco d'uovo zuccherato e si lasciano asciugare nel forno spento.

Si accompagnano benissimo con un buon bicchiere di Vino Santo trentino da uve nosiola in purezza.

Fortaie, strabòi o strauben

Fritta e "riccia": i due significati dei tre termini – di matrice rispettivamente veneta, ladina e tedesca – descrivono con precisione le caratteristiche di questa gustosa specialità trentina, imparentata con le omelette dolci, spezzettate o farcite, della tradizione austroungarica (ricordiamo le *palatschinken* e il *kaiserschmarn*, che sarebbe stato "inventato" per l'imperatore Francesco Giuseppe).

Per preparare le *fortaie* (frittate) o *strabòi* o *strauben* (arricciate, crespe) occorrono farina di frumento, uova, latte, panna liquida, grappa, sale e, per la copertura, zucchero a velo. Si forma una pastella con tre etti di farina, un bicchiere di latte, qualche cucchiaio di panna e un pizzico di sale. Si aggiungono, con delicatezza, tre uova e un bicchierino di grappa. In una padella con abbondante olio, riscaldato ad alta temperatura, si fa cadere la pastella attraverso una tasca da pasticciere o un imbuto, formando dei disegni concentrici a forma di chiocciola. Si friggono le fortaie da entrambe le parti e, dopo averle sgocciolate su un foglio assorbente, si spolverano con zucchero a velo.

Si servono con l'aggiunta, al centro del piatto, di un cucchiaio di confettura di mirtilli rossi, ingrediente o complemento di molte preparazioni della cucina austro-slovena: si usa, anche in Trentino, sia nei dolci sia in abbinamento a piatti salati, soprattutto di selvaggina.

Krapfen

Sull'origine della parola *krapfen* esistono due scuole di pensiero: in base alla prima, il nome risalirebbe all'antico tedesco *krafo*, cioè frittella; a sentire la seconda, il merito sarebbe di una certa *frau* Krapft che, alla fine del Seicento, avrebbe inventato e battezzato questo gustoso pasticcino.

Mescolate in ugual misura la farina tipo 00 e quella di segale, si lavorano insieme a burro fuso, latte, tuorli d'uovo e grappa. Quando la pasta assume una consistenza morbida ed elastica, si fa riposare per 20 minuti in fresco, quindi si tira, a macchina o col mattarello, fino a farle raggiungere uno spessore medio fine (circa cinque millimetri), proporzionato al diametro dei krapfen che si vogliono ottenere. Ritagliati dei dischi dalla sfoglia, vi si sistema all'interno un composto ottenuto lavorando la ricotta con pere tagliate a cubetti, succo di limone, uva sultanina, rum, miele e, per ultimo, pan di Spagna essiccato e grattugiato. Richiusi i krapfen a mo' di raviolo, si ripassa il bordo con una rotella dentata. Friggono a 190-200 gradi per uno-due minuti; asciugati su carta assorbente, sono cosparsi ancora caldi con zucchero a velo.

Minglen

Piccoli ma gustosi dolcetti fritti, i *minglen* altoatesini si ottengono attraverso un semplice procedimento: una volta formata con farina di frumento la classica fontana, la si riempie con
latte vaccino, lievito in polvere, zucchero, olio extravergine d'oliva, uova intere, un pizzico di sale e un po' di distillato come aromatizzante. Si lavora il tutto con energia, ma avendo cura di non
surriscaldare troppo l'amalgama che deve raggiungere una
buona coesione. A questo punto, dopo un riposo di 10-15 minuti, la pasta viene ripresa, tagliata e arrotolata formando tanti
bastoncini che andranno ridotti in piccoli tocchetti (circa un
centimetro e mezzo) a guisa di gnocchi. Si friggono per qualche
minuto in olio extravergine a 160-180 gradi. L'ultimo tocco, una
volta raffreddati, riguarda la decorazione effettuata con semi di
papavero e zucchero a velo.
Il papavero, *papaver somniferum*, è originario dell'Asia occidentale ma è coltivato in Europa almeno dal Neolitico. I semi secchi
sono spesso usati per guarnire sia piatti salati, sia, più raramente,
preparazioni dolci come questa.

Pinza de lat

Testimonianza della cucina povera trentina del passato, la *pinza de lat*, in origine, si otteneva lavorando pane raffermo e latte, al quale era stata tolta la panna perché più redditizia se trasformata e venduta sotto forma di burro.

Oggi si prepara tagliando in piccoli pezzi il pane raffermo che, successivamente, è ammorbidito con un bicchiere di latte freddo. Dopo circa 30 minuti, si amalgama accuratamente il composto con lo zucchero, un cucchiaio di farina bianca, uova fresche, un pizzico di cannella e uva passa precedentemente fatta rinvenire in acqua tiepida e poi strizzata. L'impasto, imbiancato da una spolverata di zucchero, va sistemato in una teglia precedentemente imburrata e infarinata. Una quarantina di minuti in forno caldo trasformeranno il tutto in un goloso dessert.

Non mancano alcune varianti: diventa *pinza de pomi* se al posto dello zucchero la superficie viene ricoperta da sottili fettine di mele, o *pinza de peri* qualora siano utilizzate delle pere. Nel Gardesano, è inoltre affermata consuetudine arricchire l'impasto con una mezza scorza di limone grattugiata.

Strudel di mele

Nei circa 170 anni di dominazione turca, tra il XVI e il XVIII secolo, l'Ungheria assorbì inevitabilmente molti aspetti della cultura ottomana, compresi gli usi alimentari: tra questi, la preparazione della *baclava*. Rielaborandone la ricetta e aggiungendo le mele, quasi del tutto assenti in Turchia ma parte integrante dell'alimentazione magiara, nacque lo strudel (in tedesco "vortice"). Quando nel 1699 l'Ungheria fu conquistata dall'impero asburgico, lo strudel fece il suo ingresso in Europa giungendo fino in Austria e nell'attuale territorio altoatesino, dove i legami con i vicini Paesi di lingua tedesca sono fortemente radicati.

Le mele, sbucciate e affettate eliminando i torsoli, sono poste in una terrina con zucchero, cannella, succo di limone, nocciole tritate e uno spruzzo di rum. Mescolato il tutto, si prepara a parte la pasta sfoglia lavorando con poca acqua tiepida farina di frumento, uova, olio d'oliva e un pizzico di sale. La sfoglia, stesa molto sottile, va cosparsa di pangrattato. Quindi vi si adagia il composto della terrina e si arrotola il tutto. Sistemato su una placca da forno, lo strudel cuoce a 180 gradi per 40 minuti.

Questa è la versione più classica: non mancano però varianti in cui si utilizzano altri tipi di frutta (come le ciliegie) o versioni salate, ripiene di carne o verdura.

Torta beca

Beca è termine trentino connesso al dialettale tedesco *bechen*, filone di pane. E il pane raffermo è l'ingrediente principale di questo semplicissimo dolce contadino, chiamato appunto anche torta di pane o, significativamente, torta dei poveri.

La versione "moderna", più ricca di quella storica, prevede, per quattro persone, quattro pezzi di pane raffermo, un litro di latte, due uova, tre o quattro cucchiai di farina bianca, tre o quattro cucchiai di zucchero semolato e una manciata di zucchero a velo per la decorazione, una bustina di lievito e una di vanillina, un bicchiere d'olio, un pugnetto di uva sultanina, un pizzico di sale. Si ammolla il pane nel latte e poi si aggiungono le uova intere, il lievito, la vanillina, l'uvetta, lo zucchero e il sale, amalgamando bene. Si unge con l'olio una teglia e la si spolvera con farina, facendole prendere un po' di colore sul fuoco; si versa l'impasto e si cuoce in forno per un'ora abbondante. La torta si serve cosparsa di zucchero a velo.

In tempi di grande miseria, la torta beca era l'unico dolce che si preparava nei masi di montagna; poiché l'aggiunta di uva sultanina era un lusso che pochi potevano permettersi, nella maggior parte dei casi ci si limitava a insaporire l'impasto con un bicchierino di grappa casalinga.

Torta de erbe

Il Trentino non è mai stato un territorio particolarmente ricco dal punto di vista agroalimentare e così, con una certa frequenza, la gente contadina ha dovuto lottare per sopravvivere, affinando l'ingegno e la fantasia per poi metterli al servizio del proprio sostentamento. Ecco allora che, com'è spesso accaduto anche in altre regioni, molte ricette tradizionali devono la loro origine al fatto di dover fare "di necessità virtù". L'esempio più eclatante, per quanto riguarda la pasticceria trentina, è sicuramente rappresentato dalla torta *de erbe*, piacevole preparazione utile per addolcire, un tempo, le feste delle famiglie povere.

Dolce quasi scomparso dalle tavole trentine, impiega come base del pane raffermo che, dopo essere stato ammorbidito con latte freddo, è impastato con uova, zucchero ed erbette precedentemente lessate e ben strizzate. Quest'ultimo ingrediente, strettamente legato a ciò che il "campo" offre, varia in base alla stagione di raccolta. Tra le più usate si possono citare: ortiche, germogli di luppolo, spinaci selvatici, valeriana, tarassaco, rabarbaro e semi di papavero.

Torta de fregolòti

È un dolce di antica tradizione, descritto già in un manoscritto del Settecento e diffuso con numerose varianti in tutta la provincia di Trento. Lo si trova sostanzialmente in due tipologie, con o senza le mandorle.

Ingredienti fissi sono la farina di frumento, lo zucchero, il burro; facoltativi, grappa e – al posto delle mandorle – scorza di limone e cannella. Una ricetta ottocentesca dà queste proporzioni: 560 grammi di farina bianca, 280 di zucchero, altrettanti di burro, un pizzico di cannella e la buccia di un limone. In una ricetta del 1921 si impiegano invece mezzo chilo di farina, quattro etti di zucchero, tre di burro, tre di mandorle tritate finemente e un cucchiaio di grappa bianca trentina. Si usino o no le mandorle, prima di infornare l'impasto occorre, amalgamando a mano gli ingredienti, ridurli in tante briciole, così da ottenere una massa asciutta e di consistenza grumosa (*fregolòto* in dialetto significa appunto grumo). L'impasto va poi lasciato cadere, in forma di piccoli bozzoli, in una tortiera unta e infarinata, e fatto cuocere finché la superficie non prende un bel colore giallo dorato. Abbinamento ideale a questa torta secca è il Vino Santo ricavato da grappoli surmaturi di uve nosiola, vitigno autoctono trentino, lasciati appassire su graticci fino a primavera.

Torta di carote

L'arte culinaria trentina raggiunse il periodo di massimo splendore durante il Concilio di Trento: fu in questo frangente che alcuni abili maestri di cucina ebbero la possibilità di cimentarsi in veri e propri virtuosismi gastronomici. Le pietanze, preparate per i ricchi banchetti consumati nelle ampie sale del castello del Buon Consiglio, derivavano da ricette anche extraregionali e poi adattate secondo la reperibilità di determinate materie prime. Pare che questa golosità sia stata presentata da un cuoco del vescovo Bernardo Clesio, che la preparò con le carote provenienti dalla valle di Gresta, splendida conca situata nelle vicinanze del lago di Garda e caratterizzata da un microclima particolarmente indicato per la coltivazione di questi e altri ortaggi.

La torta di carote trentina si prepara sbattendo lo zucchero con i tuorli fino a ottenere un composto omogeneo al quale si aggiungono la scorza di limone grattugiata (solo la parte gialla), il lievito, la farina, un po' di mandorle macinate e le carote grattate finemente. Il tutto deve essere ben amalgamato e reso più morbido con bianco d'uovo montato a neve ben ferma. L'impasto, sistemato in una tortiera imburrata e leggermente infarinata, deve cuocere a circa 180 gradi.

Torta di grano saraceno

Prima dell'avvento del mais, segale e grano saraceno erano i cereali più coltivati nelle regioni dell'arco alpino, perché ad alta quota il frumento dava rese molto basse. Dal grano saraceno (*Fagopyrum sagittatum*), detto anche fraina o formentino, si ricava una farina di colore grigio picchiettata di scuro, usata per preparare polente e alcune specialità della cucina montanara, soprattutto valtellinese (pizzoccheri, *sciatt*). In Trentino la farina di grano saraceno è ingrediente di torte rustiche, arricchite dalla presenza nell'impasto di burro, zucchero, uova, frutta (in particolare mele, di cui le vallate del bacino dell'Adige sono grandi produttrici).

Per la ricetta classica occorrono farina setacciata di grano saraceno, nocciole tritate, mele renette, burro, uova, zucchero semolato e a velo, la scorza grattugiata di un limone e una bustina di lievito. Si lavorano a lungo i tuorli d'uovo con lo zucchero a velo e il burro ammorbidito a temperatura ambiente. Si uniscono prima le nocciole, le mele grattugiate grossolanamente e la scorza di limone, poi, incorporandoli con delicatezza, gli albumi montati a neve con lo zucchero semolato, infine la farina e il lievito. Si amalgama bene il tutto e si cuoce in forno preriscaldato a 180 gradi per 30-35 minuti.

Zelten

Chiamato anche celteno o pane di frutta, è il tradizionale dolce natalizio che si prepara, con modalità quasi identiche, in Trentino come in Alto Adige. Fondamentalmente, lo zelten tirolese si distingue da quello trentino per la varietà delle forme (rotonda, ovale, rettangolare, a cuore) e, sempre più raramente, per la presenza nell'impasto di farina di segale, immancabile, invece, nella ricetta originaria. Un'altra caratteristica dell'antico zelten era l'assenza di frutta candita, già contemplata, però, nella ricetta descritta in un manoscritto del Settecento, oggi conservato nella biblioteca comunale di Rovereto.

Fermo restando che alcuni ingredienti possono differire da valle a valle, per la realizzazione dello zelten si procede innanzitutto preparando un composto a base di fichi secchi, uvetta, datteri, mandorle, noci, pinoli, canditi di cedro e arancia, tutti tritati, su cui si versano succo d'arancia, grappa (o brandy) e zucchero. Dopo una notte di riposo, al mattino è bagnato con rum e speziato con chiodi di garofano, cannella, pimento e anice stellato. Adesso si può incorporare il tutto a una comune pasta da pane oppure a un impasto dolce a base di farina bianca, burro, zucchero, uova, latte, lievito e un pizzico di sale. Modellato nella forma desiderata, lo zelten è decorato con noci e/o mandorle, spennellato con miele e sciroppo di zucchero, e cotto in forno ben caldo fino a quando assume un colore delicatamente brunito. Decorato con frutti canditi, è pronto per essere servito.

Le pasticcerie

Riccardo Bertelli
Via Oriola, 29
Trento
Tel. 0461 984765
Strudel, torta de fregolòti,
torta di carote, torta di erbe

Cafe Gufler
Via Marconi, 4
Silandro-Schlanders (Bz)
Tel. 0473 730453
Zelten

Mahdi
Via Europa, 2 a
Volano (Tn)
Tel. 0464 411426
Torta beca

Alois Riedl
Via Malles, 11-Malserstr, 11
Glorenza-Glurns (Bz)
Tel. 0473 831348
Strudel

Friedrich Trafoier
Località S. Nicolò-St. Nikolaus
Ultimo-Ulten (Bz)
Tel. 0473 790124
Strudel, zelten

Umbria

Bustrengolo

Il granoturco fu scoperto e importato da Cristoforo Colombo dopo il suo primo viaggio oltremare. Fu chiamato così in maniera erronea (visto che di turco non ha proprio nulla), semplicemente perché, all'epoca, qualsiasi cosa non facesse parte della cristianità era "turco", cioè proveniente da un altro mondo. Il *bustrengolo*, detto anche pan giallo, è un pane dolce di chiara origine contadina che, diffuso soprattutto nella provincia perugina, utilizza lo sfarinato di questo cereale come ingrediente base. Un tempo tipica ricetta autunnale, oggi si prepara senza limiti temporali.

Si parte da un impasto ottenuto miscelando, appunto, farina di mais e acqua calda leggermente salata (o latte). Dopo aver fatto riposare l'amalgama così ottenuto per alcune ore, vi si aggiungono buccia di limone grattugiata, pinoli, gherigli di noci, uva passa, mistrà (tipico liquore mediterraneo ricavato dalla distillazione di alcol e semi d'anice verde), finocchietto selvatico, sottili fette di mela e zucchero. Quando il tutto si presenta ben compatto e uniforme, si stende sopra una teglia da forno, giustamente unta, fino a formare una focaccia alta circa due centimetri. Si cuoce infornando a 180 gradi per 20-30 minuti.

Alcune ricette, arricchendolo di gusto ma privandolo di leggerezza, suggeriscono di cuocere il bustrengolo non in forno, ma friggendolo in olio extravergine ben caldo o nello strutto fuso.

Cicerchiata

È un dolce dalla paternità contesa, con gli umbri che ne rivendicano con forza, a danno degli abruzzesi, la primogenitura. Ben inteso che, nonostante il nome, con la cicerchia o con i ceci (è chiamata anche *cecerata*) ha nulla a che spartire.

Si prepara impastando farina tipo 00, uova, zucchero, scorza di limone grattugiata e un po' di rum. Si realizza così un amalgama omogeneo e abbastanza morbido da cui si ricavano dei grissini sottili. Questi sono quindi tagliati a tocchetti grossi come ceci e tuffati in acqua bollente. Si scolano bene appena riaffiorano in superficie e, un po' per volta, si friggono nello strutto bollente o, se si vuole ottenere una golosità più delicata, in olio extravergine d'oliva. Appena i pezzetti di pasta assumono una colorazione dorata, si raccolgono e si fanno asciugare su carta paglia, quindi si versano, mescolandoli con cura, in un composto semiliquido fatto con zucchero caramellato e miele sciolto a calore moderato. Quando si è formato un composto ben coeso, si versa il tutto su un piatto e, con le mani inumidite, si procede all'atto finale: modellare il dolce nella forma voluta che, generalmente, è quella di una ciambella o di piccoli mucchietti.

La *cicerchiata* può essere arricchita, specialmente nella versione abruzzese, con frutta candita e confettini colorati. Preparazioni simili sono tipiche anche delle Marche (v.) e della Calabria.

Fregnaccia e ficcanasi

Forse, la "sciocchezza" che il nome racchiude in sé si riferisce alla poca abilità culinaria che questa preparazione richiede; in ogni caso, la fregnaccia (detta anche *arvoltolo*) ha dalla sua una legittimazione storica che ne fa uno dei dolci più antichi della tradizione umbra. Uno dei pochi dessert che un tempo le famiglie meno abbienti potevano permettersi, oggi vive il suo momento di massimo splendore durante il Mercato delle Gaite, una festa medievale che si svolge ogni anno a Bevagna (Pg) verso la fine di giugno. Sostanzialmente si tratta di pizzette preparate con farina di frumento, fermento madre (o lievito di birra) e acqua, che si friggono in olio d'oliva (una volta si preferiva utilizzare strutto bollente) prima d'imbiancarle con l'immancabile zucchero semolato o coprirle di miele.

A Spoleto, con sfarinato di grano tenero, burro, zucchero, uova, sale, mistrà, vino, alchermes e vaniglia si confeziona un altro dolce da catalogare nella squadra delle tentazioni fritte: i *ficcanasi*, tranci di pasta arrotolata e aromatizzata con buccia di limone o d'arancia grattugiata.

Pan pepato

Si tratta di un dolce dalle originali caratteristiche organoletti-che. Il contributo di tutti gli ingredienti è esaltato dal sapore piccante dovuto alla presenza di pepe nero macinato. Il pan pepato (o pampepato) è un'antica preparazione d'origine conta-dina che la tradizione colloca nel Ternano. Tipico dolce natali-zio, rappresenta il risultato di uno di quei magici momenti in cui la fantasia delle donne poteva, in tempi con troppa facilità dimenticati, esprimersi al di fuori della misera quotidianità. Una preparazione stagionale – ma oggi non più – che illuminava gli occhi di grandi e piccini portando con sé l'illusione di un'inspe-rata abbondanza.

È figlio di un gustoso amalgama dove mosto cotto, farina (secon-do alcune ricette), cacao, miele, canditi, pepe nero (spezia parti-colarmente usata in molte ricette umbre), noci, mandorle e uva di Corinto si fondono in un impasto dalla giusta consistenza che è fatto cuocere in forno a 180-190 gradi.

Vera e propria golosità, oltre che notevole concentrato di calo-rie, il pan pepato può essere conservato avvolto in carta stagnola e sistemato in ambienti freschi.

Panicocoli

Aperto a Torgiano (Pg) nel 1974, il Museo del vino Lungarotti costituisce una tappa obbligata in qualsiasi viaggio che si sviluppi lungo itinerari umbri. Le varie stanze raccontano un percorso culturale attraverso tutto ciò che, in una qualche maniera, ha a che fare con il mondo enologico. Libri, ceramiche, opere d'arte ma anche attrezzi di vita contadina, come l'incredibile raccolta di "pinze" per la preparazione dei *panicocoli*. Questi utensili sono dotati di un manico molto lungo, 65-70 centimetri, con, alla sommità, due dischetti piatti che riportano – inciso sulla superficie interna – lo stemma gentilizio del casato o le iniziali della famiglia in modo da imprimerli sulla cialda in preparazione. Bevagna, Foligno, Gubbio e Torgiano costituiscono i tradizionali centri di produzione per queste "ostie" sottili e croccanti fatte mescolando farina di frumento, zucchero, semi d'anice e vino fino a formare un impasto piuttosto fluido. Dopo aver fatto scaldare le pinze, si ungono internamente i dischi con olio d'oliva (una volta si adoperava lo strutto) e, su di uno, si distribuisce un cucchiaio di composto. Si stringono bene i manici, così da spandere ancora meglio l'amalgama che è quindi fatto cuocere rimettendo il particolare attrezzo sulla fiamma. Pochi minuti di calore sono sufficienti per considerare pronto il panicocolo. Detto che *ciarabaldoni* e *ciricicoli* non sono altro che due sinonimi, va segnalato che a Bevagna (Pg), con lo stesso impasto ma con più farina, sono preparate le **pastarelle di san Nicolò**.

Rocciata

Strizza quasi l'occhio alle preparazioni mitteleuropee questo dolce assisiate. La *rocciata* (o *attorta*) infatti, per lavorazione, aspetto e gusto ricorda molto gli strudel, tanto da far pensare che possa essere un'eredità delle popolazioni nordiche giunte in Umbria dopo la dissoluzione dell'impero carolingio.

Propria delle feste natalizie e del giorno dei Santi (ma oggi si trova in qualsiasi periodo dell'anno), si prepara impastando farina di grano tenero, uova, olio d'oliva extravergine, zucchero, vino bianco (però si può usare anche liquore all'anice o rosolio) e un pizzico di sale. Ottenuto un amalgama morbido ed elastico, se ne ricava una sfoglia piuttosto sottile. Sopra questa pasta si dispone, in maniera uniforme, una farcia composta da frutta fresca tagliata a tocchetti grossolani, noci e pinoli tritati, zucchero, cacao e cannella. La sfoglia è arrotolata su se stessa (e da ciò deriva il nome, in quanto *roccia* in dialetto locale significa proprio arrotolata, tonda) e si modella a ferro di cavallo o a spirale. Il dolce è cotto in forno per circa tre quarti d'ora a 190 gradi. A cottura ultimata, si spruzza con dell'alchermes e si spolvera con un po' di zucchero a velo; a volte, si decora con piccoli confetti chiamati *semisanti*.

Oltre che ad Assisi, la rocciata è ormai di casa anche nelle città di Foligno e Spoleto, anch'esse in provincia di Perugia.

Strufoli

Proprie dell'Umbria centromeridionale, queste dolci palline, irregolari e un po' bitorzolute, si preparano mescolando accuratamente farina di grano tenero, uova, zucchero, olio extravergine, una miscela alcolica (in genere si utilizzano allo scopo grappa, vino bianco, rum) o mistrà, e, a volte, scorza di limone grattugiata. Inoltre, c'è chi rende l'amalgama più soffice e spumoso aggiungendovi alcuni albumi montati a neve.

Manipolato a lungo il composto fino a ottenere una pasta abbastanza omogenea, si lascia riposare lo stesso per circa un'ora. Una volta trascorso questo tempo, gli *strufoli* sono formati e fritti in olio bollente fino a quando, gonfiandosi lentamente, assumeranno una bella colorazione dorata. Scolati a dovere, si consumano caldi o freddi, magari ulteriormente addolciti con del profumato miele umbro (trifoglio, sulla, girasole, millefiori, acacia, castagno) o, più semplicemente, ammantati di leggerissimo zucchero a velo. Pur rientrando nell'immenso mondo dei dolci carnascialeschi, se ne distaccano per forma, consistenza e sapore.

Torcolo di san Costanzo

San Costanzo, primo vescovo perugino lungamente perseguitato fino alla decapitazione avvenuta intorno al 178 d.C., è celebrato – in quanto patrono cittadino – il 29 gennaio: in una commistione tra sacro e profano, anche il *torcolo* a lui dedicato trova nella stessa giornata il suo momento di massimo consumo.

Assolutamente gradevole, morbida e ricca d'afrori, questa grossa ciambella dolce, stando alla leggenda che l'accompagna, altro non sarebbe che la raffigurazione della corona di fiori con la quale fu cinto il collo del santo dopo che, ricomposto il corpo, rimaneva comunque evidente la traccia del martirio.

Quest'antica specialità deriva da un impasto base fatto con sfarinato di grano tenero, lievito acido, olio extravergine d'oliva, cedro candito, pinoli, uva passa, zucchero e semi d'anice. L'amalgama, dopo aver lievitato a lungo, viene nuovamente lavorato ancora qualche minuto, modellato nella forma classica e lasciato riposare per circa due ore prima di essere infornato a circa 200 gradi.

Di più facile preparazione è il semplice ***torcolo***: sorta di fratello minore, questo dolcetto della tradizione umbra diventa *ciambellotto* a Gubbio o nell'area di Gualdo Tadino (Pg) e *biscotto* dalle parti di Terni: si ottiene amalgamando farina, lievito, uova, zucchero e olio extravergine d'oliva.

Torta ciaramicola

Dolce lucido e profumato, la *ciaramicola* contribuisce a fare della pasticceria perugina un crogiolo di raffinatezze dolciarie. Quella che in origine (XV secolo) era una semplice ciambelletta, oggi, trasformata nell'aspetto e arricchita negli ingredienti, è assurta a dessert simbolo del capoluogo umbro. Goloso omaggio fatto, un tempo, dalle ragazze in odor di matrimonio ai propri fidanzati in occasione dell'Epifania e della Pasqua, si prepara impastando farina, lievito per dolci, burro (altre ricette indicano, invece, strutto ammorbidito e a pezzetti), zucchero, tuorlo d'uova (l'albume è amalgamato in un secondo tempo, montato a neve ben ferma), buccia di limone grattugiata e alchermes (alcuni aggiungono anche un po' di rum). Dopo averla modellata dandole l'aspetto finale, si pone sopra una teglia leggermente imburrata e si inforna per 30 minuti a 180-200 gradi. Una volta cotta, la torta viene spennellata con l'albume emulsionato insieme a zucchero e a un goccio di succo di limone, decorata con piccoli confetti multicolori (*momperiglia* o *trassea*) e rimessa nel forno spento, ma ancora caldo, fino a quando la meringa in superficie non si è rassodata a sufficienza.

Si gusta fredda, magari accompagnandola con un buon bicchiere di Sagrantino Passito, riprendendo, in un certo senso, il rito del "cristaccio": era così chiamato l'atto d'intingere le fette di ciaramicola (o *ciaramigole*) nel vino rosso.

Torta dolce di Pasqua

Per solennizzare la Pasqua, in provincia di Perugia è di regola preparare questa torta, che può assumere anche il nome di pizza dolce di Pasqua. La forma, che non è diversa da quella della versione salata, è una sorta di panettone (v.).

La lavorazione inizia con la preparazione della pasta acida, indispensabile per avviare nel miglior modo possibile il processo di fermentazione: la farina di frumento tenero (tipo 0 o 00) è quindi impastata con acqua e un pizzico di lievito di birra. L'amalgama così ottenuto è lasciato riposare in luogo fresco per tutta la notte. Il giorno dopo, alla pasta si aggiunge, poco per volta, un po' di materia grassa (strutto e burro), zucchero, uova e altro sfarinato. Manualmente si procede alla lavorazione fino a quando il composto non si presenterà abbastanza coeso e pronto ad affrontare una seconda lievitazione. Solo dopo quest'ulteriore periodo di "crescita", l'impasto è addizionato di uva passa e frutta candita ed è aromatizzato con rosolio di cannella. Si sistema infine il tutto negli appositi stampi da cottura e si inforna, preferibilmente in forno a legna. La torta dolce di Pasqua è pronta dopo una cottura di circa un'ora a 180 gradi.

Tozzetti

La cucina umbra dimostra una predilezione per l'uso della frutta secca nella preparazione dei dolci. Non sfuggono a questa regola i tozzetti, classici biscotti diffusi in tutta la regione. Per la loro preparazione si impiegano farina di grano tenero tipo 0, burro, olio d'oliva, uova fresche, mandorle e nocciole tritate, vaniglia, buccia di limone grattugiata (solo la parte gialla), carbonato di ammonio come agente lievitante e zucchero e/o miele quali sostanze dolcificanti. Si impastano tutti gli ingredienti in un'unica volta e, appena l'amalgama raggiunge la compattezza necessaria, si formano tanti grissini del diametro di circa due centimetri. Si sistemano su una teglia leggermente unta e si fanno cuocere a 210 gradi per circa un quarto d'ora. A questo punto si sfornano, si tagliano obliquamente formando dei biscottini e si pongono di nuovo in forno, meglio se alimentato con fuoco a legna, dove si fanno asciugare per altri cinque minuti.
Friabili e profumati, i tozzetti ben si accompagnano con un buon bicchiere di vino passito.

Le pasticcerie

Antica pasticceria Muzzi
Viale Roma, 38
Foligno (Pg)
Tel. 0742 340380
Pan pepato, torta dolce di Pasqua

Mulino Buccilli
Via San Giovanni, 21
Spello (Pg)
Tel. 0742 301553
Rocciata, tozzetti

Milledolci
S.S. Contessa, 18
Tel. 075 9273824
Località Padule
Tel. 075 9293115
Gubbio (Pg)
Cicerchiata

Montanucci
Via Cavour, 21
Orvieto (Tr)
Tel. 0763 341261 - 0736 393409
Pan pepato

Panis et vinum
Largo Volontari del Sangue, 4
Foligno (Pg)
Tel. 0742 350322
Frappe, rocciata, torta dolce di Pasqua

Pazzaglia
Corso Tacito, 10
Terni
Tel. 0744 407102
Pan pepato

Sandri
Corso Vannucci, 32
Perugia
Tel. 075 724112
Cicerchiata, torta ciaramicola, tortolo

Sensi
Vicolo degli Esposti, 1
Corso Mazzini, 14
Assisi (Pg)
Tel. 075 813689
Bustrengolo, rocciata

Valle d'Aosta

Mecoulin

Montebianco

Tegole

Torcetti

Mecoulin

Simile al panettone (v.), è un dolce tipico di Cogne. Oggi è possibile trovarlo quasi tutto l'anno, ma in passato era una delle specialità confezionate in occasione del Natale.

È fatto con farina, latte, panna, uvetta, rum, uova, zucchero, scorza di limone, burro, olio, lievito di birra e sale. Si mette a macerare l'uvetta nel rum per almeno due ore; si sbriciola il lievito di birra con un po' di farina e a parte si fa riscaldare il latte con tutti gli altri ingredienti. Il composto ottenuto si versa sul lievito e si impasta con il resto della farina fino a ottenere un impasto consistente che poi viene ricoperto con un tovagliolo e lasciato lievitare per 12 ore, in modo che raddoppi abbondantemente il suo volume. Si lavora ancora l'impasto con un po' di farina, si modellano dei pani della grandezza desiderata e si cuoce preferibilmente in forno a legna per circa un'ora.

Montebianco

Potrebbe essere di un anonimo pasticciere francese il progetto del magnifico dolce a forma di montagna dedicato alla vetta più alta d'Europa. Familiare anche in Piemonte e in Lombardia, è fatto con un impasto di marroni, latte, zucchero, vaniglia, rum, panna, marrons glacés e un pizzico di sale.

La preparazione è abbastanza elaborata e prevede varianti differenti. La più comune consiglia di incidere i marroni su un lato, sbollentarli in acqua salata per qualche minuto, sbucciarli, asportare le pellicine interne e poi metterli a cuocere coprendoli a filo con latte zuccherato e una stecca di vaniglia per una quarantina di minuti, finché risultano completamente ammorbiditi. Si passano al setaccio (o allo schiacciapatate) e, dopo aver tolto la stecca di vaniglia e averli aromatizzati con il rum, si raccoglie la purea di castagne in un vassoio da portata dandole la forma di una montagna e si mette in frigorifero. Al momento di servire, si monta la panna e si sistema sul montebianco, decorando con i marrons glacés. Le possibilità di arricchimento decorativo (granella di cioccolato, ciliegine sciroppate, fragoline, canditi, piccole meringhe) sono pressoché infinite.

Tegole

Insieme alla fontina e al genepì costituiscono una delle specialità gastronomiche più note della Valle. La produzione delle tegole nei laboratori delle pasticcerie valdostane iniziò nei primi anni Trenta, forse sulla base di una ricetta francese. Il nome deriva dalla forma ondulata che questi dolci assumevano quando, dopo la cottura, erano messi ad asciugare su un mattarello o su un'altra superficie cilindrica.

Gli ingredienti sono: mandorle dolci (più qualcuna amara), farina, nocciole, albumi d'uovo, zucchero e burro. Si tritano le nocciole e le mandorle, poi si aggiungono la farina, lo zucchero e le chiare d'uovo leggermente battute. Si stende uno strato sottilissimo d'impasto su una placca da forno leggermente imburrata e si fa cuocere per cinque minuti a 160-170 gradi. Con uno stampino circolare si ritagliano dal composto dei dischi del diametro di cinque o sei centimetri e si inforna ancora per qualche minuto in modo da far asciugare completamente l'impasto.

Una variante, non ancora codificata dalla tradizione, prevede la copertura delle sottili tavolette di pasta con cioccolato fondente.

Buone anche da sole, le tegole si gustano solitamente col gelato o con la crema di Cogne.

Torcetti

Biscotti secchi a forma di ciambellina, tipici di Saint-Vincent, in virtù delle loro piccole dimensioni sono chiamati anche torcettini. Di questi dolci pare fosse ghiotta la regina Margherita, moglie di Umberto I di Savoia, tant'è che, durante i suoi soggiorni in Valle d'Aosta, impartiva disposizioni perché i servitori provvedessero a farne adeguata scorta.

La realizzazione non è elaborata, ma richiede pazienza a causa dei tempi di riposo dell'impasto. Per prima cosa si lavora la farina e lo zucchero con un po' d'acqua tiepida, poi si aggiungono il lievito di birra (anch'esso diluito in acqua tiepida) e un pizzico di sale. Si lascia riposare per un'ora, poi si aggiunge il burro ammorbidito e si lascia riposare un'altra ora. Si riprende il composto da cui si ricavano dei bastoncini rotondi lunghi 10-12 centimetri, che saranno ripiegati, uniti alle estremità formando delle ciambelline e infine infornati a 180 gradi per 35-40 minuti.

Biscotti simili si trovano sia in Piemonte sia in alcune regioni del Centro Italia.

Le pasticcerie

De Santis
Via Roma, 3 b
Aosta
Tel. 0165 43766
Tegole

Maison du pain
Via Croix de Ville, 3
Aosta
Tel. 0165 44374
Tegole

Mario il pasticciere
Via Roma, 88
Courmayeur (Ao)
Tel. 0165 845011
Montebianco

Morandin
Via Chanoux, 105
Saint-Vincent (Ao)
Tel. 0166 512690
Tegole

Perret
Via Bourgeois, 57
Cogne (Ao)
Tel. 0165 74009
Mecoulin, tegole

Roberto
Strada per Entreves, 19 bis
Courmayeur (Ao)
Tel. 0165 842360
Tegole

Veneto

Baìcoli

Bigarani

Brasadèle broè

Brassadèla

Carfogn

Esse

Fogassa

Fregolotta

Frìtole de pómi

Frollini di santa Lucia

Fugassa pasquale

Macafame

Millefoglie strachìn

Nadalìn

Pagnotta del doge

Pandòli

Pandoro

Pane con l'uva

Pastafrolla

Pazientina

Pevarini

Polentina di Cittadella

Putana

Rufiói

Sanvigilini

Sfogliatine di Villafranca

Tamplun

Torta delle rose

Torta Ortigara

Torta sabbiosa

Treccia d'oro di Thiene

Zaleti

Zonclada

Baìcoli

Sono biscottini secchi, croccanti, facilissimi da trovare, sfusi o confezionati in scatola, nelle pasticcerie e nei panifici di Venezia. Pare siano stati creati nel Settecento per le tante botteghe del caffè della città. Il nome, tipicamente dialettale, è lo stesso attribuito ai piccoli branzini: il biscotto ha, in effetti, una vaga forma di pesce.

Gli ingredienti sono farina, zucchero, burro, lievito di birra, sale e succo d'arancia. L'impasto, di consistenza morbida, è lavorato in due riprese. Nella prima si usano una parte della farina, il lievito sciolto in acqua tiepida, lo zucchero e un pizzico di sale, formando una sorta di palla. Quando la massa ha raggiunto una consistenza doppia rispetto a quella iniziale, la si reimpasta con la restante farina e gli altri ingredienti, formando dei filoncini di cinque centimetri di diametro. Le fasi di cottura sono due: dopo il primo passaggio in forno, la pasta viene affettata finemente (pochi millimeri di spessore) e successivamente biscottata. Si passa infine all'asciugatura in forno. Una volta essiccati, i baìcoli sono confezionati in scatole di cartoncino o di latta.

Si gustano ancora oggi come accompagnamento del caffè o del tè, ma sono eccellenti soprattutto in abbinamento con i vini passiti bianchi o con il Vin Santo.

Bigarani

Biscotti a forma di ciambella schiacciata, sono tipici della provincia di Vicenza e, in particolare, della zona di Bassano del Grappa. Un tempo erano fatti con i ritagli di pasta avanzati dalla preparazione del pane ed era consuetudine donarli, in segno di buon augurio, alle partorienti: non a caso, la loro forma richiama alla lontana quella dell'organo sessuale femminile.

L'impasto è costituito da farina tipo 00, uova, lievito di birra sciolto nel latte tiepido, burro ammorbidito e zucchero. Quando l'insieme risulta liscio e omogeneo, si fa lievitare, coperto da un tovagliolo, per tre ore in un luogo tiepido. Se ne ricavano quindi filoncini lunghi 15 centimetri e del diametro di 1,5. Ripiegati a forma di O molto schiacciata, i bigarani sono disposti in una placca da forno unta e infarinata. Cuociono a 150 gradi per 15 minuti: spennellati con l'albume leggermente montato a neve, riposano per un periodo che può variare tra le 8 e le 24 ore, quindi sono biscottati per 20 minuti in forno tiepido.

Tenuti in recipienti chiusi ermeticamente, questi biscotti si possono conservare molto a lungo.

I bigarani mori, nel cui impasto sono compresi anche cacao, zucchero e cioccolato grattugiato, sono una variante veneziana.

Brasadèle broè

Con la *brassadèla* (v.) hanno in comune soltanto la forma anulare: tradotto in italiano, infatti, il loro nome significa "ciambelle bollite".

L'impasto è costituito da farina tipo 00, uova intere più un ugual numero di rossi d'uovo, zucchero, burro, grappa, vaniglia, un pizzico di sale e uno di bicarbonato. Mescolati tutti gli ingredienti, si lascia riposare il composto per un paio d'ore. Trascorso questo tempo, lo si lavora ancora brevemente. Spezzando la pasta, si modellano quindi dei grissini grossi un dito le cui estremità vengono unite in modo da dar loro la forma di ciambelline. Immerse in acqua bollente salata, vi rimangono fino a che riaffiorano. Adagiate su dei teli, riposano per 12-14 ore in modo da asciugarsi completamente. Incise tutt'intorno per la lunghezza, subiscono quindi una seconda cottura, stavolta in forno caldo (circa 180 gradi), per una quindicina di minuti.

Con un impasto poco diverso (assenza di vaniglia, minore quantità di uova) e una lavorazione pressoché identica, a Chioggia (Ve) si preparano fin dal Medioevo i **papini**, ciambelle che un tempo costituivano il pasto dei pescatori: tenute legate da uno spago a mo' di collana, erano appese sulla barca in modo tale che, anche in caso di mareggiata, non si bagnassero.

Brassadèla

È un dolce tipicamente pasquale, la cui tradizione è talmente radicata da essere citato persino in un popolare proverbio del Basso Vicentino: *Se no piove su l'olivèla piove su la brassadèla* (se non piove sui rami d'ulivo, cioè la Domenica delle Palme, pioverà sulla brassadèla, cioè a Pasqua). Un tempo, era anche offerta in segno di buon augurio agli sposi nel giorno del matrimonio.

Disposta la farina a fontana, si versano nel centro uova, zucchero, burro leggermente sciolto a bagnomaria, latte tiepido e grappa. Dopo aver lavorato bene l'impasto, si aggiungono il lievito sciolto nel latte e il sale. Il risultato è una pasta piuttosto morbida che va modellata in forma di ciambella o di grande esse. La brassadèla resta a lievitare per circa tre quarti d'ora. Cuoce quindi in forno a calore moderato per circa un'ora.

Oltre che in provincia di Vicenza, la brassadèla è preparata con modalità simili anche nel Rodigino; quella veronese, infine, si differenzia solitamente per l'assenza di grappa nell'impasto.

Carfogn

In posizione centrale fra la Marmolada, il Civetta e le Pale di San Martino, si distende la valle del Biois: i *carfogn* sono i dolci caratteristici di questa zona, preparati in occasioni particolari quali nozze, sagre paesane, Carnevale. Hanno come ingrediente caratteristico i semi di papavero: oggi questi sono facilmente reperibili un po' ovunque ma, in passato, erano coltivati soprattutto nella zona di Vallada Agordina (Bl).

L'impasto si ottiene mescolando farina, burro, zucchero, uova intere, tuorli, vanillina, sale, scorza di limone grattugiata, un bicchiere di vino bianco (o birra) e un bicchierino di grappa (sostituibile con rum o cognac). Quando il tutto è ben amalgamato, si lascia riposare per almeno un'ora. Nel frattempo si prepara il ripieno incorporando ai semi di papavero, già tostati e macinati, biscotti secchi sbriciolati, zucchero, marmellata, latte, grappa (o rum o cognac).

Stesa la pasta in uno spessore molto sottile, si lasciano cadere, utilizzando il *sac à poche*, piccole noci di ripieno alla distanza di cinque-sei centimetri l'una dall'altra. Si copre il tutto con un'altra sfoglia della stessa grandezza e spessore e, con la rotella tagliapasta, si tagliano i carfogn da friggere subito in olio o strutto caldo. Opportunamente sgrondati, vanno cosparsi di zucchero a velo prima di essere serviti.

Esse

Gli esse, con l'articolo al maschile, sono grossi biscotti a forma dell'omonima lettera dell'alfabeto. Tradizionalmente erano preparati in famiglia per Natale e per Pasqua, quand'erano consumati accompagnandoli con un bicchierino di Vin Santo, oppure intingendoli nel vino bianco secco. Oggi sono abbastanza facilmente reperibili nelle pasticcerie della Lessinia, della Bassa veronese, del Polesine e nella laguna veneta.

La ricetta più comune vuole che si ottengano amalgamando uova, zucchero, burro, latte, farina e lievito. Si aggiunge liquore all'anice e si continua a manipolare la pasta sino a renderla di buona consistenza. I pezzi d'impasto vengono quindi modellati nella tipica forma a esse, rigandoli per tutta la lunghezza in modo che durante la cottura si creino delle crepe ornamentali. Si cospargono di zucchero e si infornano per circa tre quarti d'ora, portandoli alla consistenza di biscotti friabili.

I **buranelli** (da Burano, isola della laguna di Venezia) non sono né rigati né cosparsi di zucchero: l'impasto di questa variante è costituito da farina, tuorli d'uovo, burro, zucchero, vanillina, sale e scorza grattugiata di limone.

Rispetto ai buranelli, infine, le ***bisse degli Ebrei***, anch'esse veneziane, sono prive di lievito; la forma è più arrotondata, l'impasto è ottenuto mescolando farina, uova, zucchero, olio extravergine d'oliva e scorza grattugiata di limone.

Fogassa

Tipico dolce povero della provincia veronese, è preparato prevalentemente nel periodo invernale e va consumato in giornata. Anticamente, in occasione dell'uccisione del maiale (*copàr el mas-cio*), si cucinava sostituendo nell'impasto l'olio con il liquido di cottura di un cotechino.

Si scioglie in un pentolino, a fuoco lento per circa tre minuti, dello zucchero nel vino bianco secco. Disposta la farina tipo 00 a fontana su un piano, si versano al centro tutti gli ingredienti (lievito, olio extravergine d'oliva, buccia di limone grattugiata, un pizzico di sale) più il composto ottenuto mescolando vino e zucchero. Mescolato rapidamente l'impasto, gli si dà la forma di un tronco che andrà tagliato in pezzi di forma cilindrica. Si tira quindi la sfoglia con un mattarello, dandole uno spessore di un centimetro. La fogassa cuoce, 10 minuti per parte, *su la gradèla* (sulla griglia) o *su le brase* (sulla brace).

Fregolotta

Le *fregole*, in Veneto, sono le briciole: questo classico dolce della Marca Trevigiana, infatti, appartiene alla stessa famiglia della torta sbrisolona (v.) tipica di Mantova. La ricetta attualmente più comune risale ai primi anni del Novecento.

Per cominciare si mette a bollire un uovo finché non è sodo: a questo punto si pela e si separa il tuorlo dall'albume. Si sbollentano nel frattempo le mandorle in acqua bollente; pelate e tostate in forno non molto caldo, vanno quindi grattugiate finemente. All'interno di una terrina capiente, si mescolano accuratamente farina tipo 00, zucchero, le mandorle grattugiate, vanillina e un pizzico di sale. In un secondo tempo si incorporano rapidamente il tuorlo sodo e il burro. Ottenuta una palla omogenea, la si appiattisce e, inserita in un sacchetto di nylon, si lascia riposare in frigo: è in questo modo che la pasta perde elasticità. Trascorsa più o meno un'ora, si stende la pasta manualmente su una terrina imburrata del diametro di circa 26 centimetri. Spolverata con zucchero semolato, la fregolotta cuoce in forno già caldo per mezz'ora a 160 gradi, fino a quando diventa dorata e croccante. Si serve fredda; solitamente va portata in tavola intera e rotta col cucchiaio davanti ai commensali.

Frìtole de pómi

Le frittelle di mele sono comuni a molte regioni italiane; in area veneta, tuttavia, le *frìtole de pómi* assumono una caratterizzazione particolare, che rimanda ai tempi in cui la Serenissima dominava sull'Adriatico e intesseva rapporti commerciali con l'area bizantina del Mediterraneo. All'usuale impasto di pane raffermo, latte e mele, si aggiunge infatti quasi sempre l'uva passa e, talvolta, entrano nella composizione anche i pinoli. Uvetta e pinoli sono tra gli ingredienti più classici di una certa cucina veneziana, connotata da sfumature orientaleggianti: non a caso, entrano anche nella ricetta delle sarde *in saor*. Rituale è l'abitudine di cucinare o consumare le frìtole a Carnevale: in questo periodo sono numerosissime le pasticcerie del Veneto che le preparano. Hanno forma tondeggiante e a volte sono anche ripiene di crema. In ogni caso, sono cosparse di zucchero. Tipicamente veneta è anche l'abitudine di aggiungere grappa all'impasto, così com'è abitudine servirle accompagnate dallo zabaione caldo.

Restando nel Triveneto, val la pena di citare una variante friulana, le ***fritules di lòps***: i *lòps* sono mele autoctone della Carnia, di piccole dimensioni e leggermente acidule. La pastella in cui immergere le fette di mela si ottiene mescolando uova, farina, zucchero, latte, lievito. Cotte nell'olio bollente, le fritules sono sgrondate su carta assorbente e servite ben calde, cosparse di zucchero a velo.

Frollini di santa Lucia

A Verona, così come un po' in tutto il Veneto, i doni ai ragazzini li porta santa Lucia, nella notte fra il 12 e il 13 dicembre. Oggi a dominare sono i giochi tecnologici, ma nelle case veronesi resiste ancora, nonostante tutto, la tradizione del piatto *de Santa Lussia*, colmo di caramelle, mandorlato e, soprattutto, frollini burrosi cosparsi di zucchero a velo. I frollini sono presenti un po' in tutte le pasticcerie di Verona e della provincia proprio attorno alla data fatidica del 13 dicembre. Sono venduti sfusi, oppure confezionati artigianalmente in vaschettine di cartoncino o di plastica, coperte da pellicola trasparente.

Sono biscotti piatti, sagomati nelle forme più strane, alti circa mezzo centimetro, larghi non più di cinque-sei, lunghi una decina. Se ne trovano di modellati ad asinello (quello con cui la santa cieca trasporta i regali per i bimbi), a mela, a mezzaluna, a stella, a farfalla. È importante che la pasticceria ne abbia di vari tipi, in modo che il piatto sia il più variegato possibile. Immancabili sono le figure antropomorfe: i biscotti sono sagomati, cioè, con le sembianze di un ragazzino o di una bimbetta, quasi a gettare un ponte ideale con un altro dolce di santa Lucia quasi scomparso: i *puòti* (termine dialettale che significa bambole), pani dolci dalla forma umana con due caramelline al posto degli occhi.

Fugassa pasquale

Diffusa, oltre che nella provincia di Vicenza, anche in territorio trevigiano, non ha nulla a che vedere con la quasi omonima fogassa (v.). L'antica origine di questo ricco pane dolce non
è certa, ma sembra che la ricetta si debba a un fornaio cittadino,
che regalava ai suoi clienti, in occasione delle feste pasquali, questo dolce soffice e leggero.
Per la sua realizzazione, si prepara una comune pasta da pane
impastando farina tipo 0 o 1, lievito di birra sciolto in acqua tiepida e un pizzico di sale. L'uso del lievito madre, richiedendo
lunghi tempi di lavorazione, è purtroppo sempre più raro. Dopo
aver lasciato lievitare il composto per un'ora, si riprende la lavorazione incorporandovi burro, uova, zucchero, miele, uva sultanina e, in ultimo, altra farina, vaniglia e aroma di arancia o limone. Quando l'impasto sarà sufficientemente omogeneo, si spezza
e modella in forma di pagnotte. Spennellata con albume sbattuto
e incisa a croce in superficie, la fugassa è quindi ricoperta con
granella di zucchero e guarnita con mandorle intere. Dopo un
secondo periodo di lievitazione, della durata di circa 90 minuti,
cuoce in forno per un'ora a 180 gradi.

Macafame

L'origine del nome di questo antico dolce contadino è semplice: *macafame* (o *maccafame*) in dialetto locale vuol proprio dire "ammacca fame". Ne esistono fondamentalmente due versioni piuttosto differenti.

Per il **macafame vicentino** si procede cuocendo innanzitutto le fette di mele con lo strutto e l'uva passa. A questo composto si aggiunge il latte, bollito a parte con zucchero e cannella (o anice stellato); quindi, sempre mescolando, si incorporano uova, pangrattato, farina bianca e di mais e, per finire, frutta secca: fichi, uva passa, noci (o mandorle), pinoli. Cuoce in forno ben caldo per un paio d'ore.

Il **macafame bellunese** si ottiene lasciando macerare il pane raffermo nel latte per una notte. Ottenuto un composto omogeneo e semifluido, si aggiungono uova, fettine di mela, burro fuso, scorza di limone grattugiata, zucchero vanigliato e semolato, lievito e una quantità di farina utile a rendere l'impasto mediamente consistente. Quando il tutto è omogeneo, si versa in una teglia imburrata e si fa cuocere in forno a calore medio per 90 minuti.

Sorta di variante veneziana è l'ormai rara **torta nicolotta**, un tempo tipica dei quartieri più poveri della città e, in particolare, della parrocchia di San Nicolò dei Mendicoli: privo di mele e scorza di limone, l'impasto è arricchito da uvetta, pinoli, vino bianco, semi di finocchio e, talvolta, da cedro candito.

Millefoglie strachìn

La torta millefoglie è un classico della pasticceria, un alternarsi di strati di pasta sfoglia e di crema chantilly, con la copertura di zucchero a velo. In provincia di Verona è la torta da banchetto per antonomasia: il pranzo di matrimonio, battesimo, comunione si conclude quasi immancabilmente con la millefoglie, sagomata a grande quadrato e porzionata di fronte ai convitati. Il perché di una simile popolarità è probabilmente da attribuire a un'apprezzatissima variante tipicamente locale: la millefoglie *strachìn*, ricoperta e farcita da una crema soufflé, che dopo alcuni minuti incomincia inesorabilmente ad afflosciarsi (in dialetto *la se stràca*, si stanca, da cui millefoglie strachìn).

A crearla è stata la pasticceria Perbellini, attiva nella Bassa veronese sin dal 1822, prima a Isola della Scala e poi, ancora nell'Ottocento, a Bovolone, dove ha tuttora sede. Da lì il mito della millefoglie si è esteso a tutta la provincia, dove ha trovato decine di imitatori: i migliori sono considerati quelli che riescono a realizzare la torta più cremosa.

Nadalìn

Quando si parla della Verona dei dolci, è inevitabile che la mente vada al pandoro (v.). Pochi però sanno che i veronesi *de sòca* (letteralmente "di ceppo": significa che hanno radici ben salde nella tradizione locale) non festeggiano il Natale col pandoro, bensì col suo antenato, il *nadalìn*. Facilmente reperibile nei panifici e nelle pasticcerie della provincia, viene confezionato con farina, burro, zucchero e uova, e a volte è arricchito da grani di cioccolato.

Come il suo "erede", ha la forma di una stella ma, a differenza del pandoro, soffice e lievitato, il nadalìn ha consistenza più compatta. È inoltre basso, un po' gonfio nel mezzo. Largo una trentina di centimetri, è alto meno di 10 al centro, digradando fino a circa un centimetro alle estremità delle larghe punte, comunque mai distaccate più di quattro-cinque centimetri dal corpo del dolce.

C'è chi dice rappresenti la cometa che guidò i magi. Più propriamente la simbologia sembra rifarsi ai riti pagani in onore del sole, su cui, com'è noto, si sono sovrapposte le feste natalizie cristiane. Dunque non una stella, bensì un sole potrebbe essere simboleggiato dal nadalìn, gonfio nel centro come segno di fertilità, dorato come i raggi del sole destinato a far maturare i frutti della terra tornata feconda dopo l'inverno.

Pagnotta del doge

Silvestro Valier fu, alla fine del XVII secolo, il centonovesimo doge di Venezia. Nella sua tenuta di Villadose (appena otto chilometri a est di Rovigo), oggi sede dell'amministrazione comunale, si tenevano frequentemente grandi banchetti: proprio nelle cucine di casa Valier nacque una pagnotta dolce spesso servita come dessert. Gli ingredienti principali erano il miele, i fichi secchi, lo strutto, la melassa, le uova e le noci, tutti provenienti dalla poca terra fertile circostante: in quel periodo, infatti, Villadose sorgeva in prossimità di una zona paludosa. L'antica ricetta, in parte rivista secondo canoni più moderni (il burro ha sostituito lo strutto, lo zucchero ha preso il posto della melassa), è tornata sulle tavole del Polesine da una quarantina d'anni per merito di una pasticceria villadosana.

La lavorazione inizia impastando una semplice pasta da pane ottenuta con farina di grano tenero tipo 0, lievito di birra, acqua e un pizzico di sale. L'impasto riposerà tutta la notte per 12-14 ore. Al mattino, si riprende la lavorazione aggiungendo tutti gli altri ingredienti: burro, miele millefiori, zucchero, noci e fichi secchi tritati, vaniglia, uova pastorizzate, essenza d'arancia o limone. Una volta modellata, la pagnotta lievita ancora per otto-dieci ore, quindi cuoce in forno. Terminata la cottura, si cosparge esternamente di burro.

Pandòli

Ci sono, nel dialetto veneto, alcuni termini, apparentemente offensivi, che vengono usati come epiteto scherzoso. Uno di questi è *pandòlo*, che significa sciocco, scemo, detto però in forma quasi vezzeggiativa. Si chiamano pandòli anche certi fragranti biscotti vicentini, originari, pare, di Schio, e considerati in passato il dolce del periodo della mietitura. L'impasto assomiglia a quello del pane. A statuire tuttavia la diversità dal pane dolce, e a indicarne quindi la classificazione merceologica di dolce o di biscotto, è stata addirittura una sentenza scaturita da un'intricata vicenda giudiziaria.

Per realizzarli, si scioglie il lievito in poco latte tiepido e vi si impasta qualche cucchiaiata di farina. Vanno quindi aggiunti altra farina, un pizzico di sale, uova, zucchero e burro (o strutto). Si lavora l'impasto, formando dei rotolini larghi meno di un dito, che vanno chiusi a ciambella, rimodellata successivamente in forma stretta e allungata, oppure in trecciolina. I pandòli cuociono in forno e, a volte, sono anche successivamente biscottati.

Si tratta di un dolce di estrema semplicità, solitamente servito con il tè, con i vini passiti, ma anche con i locali vini bianchi secchi, spesso caratterizzati da una qualche vena di amabilità.

Pandoro

Classico dolce natalizio veronese, pare sia stato creato nella seconda metà dell'Ottocento. Nato come evoluzione del *nadalìn* (v.), ha ereditato il nome e alcune caratteristiche da altre due preparazioni: il rinascimentale *pan de oro* veneziano (simile nell'impasto ma di forma conica), servito nelle case patrizie e coperto da sottili foglie d'oro, e il coevo pan di Vienna, dolce asburgico ma d'ispirazione francese, la cui pasta molto gialla era ricca di uova e burro.

Si comincia preparando un primo impasto a base di farina, lievito di birra e acqua tiepida. Datagli la forma di una palla, si lascia lievitare finché raddoppia il suo volume. A parte si prepara un secondo impasto a base di farina, zucchero, uova e burro appena fuso. Uniti i due composti, si lavora il tutto e si lascia riposare in luogo tiepido, dentro un recipiente coperto, fino a che raddoppia ancora il suo volume. Il terzo impasto che andrà ad aggiungersi alla pasta lievitata sarà ottenuto mescolando farina, zucchero, burro fuso, uova, un pizzico di vanillina e una presa di sale. Quando la pasta sarà elastica e morbida, si pone a lievitare per circa tre ore. Si procede quindi a una lunga ed elaborata lavorazione della pasta, che sarà piegata e distesa più volte, e al cui interno saranno inseriti piccoli pezzi di burro. Si versa quindi in uno stampo imburrato e zuccherato: quando la pasta gonfia fino all'orlo, si mette in forno già caldo per circa 50 minuti.

Si serve in tavola cosparso di zucchero a velo.

Pane con l'uva

Il *pàn co l'ùa*, il pane arricchito con l'uva passa, è amatissimo in terra veneta, e in particolare nel Veronese, nel Polesine e nell'area lagunare di Venezia. Lo si trova fresco in ogni stagione con estrema facilità in quasi tutte le panetterie e le pasticcerie della regione, ma non è difficile incrociarlo persino nei supermercati. Un tempo, lo si portava in dono alle puerpere o ai convalescenti, mentre oggi viene acquistato come goloso accompagnamento del caffè o del latte caldo nella colazione casalinga di prima mattina. Di fatto, è un pane dolce soffice e ben lievitato, nel cui impasto sono inseriti in quantità variabile (ma sempre comunque con generosità) chicchi di uvetta fatti rinvenire in acqua tiepida. Può avere la forma di grossi filoni, e in questo caso è venduto a peso, tagliato in tranci, oppure può essere confezionato a forma di banana o di pagnottella più o meno tondeggiante. Con la cottura in forno, la crosta, molto sottile, assume una colorazione dai toni bruniti scuri, mentre la pasta interna vira decisamente al giallo. L'uvetta che affiora in superficie, con la cottura ad alta temperatura, diventa amarognola, gusto apprezzato dai consumatori, che vi trovano quasi una compensazione con l'intensa dolcezza dei frutti interni al pane.

A Chioggia (Ve) se ne trova anche una versione biscottata, le *sbreghette*, tagliata a fette sottili.

Pastafrolla

La pastafrolla è una semplicissima ed economica torta secca "di tutti i giorni", popolarissima nella provincia di Verona. È prodotta in forni artigianali o in laboratori semindustriali soprattutto in Lessinia, la fascia collinare e montuosa alle spalle della città, ma anche nell'area del monte Baldo. È il fine pasto dei pranzi familiari, ma anche il dolce da tirar fuori dalla credenza in caso di visite impreviste di parenti o amici, oppure da servire con il tè nello spuntino pomeridiano.

Secca, ricca di burro, ha forma circolare, con il diametro attorno ai 20-25 centimetri. I bordi rialzati hanno uno spessore mai superiore al centimetro, mentre il centro è attorno ai cinque-sei millimetri. La superficie è cosparsa con poco zucchero semolato. Il peso è in genere intorno ai due etti. È confezionata su vassoietti di cartone, avvolta in carta trasparente. Altri la commercializzano in scatole di cartoncino.

La ritualità della pastafrolla vuole che la si tolga dalla confezione e la si adagi su un piatto, premendola leggermente al centro in modo che il dolce si frantumi in pezzi più o meno grandi, e comunque del tutto irregolari: sarà ciascun commensale a scegliere la dimensione che più gli aggrada. Qualcuno ama irrorarla con un po' di grappa. È eccellente in abbinamento con il rosso Recioto della Valpolicella.

Pazientina

Torta simbolo di Padova, richiede una lavorazione piuttosto laboriosa: si deve probabilmente a questo il nome con cui è stata battezzata.

Per cominciare si mantecano il burro e lo zucchero fino a ottenere una crema morbida: su questa si versa a pioggia la farina, un pizzico di sale e le mandorle tritate molto finemente. Per legare il tutto, infine, si incorporano gli albumi montati a neve. Si versa uno strato sottile del composto in una tortiera cernierata e si inforna per 30 minuti. Nel frattempo, si prepara un impasto pressoché identico a quello della polentina di Cittadella (v.) e se ne inforna la medesima quantità di quello a base di mandorle, in modo da ottenere, alla fine, due dischi delle medesime dimensioni. Spalmato sul primo uno strato di zabaione, vi si sovrappone il disco di polentina già irrorato di alchermes. Dopo aver ricoperto anch'esso di zabaione, ben livellato con una spatola, si ricopre di glassa di cioccolato e scaglie di cioccolato fondente.

Un tempo la pazientina era il dolce delle grandi ricorrenze; oggi è proposta in molte pasticcerie e ristoranti, sia secondo la ricetta più classica, sia in altre versioni.

Pevarini

Biscotti di origine piuttosto antica, diffusi soprattutto nel Padovano e nella provincia veneziana, un tempo erano sempre presenti nelle osterie, dove facevano bella mostra di sé all'interno di grandi vasi di vetro. Adatti ad accompagnare un vino rosso corposo o un vin brûlé, erano apprezzati soprattutto dai fumatori e, più in generale, dagli amanti dei gusti forti: questo per la presenza del pepe nero tra gli ingredienti. Preparati ancora oggi artigianalmente, i pevarini stanno vivendo una discreta riscoperta in questi anni.

Sciolto il burro con lo zucchero e il miele, si aggiungono sale, pepe e altre spezie in polvere (solitamente cannella, noce moscata, zenzero, chiodi di garofano). Mescolato bene il tutto, si aggiungono farina tipo 00 e lievito. Completato l'impasto, si lascia riposare per circa 30 minuti. Trascorso questo periodo, si stende su una spianatoia con l'aiuto del mattarello. Ottenuta una sfoglia sottile, si ritagliano i pevarini con degli stampini e si adagiano su una teglia oleata. Cuociono in forno per 15 minuti a 180 gradi.

Il pepe ha una parte importante anche nella preparazione dei **forti duri** di Bassano del Grappa (Vi). L'impasto, piuttosto consistente, si ottiene mescolando melassa, farina, arachidi pestate e pepe; lavorato il tutto prima con le mani, poi con il mattarello, si modellano piccoli biscotti da cuocere per 20 minuti su una piastra da forno a calore moderato.

Polentina di Cittadella

Cittadella è un centro di origine medievale posto 29 chilometri a nordovest di Padova. La polentina dolce cui ha dato i natali, contrariamente ad altre preparazioni dai nomi simili, più o meno legate alla tradizione e presenti in varie zone del Nord Italia, non contiene all'interno del suo impasto farina di granoturco, né si caratterizza per forma o colore simili a quelli del piatto contadino per eccellenza. L'origine etimologica dunque è ignota, anche se è probabile che, almeno anticamente, una parte della farina fosse di mais.

Dopo aver sciolto con un po' di latte e un pizzico di sale la farina fiore e la fecola di patate (dosate in parti uguali), si aggiungono i tuorli d'uovo, lo zucchero e il lievito in polvere. Per ultimi si incorporano gli albumi montati a neve, quindi si amalgama bene l'impasto che dovrà riposare per un'ora, coperto, in ambiente tiepido o anche caldo. Si versa quindi in una tortiera ben imburrata e infarinata e si fa cuocere in forno tiepido, alzando pian piano, ma non molto, la temperatura. La torta è pronta quando l'impasto tende a fuoriuscire dallo stampo.

La polentina si serve fredda, cosparsa di zucchero vanigliato.

Putana

È ignoto il perché di questo nome quantomeno pittoresco; di sicuro si tratta di un dolce vicentino di origini remote, preparato ancora oggi soprattutto nell'imminenza dell'Epifania, come vuole la tradizione. Fino agli anni Quaranta, si faceva cuocere la *putana* sotto la cenere e le braci, all'interno di un recipiente chiamato *covercio*. Oggi si cuoce esclusivamente nel forno, sebbene in questo modo si ottenga un risultato più modesto dal punto di vista organolettico.

Esistono due tipi di putana: una più popolare, l'altra, detta "gentile", particolarmente diffusa nelle pasticcerie. La prima si ottiene con la sola farina gialla: sbollentata con alloro e strutto, viene bagnata d'acqua, addolcita con zucchero biondo e arricchita con mele, uva passa, fichi secchi e gherigli di noci. Talvolta è aromatizzata con scorza d'arancia grattugiata.

La seconda è una sorta di incrocio fra la pinza (v.) e la torta nicolotta (v.). L'impasto si compone di pane ammollato nel latte e farina gialla. Quest'ultima può essere sostituita da polenta rafferma grattugiata: in questo caso, per legare meglio gli ingredienti si aggiungono anche le uova. Lo strutto è spesso sostituito da burro o margarina. Addolcita con zucchero o miele d'acacia, è arricchita con cedro candito, uvetta, pinoli, e profumata con un po' di grappa.

Rufiói

È probabile che la nascita dei *rufiói* sia attribuibile a una variante dei galani (v.). Sono infatti anch'essi tipici del periodo carnevalesco e si ottengono dalla stessa pasta, intagliandovi un tondo largo grosso modo come la bocca di una tazzina (nelle case contadine si usava proprio questa come stampo). Sull'impasto si pone una cucchiata di marmellata di ciliegie o susine, oppure di mostarda. La pasta viene chiusa a mezzaluna attorno alla confettura. Quindi si inumidiscono i bordi con uovo sbattuto, si premono un po' e si passa alla friggitura. Una variante più ricca prevede che la farcia sia ottenuta amalgamando con la marmellata amaretti, mandorle tritate, pezzetti di cedro candito, liquore dolce e zucchero.

A differenza dei galani, diffusi in tutto il territorio regionale, dei rufiói si trova traccia in piccoli ambiti territoriali: a Soave (Vr), al confine fra la provincia veronese e quella vicentina, conoscono un abbinamento ideale con il Recioto, il passito bianco da uve garganega. Nella Bassa veronese e nel Polesine la farcia è ottenuta mescolando pan biscotto grattugiato, rossi d'uovo, cedrini, uvetta, anice, latte bollente. In provincia di Treviso, infine, il nome muta leggermente in *rafiói*.

Sanvigilini

A Garda, la cittadina veronese che ha dato il nome al più grande dei laghi italiani, non è raro che a fine pasto siano serviti, assieme al caffè, i sanvigilini, dolcetti di pasta frolla con l'uvetta. Si tratta del classico esempio di una proposta gastronomica che in tempi relativamente brevi (pochi decenni) si è radicata in un ambito territoriale ristretto, sino a farla considerare parte integrante del patrimonio locale.

Il nome del biscotto tradisce l'origine: è stato creato a Punta San Vigilio, nella leggendaria Locanda affacciata sul porticciolo, gestita sino agli anni Sessanta da Leonard Walsh, eccentrico personaggio britannico. L'albergo fu meta privilegiata di alcuni dei più bei nomi che abbiano trascorso le loro vacanze sulla riviera del Benaco. La leggenda dei sanvigilini vuole che siano stati ideati da Walsh quando, dopo la seconda guerra mondiale, giunse a San Vigilio per un breve soggiorno, forse alla ricerca del carteggio intrattenuto con Benito Mussolini.

L'impasto è costituito da burro, farina bianca, zucchero, lievito, sale, uva sultanina, buccia grattugiata di limone. In ultimo, quando il tutto è amalgamato, si incorporano le uova intere sbattute energicamente in precedenza. L'impasto va lavorato in modo rapido e deve avere una consistenza piuttosto solida. Con un cucchiaino da tè si traggono quindi dei ciuffetti d'impasto che, disposti su una placca da forno imburrata, cuoceranno finché la loro superficie è dorata.

Sfogliatine di Villafranca

Villafranca di Verona contende a Legnago il titolo di secondo centro della provincia veronese per popolosità dopo il capoluogo. Ha come simbolo il castello fatto costruire dagli Scaligeri, ma i buongustai la identificano soprattutto per un suo dolce dalla fragranza burrosa: la sfogliatina.

Soffici e friabili, di forma circolare a mo' di ciambellina, del diametro di cinque-sei centimetri, con al centro un foro di uno-due centimetri, le sfogliatine di Villafranca sono fatte con farina, burro, zucchero, sale e uova. A crearle, sul finire dell'Ottocento, fu il maestro pasticciere Giovanni Fantoni, che aveva il suo caffè sul viale che conduce al castello. Il locale che porta il suo nome c'è tuttora, e conserva tutto il suo fascino d'antan. All'interno si custodiscono gli autografi di Gabriele D'Annunzio, cliente affezionato. Qui le sfogliatine vengono ancora confezionate come un tempo nelle tipiche scatole di cartoncino. Ma i dolcetti villafranchesi da molto tempo non sono più un'esclusiva della pasticceria Fantoni, perché da decenni altri laboratori del centro storico le producono artigianalmente e le commercializzano nelle caratteristiche scatole di cartone o di latta. Non è difficile trovarle neppure sfuse nei bar, da accompagnare alla tazzina di caffè.

Tamplun

Chiamati meno comunemente *tampelun*, sono frittelle dolci, tipiche della zona rivierasca del Po, nell'ultimo tratto dal Mantovano alle foci: zona d'elezione è il Polesine, regione quasi perfettamente corrispondente alla provincia di Rovigo.

Rotte le uova in una terrina, si aggiunge a pioggia la farina di castagne senza smettere di mescolare. Si versano quindi alcune gocce di succo di limone, un cucchiaio di anice e dei panini precedentemente ammollati nel latte. Dopo aver lavorato a lungo il composto in modo da renderlo perfettamente omogeneo, si incorporano l'uva passa (già rinvenuta in poca acqua tiepida e asciugata con cura), i fichi secchi tagliati a pezzetti, un pizzico di sale e il lievito. Si riprende la lavorazione fino a ottenere una pasta piuttosto consistente che, dopo un riposo di circa un'ora, è suddivisa in polpettine o ciambelline da immergere brevemente in olio o strutto bollente. Scolati e asciugati su fogli di carta assorbente, i tamplun sono cosparsi abbondantemente con zucchero a velo.

Un'alternativa più leggera ma meno tradizionale contempla la cottura in forno a 180 gradi per circa 15 minuti.

Torta delle rose

Molto ricca di burro, deve il suo nome ai rotolini di pasta (la cui forma ricorda, appunto, le rose) farciti di una crema di zucchero e burro e disposti in modo da occupare l'intera superficie della tortiera. Vanta oltre cinque secoli di vita: pare sia stata creata, infatti, nel 1490, in occasione del matrimonio tra Isabella d'Este e Francesco II, quarto marchese di Mantova e nipote di Ludovico Gonzaga. È tipica di Valeggio sul Mincio (Vr), bella località posta tra le province di Verona e Mantova.

Per cominciare si prepara un impasto morbido a base di farina bianca, lievito di birra e latte tiepido, e si lascia lievitare per una notte in un recipiente coperto da un canovaccio umido. Il giorno seguente si procede mescolando burro e zucchero in eguale quantità fino a ottenere una crema. Si riprende l'impasto del giorno precedente e vi si incorporano altra farina, zucchero, burro, tuorli d'uova, sale e scorza grattugiata di limone. Si lavora il tutto a lungo, fino a che non sia perfettamente amalgamato. A questo punto si tira una sfoglia su cui va spalmata la crema di burro e zucchero. Si arrotola senza stringere troppo, quindi si taglia in sette pezzi. Le rotelle di pasta così ottenute vanno adagiate in una teglia imburrata e infarinata, spennellate con albume sbattuto e cosparse di granella di zucchero.

Si lascia quindi riposare la torta per circa un'ora in luogo tiepido, quindi si cuoce in forno a 175 gradi per circa 45 minuti.

Torta Ortigara

L'Ortigara (2105 metri) è uno dei monti che delimitano a nord il cosiddetto Altopiano dei Sette Comuni e che strapiombano sulla sottostante Valsugana con un salto di oltre 1500 metri: su questa cima impervia e pietrosa, si combatté, durante la prima guerra mondiale, una lunga e sanguinosa battaglia fra i nostri alpini e le truppe austriache. Battaglia che si concluse con un bilancio pesantissimo (28000 vittime italiane, 9000 austriache) e che valse all'Ortigara il triste soprannome di "calvario delle penne mozze". Nel 1919, le sorelle Carli, eredi di un'attività pasticciera iniziata alla fine dell'Ottocento ad Asiago (Vi), rientrate dal profugato decisero di dedicare una loro torta, preparata già da inizio secolo ma rimasta fino a quel momento senza nome, proprio alla memoria dei tanti caduti sul monte. Il marchio fu registrato nel 1920.

Gli ingredienti sono farina di frumento, una piccola parte di farina di mandorle, burro di malga, zucchero, uova, lievito. Prima della cottura in forno, la torta è decorata con scaglie di mandorle. Dolce di alto valore energetico, la torta Ortigara è preparata praticamente tutto l'anno: d'inverno, prima di servirla, è preferibile scaldarla leggermente.

Torta sabbiosa

La sabbiosa è una torta alta ed estremamente soffice, abbastanza comune nelle pasticcerie venete e soprattutto nella zona collinare pedemontana della provincia di Verona, dov'è anche prodotta in forma semindustriale e confezionata in porzioni. La consistenza è proprio quella granulosa della sabbia e questa sua caratteristica trae in inganno: considerata "leggera", è invece ricchissima di calorie. È facile intuirlo dagli ingredienti: un terzo di burro, un terzo di zucchero e un terzo di farina (o farina e fecola in parti uguali), cui si somma un uovo ogni etto di zucchero, più lo zucchero a velo che ricopre il dolce.

Si lavora il burro con lo zucchero, montandolo sino a farlo diventare cremoso. Si aggiungono i tuorli d'uovo e si continua la lavorazione. Sopra l'impasto burroso si setaccia quindi la farina, aggiungendo un pizzico di sale e il lievito e incorporando il tutto. Successivamente, si uniscono gli albumi montati a neve. Si sistema l'impasto in una tortiera imburrata e si fa cuocere facendo attenzione a non aprire mai il forno, affinché la lievitazione vada a buon fine. Sfornata la torta, si fa raffreddare e quindi si cosparge di zucchero a velo.

Destinata un tempo ai banchetti di battesimo o di comunione, è oggi un popolare dolce festivo da accompagnare con il Recioto.

Treccia d'oro di Thiene

Thiene si trova 20 chilometri a nordovest di Vicenza, alle falde meridionali dell'altopiano di Asiago. Qui, ristorazione e pasticceria, da quasi due secoli, sono indissolubilmente legati al nome Signorini. Ai primi del Novecento, l'attività comprendeva addirittura, oltre al ristorante e alla pasticceria, anche un albergo, una sala da biliardo e un teatro per concerti. La svolta in campo dolciario avvenne nel 1920: Edoardo Romano, il primogenito della mitica Chechina, mise a frutto le conoscenze apprese durante un suo soggiorno viennese e, insieme al fratello Ezio, ideò la treccia d'oro, divenuta ben presto il dolce più richiesto non solo dalla clientela locale ma anche dalle ricche famiglie padovane e vicentine che sostavano a Thiene prima di raggiungere gli altopiani di Asiago (Vi) o Folgaria (Tn).

L'impasto si ricava mescolando farina di grano duro tipo 00, lievito di birra, uova fresche, burro, latte, burro di cacao, margarina, glucosio, miele di acacia, zucchero, vaniglia, uvetta e un pizzico di sale. Le modalità di lievitazione non sono troppo dissimili da quelle del panettone (v.) e della colomba (v.). Data la forma di treccia, cuoce in forno a 180 gradi per 40 minuti. A tre quarti della cottura è spennellata con burro e marmellata (un tempo si usava l'uovo sbattuto) e decorata con granella di zucchero.

Zaleti

Il nome è dialettale, significa "gialletti", con riferimento al colore dell'ingrediente principale: la farina di mais. Dolcetto di umili origini, è diffuso, oltre che in Veneto, anche in Friuli Venezia Giulia, Trentino ed Emilia Romagna. La ricetta è pressoché uguale ovunque; la differenza sta soprattutto nella forma: a losanga nel Nordest, rotonda in Emilia. Preparati tutto l'anno, un tempo erano diffusi durante il periodo carnevalesco e spesso chiudevano il pranzo di nozze in segno di buon auspicio.

Dopo aver mescolato farina di mais e di frumento, si forma la classica fontana. Si incorporano quindi le uova, i pinoli, l'uvetta rinvenuta in acqua tiepida (ma anche in grappa o vino), il burro ammorbidito (o lo strutto), lo zucchero, la scorza grattugiata di limone e un pizzico di sale. Alcune varianti contemplano l'impiego dei soli tuorli, la presenza del miele, l'aggiunta di un po' di latte per rendere più morbido l'impasto. Possibile anche l'uso del lievito di birra. Dopo aver lavorato bene il tutto, si modellano dolcetti lunghi sei-sette centimetri e spessi uno.

Disposti su placche da forno, gli zaleti cuociono per 25-30 minuti alla temperatura di 160-180 gradi.

Solitamente, si servono spolverizzati di zucchero a velo.

Zonclada

Pare che il nome derivi da *zonchiada* (giuncata, latte rappreso).
Era molto diffusa a Treviso già nel Medioevo. Vero e proprio
simbolo della città, era il dono che il Comune faceva agli amba-
sciatori. Uno statuto speciale ne regolava la genuinità: doveva
essere *bene cocta*, del peso di una libbra, ed era vietato togliere
pinguedinem lactis, la parte grassa del latte, altrimenti sarebbe
riuscita *deterior et inscipida*. Dopo anni di oblio, la zonclada è
stata rilanciata negli anni Ottanta attraverso un concorso che ha
coinvolto vari pasticcieri trevigiani.

Disposta la farina a fontana, si incorporano zucchero, uova,
burro fuso, cannella e un pizzico di sale. Ottenuto un impasto
liscio e compatto, lo si divide in due parti. A parte si sbatte lo
zucchero con i tuorli, quindi si aggiungono gli albumi montati a
neve e la ricotta (sostituibile con latte e semolino) e, per finire,
l'uvetta, i cubetti di cedro candito e un cucchiaino di cannella.
Foderata una tortiera ben unta con una delle due sfoglie di pasta
frolla, si versa l'impasto e si copre con le listarelle ottenute
tagliando la seconda. Spennellata la superficie con un tuorlo
d'uovo, la zonclada cuoce in forno per mezz'ora a 150 gradi.
Preparata tutto l'anno, tranne che in piena estate, si conserva da
una a due settimane.

Una versione particolarmente ricca può contemplare nella farcia
anche mandorle, fichi secchi, albicocche e scorza d'arancia candite, pinoli, gherigli di noce.

Le pasticcerie

Antico forno Vecchiato
Piazza della Frutta, 26
Padova
Tel. 049 8751873
Pane con l'uva, zaleti

Ardizzoni
Via Nervesa della Battaglia, 85
Treviso
Tel. 0422 303358
Bussolai, esse, fregolotta, zaleti, zonclada

Bolzani
Via XX Settembre, 6
Vicenza
Tel. 0444 514267
Fugassa pasquale

Bonomi
Via Vazzi, 7
Roverè Veronese (Vr)
Tel. 045 6509300
Pastafrolla

Boscaini
Via Prato Santo, 2
Verona
Tel. 045 918688
Via Mameli, 41
Verona
Tel. 045 8347760
Frìtole de pómi, frollini di santa Lucia, galani, nadalìn, pane con l'uva

Rino Boschi
Via Trento, 32
Selva di Progno (Vr)
Tel. 045 7847009
Torta sabbiosa

Brentegani
Via Goito, 20
Valeggio sul Mincio (Vr)
Tel. 045 7950182
Millefoglie strachìn, torta delle rose, zaleti

Carli
Piazza II Risorgimento, 30
Asiago (Vi)
Tel. 0424 460051
Piazza Mazzini, 2
Asiago (Vi)
Tel. 0424 462143
Torta Ortigara

Chiamenti
Via Cavour, 49
Bardolino (Vr)
Tel. 045 7211039
Millefoglie strachìn

Roberto Civiero
Corso del Popolo, 1366
Chioggia (Ve)
Tel. 041 401540
Papini, sbreghette

Colmean
Frazione Colmean, 9
Canale d'Agordo (Bl)
Tel. 0437 592078
Carfogn

Da Nino
Corso Vittorio Emanuele, 66
Adria (Ro)
Tel. 0426 21415
Pastafrolla, zaleti

Da Sergio
Strada Ponte Caneva, 626
Chioggia (Ve)
Tel. 041 401200
Pevarini

Dall'Omo
Via Don Girardi, 11
Verona
Tel. 045 954959
Millefoglie strachìn

De Rossi Il Fornaio
Corso Porta Borsari, 3
Verona
Tel. 045 8002489
Brassadèla

Dolci pensieri
Via SS. Trinità, 85
Schio (Vi)
Tel. 0445 520016
Crostoli, fogassa, fregolotta,
fugassa pasquale, galani, macafame,
pandoro, torta delle rose,
torta nicolotta, torta sabbiosa

Caffè Fantoni
Corso Vittorio Emanuele, 161
Villafranca di Verona (Vr)
Tel. 045 6301341
Nadalìn, sfogliatine di Villafranca

Felisi
Via Roma, 6
Soave (Vr)
Tel. 045 7680119
Rufiói

Galletti
Corso Vittorio Emanuele, 10
Garda (Vr)
Tel. 045 7255645
Sanvigilini, torta sabbiosa

I dolci del forno
Viale Marze, 6
Asolo (Tv)
Tel. 0423 952411
Fregolotta

Le calandre
Via Liguria, 1
Rubano (Pd)
Tel. 049 630303
Pazientina

Lilium pasticceria al Santo
Via del Santo, 181
Padova
Tel. 049 8751107
Pevarini, zaleti

Loison
Strada Statale Pasubio, 6
Costabissara (Vi)
Tel. 0444 557844
Pandoro, zaleti

Molinari
Corso Vittorio Emanuele, 246
Villafranca di Verona (Vr)
Tel. 045 7901852
Sfogliatine di Villafranca

Orlando
Via San Marco, 6
Cassola (Vi)
Tel. 0424 533068
Bigarani

Penzo
Piazza Ballarin, 1417
Località Sottomarina
Chioggia (Ve)
Tel. 041 400397
Ciosota, pevarini, zaleti

Ernesto Perbellini
Via Vittorio Veneto, 46
Bovolone (Vr)
Tel. 045 7100599
Millefoglie strachìn, nadalìn, pandoro

Rossi
Via Europa Nord, 119
Cittadella (Pd)
Tel. 049 5970302
Polentina di cittadella

Rossini
Via Trento, 9
Verona
Tel. 045 915312
Nadalìn

Roveda
Via Fantoni, 14
Villafranca di Verona (Vr)
Tel. 045 7900067
Sfogliatine di Villafranca

Ruffo
Località Cà Sartori
San Zeno di Montagna (Vr)
Tel. 045 7285145
Torta sabbiosa

Sabaini
Corso Vittorio Emanuele, 16
Garda (Vr)
Tel. 045 7255062
Sanvigilini

Sergio Schiesari
Via Umberto I, 30
Villadose (Ro)
Tel. 0425 405379
Pagnotta del doge

Signorini
Corso Garibaldi, 113
Thiene (Vi)
Tel. 0445 361686
Via Trieste, 2
Thiene (Vi)
Tel. 0445 361142
Treccia d'oro di Thiene

Sofia
Via Venezia, 66
Località Sarmego
Grumolo delle Abbadesse (Vi)
Tel. 0444 389012
Fugassa pasquale

Massimo Tinelli
Via San Luigi, 9
Località Pesina
Caprino Veronese (Vr)
Tel. 045 7200700
Pastafrolla

Valbusa
Piazza Vittorio Veneto, 3
Bosco Chiesanuova (Vr)
Tel. 045 7050114
Esse, frollini di santa Lucia, nadalìn

Valdiporro
Via dell'Artigianato
Località Corbiolo
Bosco Chiesanuova (Vr)
Tel. 045 7050399
Torta delle rose, torta sabbiosa

Vanzin
Via Garibaldi, 265
Località San Vito
Valdobbiadene (Tv)
Tel. 0423 975564
Pane con l'uva

Zambaldo
Corso Vittorio Emanuele, 45
Soave (Vr)
Tel. 045 7680290
Rufiói

Bibliografia

AA.VV., *La cucina siciliana. Guida ai pranzi di Sicilia voll. 1 e 2*, Palermo, Giornale di Sicilia, s. d.

Boni U., Patri G., *Guida completa per scoprire riconoscere usare le erbe*, Milano, Fabbri, 1977

Mazzara Morresi N., *La cucina marchigiana tra storia e folclore*, Ancona, Aniballi, 1978

Coria G., *Profumi di Sicilia. Il libro della cucina siciliana*, Palermo, Vito Cavallotto, 1981

Righi Parenti G., *La grande cucina toscana voll. I e II*, Milano, SugarCo, 1982

Ferretti L., Serra P., *Il grande libro della pasticceria napoletana*, Napoli, Salvatore Di Fraia, 1983

Tocco Bonetti S., *Antichi dolci di casa*, Milano, Idealibri, 1983

Darrigol J. L., *Il miele per la vostra salute*, Quart, Musumeci, 1986

Sallé J. e B., *Dizionario degli alcolici*, Roma, Gremese, 1986

Costardi G. F., Rocca G., *Il controllo igienico-sanitario del latte e derivati. Tecnica e legislazione*, Bologna, Edagricole, 1987

Nahmias F., *Curatevi con il miele*, Milano, De Vecchi, 1989

AA.VV., *Cucina lariana*, Como, La Provincia, 1990

Casati E., Ortona G., *A scuola di pasticceria*, Bologna, Calderini, 1991

Righi Parenti G., *Dolci di Siena e della Toscana*, Padova, Franco Muzzio, 1991

Antolini P., *Racconti e cucina di Valtellina*, Padova, Franco Muzzio, 1992

Cafiero A., *Sorrento e le sue delizie*, Sorrento, Franco Di Mauro, 1993

Soracco D., *Il Ponente ligure*, Bra, Slow Food Editore, 1993

Cesari Sartoni M., *Dizionario del ghiottone viaggiatore*, Bologna, Fuori Thema/Tempi Stretti, 1994

Doglio S., *Il dizionario di gastronomia del Piemonte*, San Giorgio di Montiglio, Daumerie, 1995

Lucheroni M. T., Padrini F., *Il grande libro degli oli essenziali*, Milano, De Vecchi, 1995

Marchese S., *Le Cinque Terre e il Golfo dei Poeti*, Bra, Slow Food Editore, 1995

Soracco D. (a cura di), *Ricette di Osterie e genti di Liguria*, Bra, Slow Food Editore, 1995

Guizzaro A., Lambertini E., Volpe E., *La cucina nella storia di Napoli*, Sarno, Cuzzolin, 1996

AA.VV., *Cucina di tradizione della Valle d'Aosta*, Aosta, Pheljna, 1997

Busnelli T., Scolari F., *Manuale di pasticceria*, Pinerolo, Chiriotti, 1997

Nistri R., Paolazzi M., Riva M., *Per un codice della cucina lombarda*, Milano, Regione Lombardia, 1997

Casati E., Ortona G., *Dolce Liguria da Ventimiglia a Sarzana*, Genova, De Ferrari, 1998

Grimm H. U., *L'imbroglio nella zuppa. Cosa bolle in pentola nel "mondo nuovo" del cibo*, Bologna, Andromeda, 1998

Marchese S., *Cucina e vini delle Valli d'Aosta*, Padova, Franco Muzzio, 1998

Marini M. (a cura di), *Ricette di Osterie della Lombardia – Cremona e il suo territorio*, Bra, Slow Food Editore, 1998

Molinari Pradelli A., *La cucina della Lombardia*, Roma, Newton & Compton, 1998

Taylor Simeti M., *Pomp and sustenance. Twenty-five centuries of Sicilian food*, Hopewell, Ecco, 1998

Attorre A. (a cura di), *Ricette di Osterie e famiglie dell'Umbria*, Bra, Slow Food Editore, 1999

Capatti A., Montanari M., *La cucina italiana*, Bari, Laterza, 1999

Francesconi J. C., *La cucina napoletana*, Roma, Newton & Compton, 1999

Piazzesi P., *Dizionario enogastronomico della Toscana*, Fiesole, Nardini, 1999

Race G., *La cucina del mondo classico*, Napoli, Edizioni Scientifiche Italiane, 1999

AA.VV., *Atlante dei prodotti tradizionali trentini*, Provincia Autonoma di Trento, 2000

AA.VV., *Il Buon Paese*, Bra, Slow Food Editore, 2000

Bononi M., Tateo F., *Principi di tecnologia degli aromi*, Pinerolo, Chiriotti, 2000

Guarnaschelli Gotti M. (a cura di), *Grande enciclopedia illustrata della gastronomia*, Milano, Selezione del Reader's Digest, 2000

Marcenaro M., Paternostro M., *Enciclopedia della Liguria. Tutti i comuni dalla A alla Z*, Genova, Il Secolo XIX, 2000

Medagliani E., Piras C., *Specialità d'Italia. Le regioni in cucina*, Köln, Könemann, 2000

Novellini G. (a cura di), *Ricette di Osterie e ristoranti della Valle d'Aosta*, Bra, Slow Food Editore, 2000

AA.VV., *Prodotti di Liguria. Atlante regionale dei prodotti tradizionali*, Recco, Regione Liguria – Assessorato all'Agricoltura e Turismo, 2001

Alberaci A., *Biscotti e biscottini*, Rimini, Idealibri, 2001

Carrai B., *Arte bianca*, Bologna, Calderini Edagricole, 2001

Coppola C., *Zeppole, struffoli e chiffon rosso*, Castellammare di Stabia, Nicola Longobardi, 2001

Novellini G. (a cura di), *Ricette di Osterie d'Italia*, Bra, Slow Food Editore, 2001

AA.VV., *Atlante dei prodotti tipici dei parchi italiani*, Bra, Slow Food Editore – Ministero dell'Ambiente e della Tutela del Territorio, 2002

AA.VV., *Dispensa del Po. I sapori del grande fiume*, Bra, Slow Food Editore, 2002

AA.VV., *L'Italia dei Presìdi*, Bra, Slow Food Editore, 2002

Bellina L., Cappellaro M. (a cura di), *Ricette di Osterie del Veneto – Quaresime e Oriente*, Bra, Slow Food Editore, 2002

Bordo V., Surrusca A., *L'Italia del pane*, Bra, Slow Food Editore, 2002

Cavalcanti I., *Cucina teorico-pratica del cavalier Ippolito Cavalcanti, duca di Buonvicino*, Milano, Guido Tommasi, 2002

De Falco R., *Alfabeto napoletano*, Napoli, Colonnese, 2002

Rorato G., *Dolci e pani del Veneto. Storie e ricette dalla Serenissima alla Mitteleuropa*, Vicenza, Terra Ferma – Regione Veneto, 2002

McGee H., *Il cibo e la cucina. Scienza e cultura degli alimenti*, Padova, Franco Muzzio, 2003

Links

Abruzzo:
www.ruralnet.it/Territorio/Prodotti%20tradizionali/Elenco%20Prodotti.html

Lombardia:
www.agricoltura.regione.lombardia.it/sito/doc/codice_cucina/

Piemonte:
www.saporidelpiemonte.it/prodotti/07.htm

Toscana:
germoplasma.arsia.toscana.it/Prodotti_tipici/BancaDati.htm

Veneto:
turismo.regione.veneto.it/it/cucina/tipologia.php

Indice dei dolci

f

g

k

q